WAC BUNKO

アフターコロナ日本の宿命

世界を危機に陥れる習近平中国

湯浅 博

JN126172

WAC

はじめに　五輪開催後、十年前後で独裁国家は崩壊する!?

いまも頭から離れないことがある。安倍晋三首相が２０１８年10月26日の日中首脳会談で、２０２０年の東京五輪への招待を習近平国家主席に持ち掛けたとき、ふと２人の首脳は「歴史のアナロジーをどこまで意識しているのだろうか」と考えた。

実は08年に開催された北京五輪の際に、「全体主義国家は、五輪後10年前後で崩壊するという原則がある」というアメリカ人研究者らのささやきがあった。

「実際に、１９４５年に崩壊したナチスドイツは、９年前の１９３６年にベルリン五輪を開催していた。１９９１年に崩壊したソ連も、11年前の１９８０年にモスクワ五輪を開催している。では、２００８年に開催の北京五輪から10年後はどうだろうか」

その周期説に従えば、18年の日中首脳会談のときに「北京五輪から10年後」という射程内に入って、以来、中国の共産党政権は薄氷の上を歩んでいる。その時点で、すでに米中の「新冷戦」が取り沙汰されていたから、必ずしもうろんな予言とも言い切れない。経済成長にブレーキがかかって失速し、香港騒乱の発生、台湾民主派の勝利、パンデミック危機―と続いて、習主席がその周期説を知ったら、とてもジョークとは思えないだろう。

民主国家にはそんな天意や宿縁はないから、安倍首相も気楽な気分で、習主席に「TOKYO2020」への招待状を手渡した。その後に決まった桜の季節だの、五輪時の訪日だのが実現するかは、習主席が体制維持に自信があるかどうかの試金石になる、とみていた。だが、東京五輪そのものが、2021年夏に延期となった。武漢発の新型コロナウイルス感染によるパンデミックの仕業である。

そしていま、習近平率いる中国共産党政権は、自らが引き起こした武漢ウイルスによる世界危機の責任を、国際社会からさまざまな形で追及されている。過去2つの全体主義が、ベルリン五輪から9年後、モスクワ五輪から11年後と、少しばかりずれて崩壊したことを考えると、北京五輪から13年後にあたる延期後の奇数年2021年東京五輪までが崩壊の危険水域かもしれない。

ちなみに、1964年の東京五輪の期間中に、毛沢東の中国は初の核実験を成功させたが、モスクワではフルシチョフ首相が失脚している。世界中が4年に1度の祭典に心を奪われているときに、野望をもつ為政者ほど好機到来と考える。だからこそ、社会不満に直面する赤い支配者はいま、朽ちゆくイデオロギーの代わりにナショナリズムに訴えかけ、国家の敵をスケープゴートに14億人を一体化させようとするのだ。

あのソ連崩壊の直前にも、香港などを抱える中国のようにバルト三国の独立運動などが活発化した。チェルノブイリ原発事故（1986年）も隠蔽《いんぺい》しようとしたが、放射線はヨーロッパをはじめ全世界に拡散して、覆い隠すどころではなかった。こうした負の事件が、全体主義国家のソ連を弱体化させていった。同じことがいま、中国に起ころうとしている。ウイルス封じ込めのために国の半分を封鎖して一定の成果を得たものの、無傷では済まなかった。2020年は実質ゼロかマイナス成長に落ち込み、50年前の文化大革命以降、最悪の経済状況を生むことになるだろう。

中国共産党内部で政治対立が顕在化して、習近平体制を真っ向から批判する人々が出てきた。さらに、チベットやウイグル、そして香港での北京当局による人権弾圧に対し、多くの人々が立ち上がろうとする姿が見える。アメリカをはじめとする自由世界の主要国も、支援の声を上げはじめた。そうした中国批判の声は、武漢ウイルス拡散の責任を「詫びるどころか恩に着せる」習近平政権への反感の高まりと相まって強まるばかりだ。

これに対する中国の政策選択は、アメリカの圧力に対する全面的な抵抗に踏み切ったことである。中国共産党という「手負いの龍」は、弱みを見せまいといっそう凶暴さを増してくる。台湾海峡、南シナ海、東シナ海で他国の権益を侵害し、インド国境でも小競り合いを繰り返す。とくに、人民解放軍の李作成参謀長は5月末の人民大会堂で、台湾の独立志向に対して「分離主義者の計画や行動を断固として粉砕するため、必要なあらゆる措置を講じる」と身も凍るような演説をした。

いまや、武漢ウイルスによる感染者は世界全体で一千百万人を越え、死者も五十二万人超に達している（7月5日現在）。ステファヌ・クルトワらの『共産主義黒書〈アジア篇〉』『共産主義黒書〈ソ連篇〉』（ちくま学芸文庫）で明らかなように、レーニン以来の共産主義者（スターリン、毛沢東、ポルポト、金日成、金正日、金正恩……）は、権力奪取や維持のために一億人以上の民衆を殺戮してきた。その数字は、武漢ウイルスによる死者数を含めて拡大する一方といえる。

歴史上、巨大権力を握る人間の傲慢さは、九分どおり愚行を冒すものである。まして、全体主義がもつ「文明の不作法」は、行き過ぎれば自滅を招くことになる。キューバ危機で核戦争の恐怖を招いたソ連のフルシチョフ第一書記が解任されたように、香港や台湾への武力介入を行えば、習主席もまた失脚の憂き目を見るだろう。

習主席はいま、21年の中国共産党創立100周年、22年の5年に1度の共産党大会に向けて、内政の不安を対外的な強硬策で乗り切ろうとする。武漢ウイルスの災厄によって経済成長が見通せないというのに、国防予算は前年比6・6％増を確保したほどだ。その侵略性を阻止するためにも、自由主義社会には共産独裁政権を打破するしか選択肢は残されていない。

世界はいま、自由主義と全体主義との「価値観の衝突」という巨視的な対比によって、国際社会を広く巻き込み始めた。

ただ憂慮すべきは、自由主義の旗手であるアメリカという「白頭ワシ」が、人種的偏見や貧富の格差によって国家が分断され、傷ついた羽をバタつかせていることだ。白人警官による黒人暴行死事件をきっかけに社会不満が一気に爆発し、アメリカから他国にまでデモが拡散した。残念なことに、それらは自由社会を率いる覇権国家アメリカの総合国力を疲弊させてしまう。

これが中国という「手負いの龍」にとっては、集中砲火を浴びていた国際的な批判をかわすチャンスの到来であろう。仮にも、彼らが戦略的好機とみて、台湾海峡など西太平洋地域で軍事行動を起こせば、世界は一気に不安定の時代を迎える。

かつて日本は、天安門虐殺事件（1989年）後に、いち早く対中制裁を解くという過ちを犯して、いまの傲慢な巨大国家、中国への道を開いてしまった。同じ錯誤を繰り返さないよう安倍政権は、何でも反対で力量のない立憲民主党を無視しても、自民党や公明党の親中派、そしてこれを扇動する媚中派メディアの動向を注視する必要がある。

安倍晋三首相はむしろ、米ソ冷戦期にイギリスのサッチャー首相が、時のレーガン大統領の尻を叩いたように、再びアメリカの指導力を引き出し、アジアとヨーロッパ主要国を巻き込みながら、中国の膨張主義を抑止しなければならない。それが異形の大陸と向かい合う海洋国家「日本の宿命」と考えるほかはない。

2020年7月

湯浅 博

アフターコロナ日本の宿命
世界を危機に陥れる習近平中国

目次

第一部　傲慢国家・中国&国連機関は、こう「封じ込め」よ！

第三部　文明の不作法

装幀／須川貴弘（ＷＡＣ装幀室）

第一部

傲慢国家・中国&国連機関は、こう「封じ込め」よ！

第一章　習近平の呪縛から逃れなければ人類は死滅する

「古い中国の呪い」に覆われる世界

武漢発の新型コロナウイルスが２０２０年初頭から世界を荒廃させ、黙示録の終末論のように人々を不安のどん底に叩き込んだ。武漢肺炎で多数の死者を出しているスペインのアナ・パラシオ元外相によれば、２０１９年の現代美術の祭典、ベネチア・ビエンナーレが掲げたのは、呪詛のような「この興味深い時代に生きよ」という残酷な見通しだったという。彼女は現在のパンデミック（世界的大流行）を念頭に、この一節こそが、「古い中国の呪い」に由来するのだと不気味なこともらしている（Project Syndicate 2020/4/3）。

いまや、それが現実になりつつあるのだろうか。ビエンナーレの陰鬱な予言が、このパンデミック危機が過ぎ去ったあとにくる世界秩序の転換をも示唆しているかのようである。

自由世界をリードするはずの超大国、アメリカが「COVID-19」という名の武漢ウイルスの波にもがくうちに、中国が一党独裁の強権統治の優位性を声高に唱えはじめたからだ。世界経済が大恐慌以来の落ち込みが見込まれる中で、グローバル時代が終わりを迎え、国家への回帰が進む。パンデミックが招いたのは、グローバルな「統治モデルの衝突」の激化である。

不都合な真実を隠すのが全体主義の本性

アメリカ悲観論の代表は、カート・キャンベル元国務次官補とブルッキングス研究所のラッシュ・ドシ研究員の観察で、イギリスがスエズ危機によってグローバル大国の終わりを迎えたように、このパンデミック危機が「アメリカのスエズになるかもしれない」と危機感を述べている（Foreign Affairs 2020/3/18）。

スエズ運河は地中海と紅海を結び、アジアとヨーロッパ間の最短航路として、イギリスのアジアに対する植民地支配に重要な役割を担ってきた。しかし、スエズ危機を経てエジプトに移管されると、世界の海を支配したイギリスは急速に力を失い、19世紀「パクス・ブリタニカ」の時代が終わる。キャンベル氏らは今回のパンデミックをスエズ危機に見立て、「パクス・アメリカーナ」の終わりを見ている。

しかし、不都合な真実を隠すのが全体主義の本性である。アメリカに代わる覇権を目指す中国は、湖南省武漢で発生したウイルス感染を数週間以上も隠し、真実を語った医師を黙らせ、事実を報じた記者を投獄した。その北京に、武漢肺炎後の世界が有利に働くというのは驚くべきことだ。

中国人と世界の人々の多くを死に至らしめ、経済社会を大混乱の中に陥れた中国共産党の責任は免れない。放火犯が消火チームを送るように、ウイルスを世界にばらまきながら、医療チームを差し向けられても罪は消えない。武漢発のパンデミック危機が炙《あぶ》り出したのは、詫びるどころか恩に着せようとする中国共産党の欺瞞と抑圧と保身だったからである。

彼らがパンデミックの呪縛からいち早く逃れても、中国自身の景気後退と西側主要国によるサプライチェーン（供給網）の分断により、経済苦境に陥るのは避けられない。日本やアメリカを含む多くの国で、進出企業の母国回帰や東南アジアへのシフトが起きていく。中国から他の途上国へ設備投資を移す従来の「チャイナ・プラス・ワン」は、賃金の上昇など経済の論理で語られてきたが、武漢肺炎の教訓は、安全保障の論理で考えざるをえなくなってきたからだ。

とくに西側の指導者たちにとっては、今回のパンデミックを通じて命に係わる医療、情報技術、防衛技術のサプライチェーンは、自立への再編が加速して米中デカップリング（切り離し）が現実味を帯びてくる。欧米諸国は屈辱の中で、再び反転攻勢に力を結集することになり、やがては、国際機関の再編にまで突き進まざるをえない。確かなことは、西側諸国と中国との分断が、この危機によって決定的になったということである。

「30％の自然災害、70％の共産党による大災害」

習近平国家主席はパンデミック危機を当初から「戦略的好機」と考えていたわけではなく、むしろ、いつ踏み抜くかもしれない薄氷の上を歩いていた。それは、習主席が「ウイルスは悪魔だ」と漏らした言葉に現れている。

習主席は今世紀の半ばには、覇権国家のアメリカを抜いて「世界の諸民族の中で聳《そび》え立つ」と自信を語っていたから、武漢で発症した「悪魔」の到来は奈落の底に落とされるほどの衝撃だったに違いない。この世には、巨大権力を操る独裁者といえども制御ができず、人々を戦争以上に震え上がらせる脅威が存在することを知らされた。

共産党政権は当初のウイルス感染の隠蔽《いんぺい》に失敗すると、一転して1000万人以上の大都市・武漢を大規模に封じ込めた。ウイルスが拡散して中国経済が破綻し、共産党体制を揺るがすことになるのを恐れたからだ。共産党支配を守るためには、強権的な「都市封鎖」により、場合によっては武漢放棄でも構わないという決意である。

治安警察が共産党に対する批判者を取り締まり、無人機でマスクを着用しない人物を発見し、見せしめのために拘束していた。これらの実態をウェッブ誌で詳述したテキサス大学のブラッドリー・セイヤー教授は、「30％の自然災害、70％の共産党による大災害」と断じている（National Interest 2020/2/29）。

習近平政権による明確な政策変更は、3月に入ってからだ。新華社通信が3月4日に「世界は中国に感謝すべきだ」として、珍妙な社説を流しはじめた。武漢ウイルスがアメリカに飛び火し、3つの州が緊急事態宣言をしたことを取り上げ、中国はウイルスの制御に成功したが、「代わってアメリカは猛烈な嵐の中にいる」と論評した。いわば、第1フェーズのウイルス「隠蔽の敗者」から、第2フェーズの「制圧の勝者」への転換工作である。その象徴が3月10日の習主席による武漢視察という演出であった。

不公正な「中国第一主義」は全体主義の掟

そして、中国共産党は第3フェーズとして、世界に向けてすでにウイルスを制圧した「危機に強い中国」を印象づける。自国から資本が流出し、外国企業が撤退しないよう、中国が安全な「世界の工場」であることのアピールが欠かせない。感染者数で中国を越えたアメリカをシリ目に、大量に抱える医薬品とマスクをアジアやヨーロッパに続々と運び出した。特に、経済圏構想の「一帯一路」に組み込まれた諸国を中心に支援を行い、アメリカに代わる世界政治のリーダー国家であることを印象付ける。

アメリカ調査研究機関のホライズン・アドバイサリーによると、習近平政権はウイルス感染が、中国を基点にアジア、ヨーロッパ、アメリカへとタイムラグをもって拡散していく感染症危機を、逆にチャンスととらえ始めた。発生源の中国より遅くパンデミックを迎える欧米が、数カ月遅れて経済活動を再開するまでに、世界の需要を総取りする狙いだ。

しかし、パンデミック危機をめぐる米中応酬の中で、中国共産党は彼らの強国独裁システムの優越性を強調して、意図的にアメリカを挑発した。中国外務省の報道官は、自らの効率性を強調するあまり、ワシントンの無責任、無能力を誹謗した。

新華社に至っては、トランプ政権が世界の企業に中国のサプライチェーンを断ち切らせようとするなら、報復として医薬品の対米輸出を禁止し、「アメリカをコロナウイルスの荒海に投げ込む」と恫喝した。さすがに共産党は脅しの語彙が豊富である。確かに、アメリカの医薬品はどっぷりと中国に依存しており、サプライチェーンの脆弱性を露見させている。ＦＤＡ（米食品医薬品局）は武漢ウイルスの感染拡大による医薬品の不足を連邦議会に報告していたほどだ。

1月下旬にワシントンがパンデミックの懸念を抱いたとき以来、手持ちの医療器材の不足に愕然としたはずだ。中国は抗生物質、鎮痛剤など世界の医薬品有効成分の40％を生産しており、アメリカは抗生物質の80％をその中国から輸入している。医学と公衆衛生が国家の安全保障に不可分の優先事項であることを気づかされたのである。

かの新華社の社説は結論として、中国がウイルスと闘うための貴重な時間を与えたのだから、「アメリカは中国に謝罪し、世界は中国に感謝する必要がある」と倒錯した論理を用いた。このフレーズは、世界各地の中国外交官によって攻撃的に、かつ繰り返し使われた。しかも北京は、中国に逆らう国には経済的不利益を与えると脅すことがパターン化してきた。日本が尖閣諸島を国有化した際に、中国がレアアースの対日輸出を制限して日本を困らせたことは記憶に新しい。今回の武漢ウイルスに関しても、オーストラリアが新型コロナの発生源に関する調査をすべきだとの提案に、中国は経済的報復として大麦の輸入を遮断し、牛肉の輸出の3分の1以上をブロックした。

東日本大震災を経験した日本は、ＩＡＥＡ（国際原子力機関）による福島第一原子力発電所への完全査察を受け入れている。中国が何か隠すべきものがあるかのように、ＷＨＯなど専門家による調査に反対し、アメリカ、オーストラリアなどによる要求に対しては人種差別主義者として調査要求を非難した。

中国がこうした問答無用の振る舞いを繰り返す以上、経済のパートナーとしてとても信頼できるものではない。当然ながら、中国との経済関係を深めることに対しては慎重にならざるをえず、中国との経済的デカップリングが段階を追って進行するのは避けられないだろう。

習近平が仕掛けるプロパガンダ戦争

アメリカがもたつく間に、パンデミック危機が一段落したとして中国が一党独裁体制の優位性を誇るプロパガンダ戦争に着手した。イタリア、セルビア、イランをはじめ、習近平政権が主導する経済圏構想の「一帯一路」に組み込んだ国々に支援を開始した。彼らが医薬品を満載した中国機を、拍手で出迎えたのは言うまでもない。

北京がパンデミックを制御する模範国家に成りすます好機を作り出したことは驚くに当たらない。その象徴が3月26日にテレビ会議で行ったG20首脳会議の演出だった。

中国中央テレビなど中国メディアは、G20があたかも北京で実際に開催されたような幻想を抱かせた。サウジアラビアが議長国のはずだが、まるで習近平国家主席が北京で主催し、パンデミックとの闘いで「心を一つに協力、団結して対処」するよう指導しているかのようにふるまっていた。

上海に立地しているアメリカとカナダのマスクメーカーは、上海市から全量買い取りという事実上の輸出禁止により、北米地域の品薄状態に苦闘させられてきた。ウイルスをまき散らしておいて、世界のマスク需要までひっ迫させているのだから迷惑な話だ。大量に抱えるマスクをここで一気に無料配布をすれば、世界に貢献する中国としてのイメージにつながるとの邪心がみえる。

では、パンデミックの襲来が過ぎたとき、次に世界を襲うのは中国の一党独裁体制という呪詛、呪縛なのだろうか。自由主義国家の間には、中国がアメリカを凌《しの》いで、その影響力を世界に広げるとの警戒感が広がりつつある。これまでのアメリカは、国家安全保障に不可欠な重要品目を何十年もかけて中国に技術移転し、または盗まれて、製造分野でどっぷりと中国依存システムができ上ってしまった。

しかし、G20首脳会議での習主席の演説は、そのまま受け取られるとは思わない。習演説は、「人類運命共同体の理念」の堅持をうたい、疫学的な予防とワクチンの共同開発を行うと宣言した。そのうえで、国の及ぶ限りの支援を行うとの表明を聞かされても、額面通りに受け取る国はそう多くはないだろう。

習氏が演説で、中国が最も困難なときに、多くの諸国が「中国に心のこもった支援と支持を寄せてくれた」と述べたものの、現実は逆であった。それより前、外務省の華春瑩報道官が、「逆境の中でこそ真の友情が明らかになる」と述べたことがある。実際には、この言葉をどの国も無視した事実を記憶にとどめたい。

とくに、中国と「枢軸」をつくる権威主義の国々である。真っ先に国境を閉めたのは北朝鮮、次いでロシアであり、ビザなし渡航はすべて中止にした。イランも中国への航空便を停止。華人の多いシンガポールも、すべての中国人の入国を拒否した。中国への渡航歴がある人も入国禁止ということになり、実際には中国との疑似同盟国や友好国の方が我先に国境を閉めていた。

当の中国もまた2009年に、メキシコで豚インフルエンザが発生した際に、真っ先に中国国内にいるメキシコ人を隔離し、メキシコへの航空便を停止した。これに対し、当時、メキシコ大使だったグアハルド氏が、「中国がこの件を誤りだったとは認めてもいないし、謝罪もしてない」と、不満をぶちまけていた。

アメリカのピーター・ナバロ大統領補佐官の言葉で印象深かったのは、「コロナウイルス対策では、同盟国であるか否かはまるで関係ない」と述べたことだ。感染症、ないしは伝染病に対する、国家の行動とはこういうものだろう。ウイルスには敵も味方なく、自己生存のために国境をやすやすと越えてしまうからだ。

かくの如きで、中国共産党がパンデミック対応の指導者であると宣伝すればするほど、北京の世界的な救済イニシアティブが疑わしく思われてくる。実際にスペイン、トルコ、オランダが、中国からくる医療器具に多くの欠陥があるとして、検査キットと個人用防護具の受け入れを拒否している。

ヘリテージ財団のジム・カラファノ副会長は、欧米主要国は中国が明らかにする感染数や感染源を疑い、武漢ウイルスと闘うために必要な正確なデータを要求しているが、「中国の行動は、善よりもはるかに悪を生み出している」と辛らつだ。

中国共産党に対するワシントンの怒りの表現は、トランプ大統領による「中国ウイルス」やポンペオ国務長官による「武漢ウイルス」との表現に現れており、中国による初期の隠蔽が世界で犠牲者を出した責任を問う形で、損害賠償の動きまで出てきた。

これに対して、このところ目立つのは、「戦狼外交《せんろう》」と呼ばれる中国の強硬な対外姿勢である。「戦狼」とは中国の人気アクション映画に登場する特殊部隊出身の「ランボー」のような兵士が、アメリカの傭兵集団を次々に倒していくシリーズの題名からきている。中国の国営メディアはこれを「戦狼精神」として称揚し、世界に散らばる中国の外交官はしょせんは真似事なのに、相手の大小を問わずに攻撃的な「戦狼外交」を展開している。

その背景には昨年、外務省の党委員会書記にイデオロギー統制の専門家である斉玉氏が異例の抜擢で就任したことが挙げられる。このポストは、従来、外務次官が務めていたが、斉氏は昨年12月の論文で、習主席への忠誠を強調し、「中国共産党の指導者やわが国の社会主義制度を攻撃する言葉や行動に断固として反撃しなければならない」(Wall Street Journal 2020/5/20）と檄を飛ばしていた。かえってこの好戦的な外交スタイルが、多くの国々の反発をかって逆効果となっている。

よみがえる共産主義は「敵」

トランプ政権はこれまで、米中貿易戦争を仕掛けて、関税圧力によって徐々に中国の譲歩を引き出してきた。しかし、米中摩擦の本質は、決して貿易赤字にあるのではなく、実はハイテクをめぐる軍事覇権戦争であり、決して数年のうちに終わるものではない。時代の最新技術を抑えるものが国際社会の秩序を決定づける以上、米中覇権争いは優劣がはっきりするまで数十年の単位で争われるだろう。

アメリカが２０１９年10月に決定したのは、安全保障に基本的な人権や宗教弾圧を加えることにより、ヨーロッパ諸国を巻き込んで対中包囲網を築くことであった。それは10月末のペンス副大統領とポンペオ国務長官の相次ぐ2つの演説に代表される。彼らの演説に共通するのは、北京当局を繰り返し「中国共産党」と呼び、「共産党政権は中国の人々と同じではない」と分けたうえで、共産主義を厳しく断罪していることだ。

2人は7月にワシントンで「信教の自由に関する閣僚級会合」の国際会議を主催して、ウイグル人に対する抑圧を「人権弾圧」と攻撃し、米中対立を「価値観の衝突」にまで引き上げている。宗教や人権を擁護する自由主義と、宗教をアヘンと考える共産主義との対立構図をよみがえらせたのだ。アメリカが対中政策で、安全保障面からヨーロッパを巻き込もうとしてもその距離感から容易についてこない。だが、宗教や人権、イデオロギーをからませることで、ヨーロッパからの結束を引き出しやすくなる。

とくにペンス演説から1週間もたたずに行われたポンペオ演説は、その中国を「レーニンの党が支配し、誰もがこれら共産主義エリートの意思に従って行動しなければならないのか」と批判し、「それは民主主義者が望む未来ではない」と断言した。アメリカ人やヨーロッパ人にとって共産主義イデオロギーは、米ソ冷戦の記憶が呼び起こされ、「敵国」として警戒の対象になる。

軍事行動の誘惑にかられる習近平

ロナルド・レーガン大統領は冷戦のさなかに、この地球がエイリアンに侵略された場合には、国家間の争いは消滅すると主張した。しかし、レーガン大統領は「楽観過ぎた」と英紙フィナンシャル・タイムズの外交評論家、ギデオン・ラックマン氏は指摘する。中国共産党はアメリカがこのパンデミック危機にいかに脆弱であるかをかぎ分けたからだ(Financial Times 2020/4/13)。

アメリカは全体主義の中国モデルと違って、ジェファーソンが起草した独立宣言によって、自由・平等・幸福の追求が天賦の権利として守られており、パンデミックの封じ込めにはこれら3つを抑制しないと克服できない悩ましさがある。逆に、ここ数十年の間、アメリカを席捲していたのは政治に束縛されない資本主義による繁栄であった。

しかし、「パンデミックの呪い」は理念の共和国がつくった天賦の権利とは無縁の存在である。そのリスクは、病に侵され、目の前で愛する人の命を奪い、医療システムが崩壊することもありうる具体的で身近なものだ。財政の負担は、すでに第二次大戦レベルの連邦支出の急増を招き、アメリカの医療保険の不足を突いて拡散し、アメリカ社会を根底から揺るがすことになった。しかも、労働者の10人に1人が失業に追い込まれた。大量失業が現実化し、財政を圧迫し、国防力も弱体化させてしまう。

いまなお、世界最強のアメリカの軍事力とはいえ、ウイルスの脅威に対してはまったく歯がたたない。西太平洋に前方展開している2つの空母打撃群の中から感染者が続出した。空母セオドア・ルーズベルトのスキッパー艦長は、乗組員の隔離治療を優先すべく直訴状をペンタゴンに出し、それが新聞に報じられて解任されるという騒動にまで発展した。

解任理由は、前線でにらみを利かす空母打撃群艦内の感染実態を、敵対国に知らせることになって抑止力を削いでしまったことに他ならない。目の前の人道主義が、全体の命を危険に晒すこともありうる。パンデミック危機が中国にもたらす「戦略的好機」には、経済のほかに軍事的戦略好機も含まれるのだ。

アメリカの政治指導者たちは、すべての資源を武漢ウイルスの制圧に注ぎ込み、他を顧みる余裕がない。仮に中国人民解放軍が東シナ海や南シナ海で軍事行動を起こしても、武漢ウイルスはアメリカ軍を一時的に弱体化させ、反撃を遅らせる可能性がある。しかも、中国国内の反習勢力による揺さぶりや、ウイルス感染への取り組みに不満な大衆の不穏な行動、さらにこの機会を逃すと「中国の夢」の実現が危ういとなれば、習主席は軍事行動への誘惑にかられる。

過去にも、東日本大震災（2011年3月）の直後に北京は救援隊を送り込んできたが、わずか1週間ほどで帰国すると、入れ替わりに尖閣諸島周辺に海軍艦船と航空機を送り付けてきた。日刊紙の東方日報は、「日本が疲弊しているときに尖閣を獲らずして、いつ獲るのだ」とあおっていた。

これに対して台湾の国防部が2020年4月11日に、アメリカ海軍のイージス駆逐艦が台湾海峡の中間線より内側を航行したことを明らかにしたのも、このパンデミック危機の間も海軍が対中抑止行動を怠らないとの意思表明であろう。

アメリカ政府支出の赤字は、2008年のリーマンショック時の2倍にのぼっており、当時のゲーツ国防長官は2009年の国防費削減に追い込まれている。これがアメリカ海軍の艦船計画を狂わし、国防費を聖域化している中国の南シナ海への進出を許した一因にもなった。従って、パンデミック後の国防総省の最初の動きは、最低限の抑止力を維持しながら、無駄と非効率に対する〝財政戦争〟が何よりも優先されることになりそうだ。

トランプ政権の「国家安全保障戦略」が指摘するように、中国とロシアという大国間の戦略的競争がある限り、同盟国との連携強化は必須だ。台湾有事に際して、遠征軍がアメリカ本土から駆け付けるより、日本など同盟国の前方展開基地から迅速に展開できるし、かつ抑止力が強力で安上がりだ。すでに海兵隊は、戦車や榴弾砲を削減し、対艦ミサイルの強化や小型艦で島嶼《とうしょ》部を飛び回る機動力強化に動いている。

しかし、ウイルス禍を超えて米海軍が南シナ海にもどってきた。「ロナルド・レーガン」と「ニミッツ」の空母打撃群を派遣し、近年では最大級の軍事演習を7月4日から実施した。すでに1日から中国海軍がパラセル諸島（西沙）で演習しており、アメリカ軍が同じ海域で同時期の大規模演習をぶつけた形だ。中国のこれ以上の身勝手を許さないとの表明だろう。

アメリカはパンデミック危機による中国の欺瞞と挑発という屈辱の中で、再び反転攻勢に力を結集することになる。そのとき、トランプ政権が嫌っていた西側同盟の再構築に向かわざるを得ないだろう。そのうえで、中国に利用されてきたWHOなど国際機関の再編にまで手をつっこむべきである。

ビエンナーレの陰鬱な予言が示唆する世界秩序の転換を中国優位から自由主義社会の復権につながなければならない。

第二章

中共服従のＷＨＯも酷いが、ＩＷＣはもはやクジラ愛好家の集まり

ＩＷＣには、科学的根拠や文化の多様性は通用せず

武漢ウイルスをめぐる米中対立などを見ても自明なように、国際社会には、当然ながら複数の正義が混在している。すべての国家が主張する権利を持っているが、すべての国がフェアーに行動するとも限らない。それらを武力ではなく話し合いで調整したり、我欲を貫いたりする場が国連・国際機関であって、方向性はおおむね国力や外交力で集約されていく。ところが、国際機関といえども人間の集まりだから、時として純化した一つの価値観があるように思い込む人々がいる。複数の正義を認めずにクジラ保護団体に化けたのが国際捕鯨委員会（ＩＷＣ）である。

日本政府が、ＩＷＣから２０１９年７月に正式に脱退することを予告したとき、米紙

ニューヨーク・タイムズ社説が、一方の正義から「危険で愚かな動き」と決めつけていたのがそれだ。日本の決意が、多国間協定から離脱するトランプ米大統領の外交手法との類似性から、「日本が見習うべき手本ではない」と、見当違いの嫌悪感を上乗せした。社説はさらに、「多くの点で模範的な世界市民である日本は長年、捕鯨に関しては例外であった」と、いつものように高みからの断罪であった（New York Times, 2018/12/31）。

この主張を別の正義からみると、タイムズ社説は多様性を無視する鼻持ちならない押し付けとしか思えない。京都大学教授だった高坂正堯によれば、正義は複数個あるから、ある国の正義により、よその国への支配があれば、支配される側の正義にとっては、それを専制であると感じるのだ（『国際政治』中公新書）。

困ったことに日本国内にも、左派エリート標準の「世界市民であれ」と考える朝日新聞やテレビがあって、ＩＷＣ脱退を「国際協調に影を落とす」と日本政府を糾弾した。タイムズ紙のそれは、彼らの正義に従わせようとするポリティカルコレクトネス（政治的正しさ）であり、これに追随する日本のメディアは、そうした「絶対正義」との共同幻想に陥っている。

後で詳しく述べるが、ＩＷＣからの脱退は何も珍しいことではなく、カナダ、フィリピンなど計22カ国がこれまでに脱退している。日本がＩＷＣ脱退を決意したとき、外務省幹部は「ＩＷＣはもはやクジラ愛好家の集まりになっている」と嘆いていた。２０１８年９月のＩＷＣ総会では、クジラ模様のネクタイやスカーフなど身に着けるグッズを各国の愛好家が持ち寄り、出来栄えのコンテストまで開かれたというから推して知るべしである（産経新聞２０１８年12月30日付）。

１９４８年に発足したＩＷＣは、「鯨類の保護」と「持続的な利用」を創設の目的としていた。ＩＷＣの70年に及ぶ歴史の経過の中で、徐々に反捕鯨国が増えて「一頭たりとも捕獲を許さない」などと、保護が目的の組織に化けてしまった。現在のＩＷＣには、科学的根拠や文化の多様性は通用せず、もはや「持続的な利用」は抹消されてしまった観がある。ＩＷＣがクジラ愛護の聖域になってしまえば、もはや各国利害を調整するための国際機関とは言えない。

捕鯨再開を「反日デモ」の理由にする環境団体に要注意

かといって、日本は決して孤立しているわけではない。実はＩＷＣに加盟する89カ国のうち、捕鯨支持国は41カ国、反捕鯨国は48カ国と大差はない。ところが、ＩＷＣ総会で商業捕鯨再開など「重要事項」を決める際には、４分の３以上の賛成が必要なところから、商業捕鯨の再開を科学的な見地から求める日本案は否決されてしまう。もちろん、「採決は過半数にすべき」とする民主的な日本提案も、これまた4分の3の壁に阻まれるからフェアーではない。

したがって、IWCの実像は、ニューヨーク・タイムズがいう「減少する資源を管理し、地球を保護するという世界共通の義務の表れ」などという綺麗事ではない。ようは愛くるしい動物保護がからむと、とたんに感情が勝って理性は吹っ飛んでしまうということである。それは、反核運動からタバコ受動喫煙の非難にもある絶対正義の典型的なパターンの一つなのだ。しかし、反核と受動喫煙は立派な民間の運動であるけれども、IWCは多様な価値や国益が混在する調整機関のはずであった。

反対を寄せ付けない絶対正義が優位に立つと、外交に必要な妥協や協調は図られない。近年、中国で見られた反日デモの「愛国無罪」のように、たちまち正義の塊となって暴走する。日本が国連常任理事国入りを目指したとき、中国は反日デモを容認して「愛国無罪」という便利なフレーズを生んだ。暴徒が日本レストランの店舗破壊におよんでも、それが愛国的な行為であるから許されるとの詭弁だ。

アメリカの研究機関、ヘリテージ財団の2005年7月の政策提言の中に、この反日デモを「政治的な動機により北京の指導部が指示し、日本人の贖罪意識を操作して日本の国連常任理事国入りを妨げようとしたことは明白だ」と分析していた。フランスのように日本の理事国入りに賛成を表明した国でさえ、中国が拒否権を発動すると見越して自国だけいい顔をしたという手の込んだことをする国もある。

本稿では、日本が独自の鯨食文化を維持するために、ＩＷＣからの脱退がいかに正しい選択であったかを語っているわけではない。食の好みは、時代とともに変わってくるし、実際に日本人の鯨肉の選好は年々低下している。ここではむしろ、国際社会や国際機関には絶対正義がはびこる理不尽な現実があり、これと対峙するためには、硬軟使い分けの外交戦略が必須になるということを喚起したいのだ。

今回、日本政府がＩＷＣからの脱退を決めた以上、この先、日本は反捕鯨国の圧力と反捕鯨団体の抗議活動が勢いを増してくることを覚悟しておかなければならない。２０２１年に延期になった東京五輪など国際的なイベントに対して、反捕鯨団体シー・シェパードが行動を活発化してくる可能性も視野に入れなくてはならない。

ＩＷＣ脱退は、国際協調の挫折ではない

外交にはこの絶対正義と同じように、善と悪が持ち込まれるとロクなことにならないと

いう定理がある。対ソ封じ込め戦略の戦略家、ジョージ・ケナンは「アメリカ外交は善悪ばかり言い立てて、国益に即して考えないのが欠点だ」と批判したことがある。徹頭徹尾、この善悪二元論の道徳主義に固まりやすいのがリベラル左派の新聞やテレビである。

1980年代にニクソン大統領が米中国交回復交渉に乗り出したころ、中国問題を論じる新聞はこの善悪の道徳主義に陥っていた。無条件に中国と国交を回復するのは善であり、それを批判するのは悪であるという単純な発想であった。

戦前にナチスドイツが電撃作戦で勝利すると、「バスに乗り遅れるな」とドイツに和した日本軍部と同じ轍を踏みかねないのだ。ニクソン大統領が中国と手を結ぶと、とたんに左派新聞は「アメリカを見習え」といい、つい先ほどまで「対米追随外交」と主張していたことなど、すっかり忘れてしまったかのようであった。

他方、日本の「国際機関からの脱退」と聞いただけで、戦前の日本が国際連盟から脱退して戦争への道に突入した歴史のアナロジーを思い起こす人がいる。昭和8年、満洲国の承認問題で連盟に派遣された松岡洋右全権が、「満洲は日本の生命線である」とぶち上げて国際連盟の会場から意気揚々と引き上げる姿を思い浮かべるのだ。しかし、国際連盟とは違って、IWCが絶対正義だけのクジラ愛護組織になってしまった以上、IWCから脱退して何の不思議もない。クジラ問題に限定した外交調整の不成立であって、国家を揺るがす国際協調の挫折では決してない。

脱退するも再加盟するも、いわば外交戦術の一つ

実際には、前述したように、これまで22カ国がＩＷＣを脱退しており、現在の89カ国のうち12カ国が脱退後に再加盟している。１９５９年に脱退したオランダは反捕鯨国であり、ＩＷＣの流れに従って再加盟、脱退、再加盟と繰り返しているではないか。逆に、日本と同じ捕鯨国のノルウェーも、やはり59年から脱退、再加盟、そして１９９１年には脱退を通告したものの取り下げている。

脱退も再加盟も、いわば外交戦術の一つであり、日本も１９５９年にいったん脱退通告を行ったうえで、取り下げたことがある。したがって、いまの日本には、ＩＷＣ本来の「鯨類の保護」と「持続的な利用」が可能になるよう、引き続き外交上の打つ手は残されている。まず、日本がこの先、公海で商業捕鯨をするためには、なお国連海洋法条約の「保存、管理及び研究のために、適当な国際機関を通じて活動する」との規定をクリアしなくてはならない。そのためには、非加盟国のカナダのようにＩＷＣにオブザーバーとして参加し、自由に発言し、商業捕鯨に道を開いていく方法がある。水産庁は「ＩＷＣに積極的に協力

することで条件は満たされる」と、この手の解釈をしている。

もう一つのアプローチとして、「多数の正義」を認め合う別の国際機関を創設することも十分検討に値するだろう。

オブザーバー方式としては、国連海洋法条約に締結していないアメリカが、この条約に関連するあらゆる会合にオブザーバー参加して、あたかも締結国であるかのように積極発言している事例がある。海洋法条約そのものは、アメリカ議会の反対で批准はできていないが、アメリカ以外のほとんどの国が加盟しているから、彼らも慣習法であるように海洋法条約を順守している（村田良平『海が日本の将来を決める』成山堂書店）。

クジラ愛護派のアメリカがIWC脱退で日本批判を強めても、オブザーバー参加という彼らの手法で反論を突き付けることに何の遠慮もいらない。

日本にいま必要なのは、国際条約によって成り立つWHO、IWC、そして国連など国際機関を神聖化することではなく、国益のためにそれを巧みに使いこなす外交の美技の方である。国家は交渉する相手の国を疑いながら、利益を共有することもあれば、対立や決裂をすることもある。それらを緩やかに束ね、国家間の利害を調整する場として国際機関があるのだ。逆にいうと、国家間の調整機能しかないのだから、過度に国際機関に期待することは、むしろ危険なことなのである。

国連への片思い幻想は捨てよう

その典型例が国連であろう。敗戦後の日本は、国際機関の代表格である国連加盟によって再興することが悲願であった。あまりに長く悲願だったから、切ないほどの期待と信頼を国連に寄せてきた。加盟がかなったのは、当初の申請から4年半後の1956年12月である。引き延ばされれば引き延ばされるほど、恋心は募って理想化してしまう。

だが、国連の生い立ちと実像を知れば、日本の期待と信頼が片思いの幻想であることが分かるはずだ。「国際連合」だとする英語の The United Nations とは、元来が日独伊の枢軸国に対して、米英仏ソ中がこの「連合国」と呼ばれていた。1944年8月からワシントン旧市街地でダンバートンオークス会議が開かれた際に、新しい国際機関の名称をソ連が「世界連合」、イギリスが「世界評議会」とするよう提案していた。最終的にそのまま軍事同盟の延長として連合国にあたる「The United Nations」が使われることになる。

しかも、国連憲章には日本を敵国と見なす敵国条項がいまも残されたままという不甲斐なさだ。憲章は第二次大戦前につくられたから、日本とドイツは「この憲章のいずれかの署名国の敵国であった国」（第53条）として扱われた。

つまり国連の生い立ちとは、戦勝国による、戦勝国のための国際機構であった。国際機関がいかに、それぞれの国の都合で形成されてきたかの典型である。国連そのものがそうだから、条約で成り立つ他の機関は押して知るべしであろう。

日本は戦後、何度となくこの敵国条項の削除を求めてきた。そのたびに退けられてきたのは、既得権益の壁である。国連憲章に手を加えることになると、5つの常任理事国（P5）がもつ「拒否権」という強力な武器も同時に見直されることを最も警戒する。米英仏露中からなるP5は、戦勝国としてせしめた戦利品を決して手放すことはしないのだ。

ユネスコとの闘争の歴史

あのニューヨーク・タイムズが嫌いなトランプ政権は、大統領就任と同時にTPP（環太平洋経済連携協定）、パリ協定など多国間合意をホゴにしてきたことから、その離脱癖が目立つのは間違いない。しかし、実際にはトランプ政権だけでなく、歴代政権もまたアメリカの国益に沿わなくなれば、国連といえども容赦なく脱退している。

共和党でいえば、レーガン政権は1984年にユネスコ（国連教育科学文化機関）を脱退して、2003年まで復帰の選択を拒否していた。ユネスコの事務局長に反欧米の過激な姿勢をとるセネガル出身の人物が就任し、２期13年間もこのポストに君臨していたからだ。しかも、放漫な財政運営と縁故主義がはびこり、イギリスとシンガポールも脱退している。

民主党でもオバマ前政権が、アメリカが主権国家と認めないパレスチナをユネスコが加盟させたことに抗議して、分担金の支払いを停止していた。トランプ政権はこれをさらに進めて、ユネスコからの脱退を宣言し、停止分も含めて分担金を支払わないと宣言している。ユネスコがあまりにパレスチナ寄りであり、ユネスコに絶対正義が跋扈《ばっこ》して中立性が損なわれているからだ。ニッキー・ヘイリー前国連大使は「ユネスコが世界遺産の名のもとに、ユダヤの聖地をパレスチナだけの聖地だと認定したことは、政治的な扇動だ」と述べ、ユネスコ傘下の人権委員会にシリアを加盟させたことを糾弾している。

ユネスコ自体はアメリカ主導の下に、国連創設から１年後の１９４６年11月に発足している。しかし、加盟国が増えるとともに様々な利害が混在して変質していく。米紙ウォールストリート・ジャーナルは２０１７年10月の社説で、「ユネスコは何十年にもわたり文化機関を装ってきたが、実際には政治機関であり、歴史的にもソ連が長年、ユネスコで反米の教育プログラムなどを運営してきた」と、トランプ政権の脱退決定を擁護している。

それは日本がＩＷＣに見せた反発や脱退の理由と共通するものがある。アメリカがレーガン政権で脱退したユネスコに、再び復帰するように、日本もケースによってＩＷＣらの脱退、その復帰、あるいは第二ＩＷＣを創設することも、外交の世界では十分にありうることなのだ。

ＷＨＯの武漢ウイルスをめぐる自堕落な中国共産党寄りの姿勢に、トランプ政権が憤慨し、拠出金をカットしたり、脱退をちらつかせたりしてきたのも同じ理由である。5月末には実際にＷＨＯとの「関係を断絶する」と述べて、脱退を宣言した。

武漢ウイルスの感染拡散によるパンデミック危機は、中国の言論の自由に対する冷酷な抑圧と透明性の欠如によって、ウイルスの翼を世界に羽ばたかせた。残念なことに、ＷＨＯは中国による内部告発者の弾圧に目をつぶってしまった。

周知の通りＷＨＯのテドロス事務局長は中国から潤沢な経済支援を受けるエチオピアの元外相であり、1月28日に訪中して習主席と会談すると、中国が「迅速で効果的な措置をとったことに敬服する」などと援助大国にへつらっていた。ＷＨＯを率いる人物であるのなら、武漢の現場をつぶさに視察すべきだが、習政権のプロパガンダに一役買っただけであった。

当然、アメリカによる第二ＷＨＯの創設ということもあるかもしれない。アメリカのＷＨＯ脱退は、年間4億5千万ドル規模とされる拠出金をＷＨＯが失うことを意味する。世界最大の新型コロナウイルスの感染国との情報共有も滞る。ＷＨＯの中国寄り運営が見直されないまま、保健機関の中国依存が進行する恐れが出れば、第二機関の創設が現実のものになる。

戦後の労働運動に当てはめれば、大手民間企業の労組を過激な共産勢力が握り、政治ストを繰り返すことへの反発から、第二組合が作られ労使協調路線をとったことがある。やがて、労使協調が主流となり、いつしか共産系組合は民間企業では少数派に転落していた故事が、国際社会に当てはまる可能性も皆無ではない。

健全な国家に宿る腹黒さ

日本の国連中心主義という考え方は、１９５６年12月18日に、悲願の加盟を果たした国連総会で、重光葵《まもる》外相の演説によって打ち出された。重光はこの中で、「世界が遭遇している不安と緊張の性質、原因がいかなるものでも、国連の力で平和的に処理し得ない問題はありえないと信じる」とその役割に強い期待を表明した。

興味深いのは、外交当局が「国連中心主義」には2つの意味で、使い勝手の良い道具であると考えていたフシがあることだ。政府はまず、「アメリカ一辺倒だ」との国内批判をかわすためにこの国連中心主義を使い、他方では、強力なアメリカからの影響力や圧力を緩和する防波堤にもまたこれを使う。

日本は日米安全保障条約によってアメリカに基地を提供し、アメリカは日本の防衛義務を負った。いわば、「平時の日本、戦時のアメリカ」でお互いが負担しあうといういびつな同盟である。しかし、キッシンジャー元国務長官の言葉をかりれば、多国間機構の重視は二国間同盟の軽視につながる。そうでなくとも、アメリカ国内から「同盟離れ」の論調がにじみ出てくる昨今である。日本を取り巻く現実の国際政治は厳しく、日米同盟を堅持しながら自立性、双務性のあるものに変える必要がある。

いまや、トランプ政権は「アメリカ第一主義」路線を突き進み、他方の中国は、もとより「中国第一主義」であった。コロナ危機への世界各国の対応を見ても明らかなように、国際協調は名目に過ぎない。人道主義を掲げるEU諸国も、所詮はそれぞれ自国のことで精一杯であった。稀代のコラムニスト・山本夏彦流にいうと、外交の世界では健全な精神が健全な国家に宿るとは限らない。国益優先の国は、国際社会ではぞんがい健全なのである。コロナショックの後の世界は、しばらくは国益優先で推移していくことになる。それ自体はそんなに悲観することでもない。健全な国家意識が甦ることによって、初めて国際協調が生きてくる。

第三章　ＩＭＦ（国際通貨基金）が中国に乗っ取られないためにやるべきこととは

トランプの鮮やかな反撃

ハリウッドの二流俳優ロナルド・レーガンが、40年前の１９８０年にホワイトハウス入りしたとき、誰が彼を「鉄のカーテン」を引き裂くだけの知恵と度量があると考えただろうか。かのレーガン米大統領がスターウォーズ（ＳＤＩ／戦略防衛構想）という途方もない兵器体系を持ち出してクレムリンを脅さなかったら、世界はいまも「冷戦」の根くらべを続けていたかもしれない。そのレーガンが、ソ連を「悪の帝国」と呼んで耳目を集め、あっけなく息の根を止めてしまった。

あれから四半世紀以上が経った。今度は目立ちたがり屋の不動産王ドナルド・トランプが、全体主義の生き残りである中国を相手に、鮮やかな反撃に出た。トランプ大統領は攻撃的なふるまいを続ける中国に、コロナ危機発生以前から安全保障と通商の両面から「第二次冷戦」を覚悟していた。彼はあのレーガンをまねて「偉大なアメリカの復活」を唱え、2018年中間選挙の遊説では、冷戦期のソ連を模して中国を「敵」と呼び、「私は中国人をやっつける」と激しいレトリックを使った。

米ソ冷戦の到来がそうだったように、米中対立も時間をかけてジワジワと始まった。アメリカが、それまでの対中政策「関与とヘッジ（備え）」に限界を感じたのは、7年前（2013年）にさかのぼる。2013年3月に、習近平氏が中国のトップになり、「中国の夢」と称して二つの百年目標を掲げた。中国共産党の結党百年の2021年を第一段階に、次いで中華人民共和国の建国百年にあたる2049年までに、アメリカを抜いて世界ナンバー1になると吹いた。

習近平国家主席の覇権分捕りが思惑通りなら、東京の銀座通りやパリのシャンゼリゼ通りは、赤い提灯で埋め尽くされているはずだ。コーヒーの代わりにジャスミンティーをすすり、世界の旅行者は、ドル紙幣の代わりに毛沢東の顔入り人民元を持ち歩く。最悪の事態は、日本の大半の土地が中国人に買収され、街は華僑・華人であふれ、日本円が人民元に駆逐されることである。それが習主席のいう「中国の夢」が成就された30年後の世界だ。日本と世界はそれに耐えられるのだろうか。米中国交正常化を切り開いたニクソン大統領はかつて、中国のいびつな成長を「我々はフランケンシュタインをつくってしまったのかもしれない」とつぶやいたことがある。２０１８年に刊行した拙著『中国が支配する世界』（飛鳥新社）で訴えたかったのは、中国が抱くそうした野心を解き明かし、インド太平洋からユーラシア大陸をのし歩く「全体主義の妖怪」をどう迎え撃つかであった。あれから数年を経て、武漢ウイルスによるコロナ危機を世界に拡散した中国共産党への風当たりは前述したように日増しに強くなっている。本章では、米ソ冷戦時代との比較を手掛かりに、北京に内在する妖怪の特質とその弱点を探ってみたい。

ＩＭＦの本部が北京になる日？

中華人民共和国の建国百年にあたる２０４９年までに、「中華民族は世界の諸民族の中に聳え立つ」とは、よく言ったものである。

この一節は、習氏が２０１７年秋の中国共産党大会で、演説に織り込んだ十九世紀帝国主義の古いスローガンだ。まるで、ウィルヘルムⅡ世が率いた第一次大戦前のドイツ帝国を彷彿とさせる尊大さに突き動かされているようだ。

翌年３月の全国人民代表大会では、自らの任期「二期十年」の上限を撤廃して「終身主席」の独裁制を確立して歴史を逆走した。

もっとも建国百周年の２０４９年という年には、習氏も90歳近い高齢で政界を引退しているから、「ポスト習」はジョージ・オーウェルの小説『１９８４年』の独裁者、ビッグ・ブラザーなみに冷酷な人物かもしれない。あるいは、習氏が生きながらえ、最長老として92歳まで生きた鄧小平のように院政を敷いているなどという不気味な構図は考えられないか。自由のない監視社会が国際標準として、世界に拡散されてはたまらない。

ひょっとして、ニューヨークの国連本部が上海に移り、ＩＭＦ（国際通貨基金）は本部をワシントンから北京に移動しているなどということがあるかもしれない。いや、実際にクリスティーヌ・ラガルド専務理事（当時）が２０１７年７月にその可能性を示唆したことがある。

ラガルド氏は中国の成長がこのまま続くと、「十年後には北京本部で、こうした会話を交わしているかもしれない」と述べ、ＩＭＦの議決権比率を見直す必要があると指摘した。シンポジウムでの彼女の発言に、ワシントンの会場には「何かの冗談か」と笑いが広がった。だが、専務理事は一呼吸ついて「経済規模が最大の国に本部を置く」とのＩＭＦの条項を紹介したうえで、その可能性を真顔で指摘したのだ。とたんに、会場はシーンと静まり返ったことがその衝撃を物語っている、とロイター通信が報じた。

ラガルド氏が率いるＩＭＦの世界経済見通しが正しければ、２０２３年にアメリカと並んだＧＤＰ（国内総生産）が、２０３０年代のどこかでアメリカを抜き去るというのだ。中国は「銃口から生まれる」という共産党の国だから、軍事力の伸びは、当然ながらＧＤＰの伸び率を上回る。

世界は、中国の世界支配を我慢できるのだろうか。そう考えていたおりに、対中懐疑派に転じていたヒラリー・クリントン元国務長官が、米誌に「私は孫たちに中国が支配する世界で暮らすことになって欲しくない」と心の内を明かしていた。

中国大陸の人々が大声で話し、ゴミをまき散らすマナーの悪さだけを嘆いているのではない。全体主義のもつ権威や序列が、個人の自由や民主主義、法の支配を阻害する居心地の悪さに起因していることをいう。今やそれは、トランプ大統領の共和党はもちろんのこと、民主党の人々も抱くアメリカのコンセンサスになった。

フルトンに立ち寄らなかった安倍首相

アメリカは２００８年のリーマンショック後の金融危機を受けて経済が停滞し、逆に中国はその２年後にはＧＤＰが日本を抜いて世界第二位にのし上がると、すさまじい勢いで、引き離していった。成り上がり者の常として、とたんに傲慢になって、東シナ海の全域にＡＤＩＺ（航空識別圏）を設定してしまった。やがて、南シナ海の７つの人工島を埋め立て、軍事基地化するさまはとめどない拡張主義である。

時のオバマ政権は「アジア回帰」といいながら少しも動かない。一度、取られたものを取り返すのは、流血以外にありえなくなるではないか。のちに、中印国境のドグラムで中国軍と対峙したインド軍は、２カ月間そのままニラミ合って動かず、ついに中印の話し合いで双方が撤退した。この事例を見れば、オバマ政権が南シナ海でアメリカ艦船による埋め立て阻止にカジを切らなかった不作為が、中国を増長させたのではないか。

もし仮に、このときのオバマ政権が中国の勢力圏拡大に歯止めをかける意思があるなら、ジョージ・ケナンのように脅威を「分析」し、ウィンストン・チャーチルのように危機を「警告」し、ハリー・トルーマンのように国民に「覚悟」を表明しなければならない。

だが、オバマ大統領は当時のニューヨーカー誌のインタビューで、はじめから「私にはジョージ・ケナンはいらない」と述べて、戦略家の必要性を否定してしまった。

第二次大戦の終戦当時、駐ソ代理大使だったケナンは、対ソ封じ込め戦略の生みの親であった。彼はソ連の西側への敵意が、「共産主義イデオロギー」と「伝統的な拡張主義」によるものであると、到来する冷戦の分析を長文電報にまとめて本国に送った。

ケナンは１９４７年、外交誌「フォーリン・アフェアーズ」に、筆者Xとして「ソ連の行動の源泉」という論文を書いて、直接、アメリカ国民に対ソ封じ込めの覚悟を訴えた。世にいう「X論文」である。

中国の拡張主義についても、ケナンのように脅威を「分析」する戦略家の必要性が否定された以上、せめて、イギリスの元首相チャーチルのように外部から危機を「警告」する必要があるのではないか、と筆者は考えた。ちょうど、２０１５年に訪米する安倍晋三首相が、ワシントン訪問のあと、帰り際に地方視察を計画していると聞いた頃だ。

そこで、ワシントンの帰途、ミズーリ州の大学町フルトンに立ち寄ってほしい、と新聞のコラムに書いた。こちらの声は届いたような感触はあるが、残念ながら実現には至らなかった。安倍首相はアメリカ上下両院合同会議で英語演説を終えると、お決まりのアメリカ西海岸のシリコンバレーをめぐって帰国した。

以前、セントルイスで小型機に乗り換え、レンタカーでこのフルトンを訪ねたことがある。民宿風のカントリーインがぽつんと一軒しかない田舎町だった。連合国を勝利に導いた戦略家のチャーチルが、小さな町の小さな大学を選んで1946年3月、史上有名な「鉄のカーテン」演説をしたところだ。チャーチルはこの演説で、「バルト海のシュテッティンからアドリア海のトリエステまで、ヨーロッパ大陸を横切る鉄のカーテンが降ろされた」

の向こう側にある」と警告した。そして「中部ヨーロッパと東ヨーロッパの歴史ある首都は、全てその向こう側にある」と警告した。

ソ連の台頭によって共産主義と自由主義が分断される形で、欧州大陸を横切る「鉄のカーテンが下ろされた」と来たるべき冷戦の始まりを告げたのだ。第二次大戦が終結すると、ソ連はすぐ東欧に勢力圏の拡大をはじめたからだ。

実のところ、安倍首相がフルトンで、中国に対する敵対的な「第二の鉄のカーテン」演説をすることまでを期待したわけではない。フルトンにはその後も、イギリスのサッチャー首相やソ連のゴルバチョフ大統領、それにレーガン大統領やブッシュSr.大統領がこの地で演説をしている。

実は、チャーチルを尊敬する安倍首相がフルトンに踏み込むだけでも意義深いものがあると思ったのだ。首相が当地で自由、民主主義、法の支配を掲げるだけで、中国全体主義を否定するに十分な効果があるのだ。

その状況はいまも変わらない。その意味で、トランプ政権が中国を「戦略的競争相手」と定義しているときに、安倍首相が日中首脳会談（2018年10月、2019年12月）で「競争から協調へ」「習近平国賓招待」と中国に迎合するかのような合意をしてきたのは解せない。トランプ政権にあらぬ疑いを持たれ、日米同盟が揺らぎかねないからだ。

中国が日本に威嚇的な外交を演じる時は、きまって日米関係がギクシャクしているときである。尖閣諸島の周辺海域で、中国漁船が日本の巡視船に体当たりした際の中国の恫喝は、日本の民主党政権とアメリカとの関係が揺らいでいたときである。安倍政権は今回のコロナ危機を受けて、もう一度、アメリカとの関係強化に腐心しなければならない。

実は、安倍首相のフルトン行きがすべった2015年、中国への警戒論が高まるワシントンで、一冊の書物が、ケナンの「X論文」のような衝撃をもって迎えられた。中国問題の第一人者、マイケル・ピルズベリー氏の『100年マラソン——超大国アメリカにとって代わる中国の秘密戦略』（邦訳『China2049』）である。

ピルズベリー氏は2006年ごろまでは対中関与政策を支持する「米中協調派の中心人物」として知られていた。その彼が、「中国に騙され、対中認識は間違っていた」と激白し、「中国の夢」というスローガンの陰で、中国がアメリカ主導の世界秩序を覆そうとしていることを論証したのである。

この本が出版される前のピルズベリー氏には、何度か会っていた。しかし、中国の戦略家の議論は紹介してくれるが、決して自らの見解を語ろうとしない人物との印象が強かった。それだけに、この書物の発刊は、対中意識の流れを変えるケナンのかつての「X論文」のような衝撃を世界にもたらしたのである。

我慢の限界を超えた

トランプ政権は「中国が支配する世界」になる前に、アジア地政学の中で増殖した彼らの不行跡を止めるのは、いまが最後のチャンスと位置付けている。コロナ危機以前から、トランプ大統領自身の最大の関心事が、貿易赤字と2020年秋に向けた大統領再選にあっても、ペンス副大統領はじめ政権を支えるタカ派高官たちは、大統領を立てつつ中国と覇権を争う真剣勝負に出ていた。

アメリカ政府は、中国が国際秩序の中で、緩やかに貢献する大国になるよう期待したが、中国の不法行為と無作法の数々は、ついに彼らの我慢の限界を超えた。

ジョゼフ・ダンフォード統合参謀本部議長が、両軍の対話メカニズムを確立すべく2018年に訪中した際に、ホテルの部屋に置いてあった補佐官のタブレット端末を何者かに操作されていたことが発覚した。

さらに、ジョン・ケリー首席補佐官が2018年秋の大統領訪中に同行した際に、核ミサイル発射のための核のボタン「核のフットボール」に近づこうとした中国政府関係者ともみ合いになった。ケリー氏はその後の中国側の謝罪受け入れを拒否した。米側の善意を裏切ると、その報復が倍返しになることは、アメリカの特性であることを知る必要がある。果たしてトランプ政権が仕掛けた中国との貿易戦争は、本当に貿易上の争いに由来するものなのか、それとも地政学的な大国間のライバル意識に基づくものか。

もし、これが貿易に限ったものであるなら、どこかで折り合いや合意は可能だが、とてもそうは思えない。

ブエノスアイレスでの米中首脳会談（２０１８年12月）などで、対中追加関税を一時的に休止することで合意したりして、表向きにはなんとか米中破談とはならずに推移はしてきた。しかし、コロナ危機に遭遇したアメリカはもはや後戻りできないほどの怒りを充満させている。

米国内に蔓延する嫌中・反中の声

第二次米中冷戦論のきっかけは、ご承知のように２０１８年10月4日のペンス副大統領によるワシントンでの演説で、アメリカが中国共産党の脅威と闘う決意を示してからだ。演説の骨子は、中国による国際秩序の破壊を見過ごしてきた日々を「これで終わりにする」との表明であった。ペンス演説は、冷戦到来を「警告」するチャーチル演説というより、むしろ、後のトルーマン大統領の対ソ封じ込め演説（1947年3月）のようにライバル強国に勝ち抜く「覚悟」の表明にあたる。

中国共産党とその指揮下にある政府が、他国を犠牲に経済力をつけ、軍事的な威嚇で勢力圏を広げ、いかに自国民の自由を抑圧しているかを白日の下にさらした。これが包括的な対中批判とその原則「ペンス・ドクトリン」であることは、この後に次々に打ち出された対中政策をみればわかるだろう。

ペンス演説の翌5日には、ピーター・ナバロ大統領補佐官が、アメリカの軍事産業が抱える約300のリスクを割り出し、その基盤強化策を打ち出している。さらに司法省は10日に、中国の情報機関高官による産業スパイを摘発したことを発表し、同日に財務省が中国による対米投資規制の詳細を明らかにして、半導体、情報通信、など27分野を規制対象とした。

このほかにも、中国がロシアから輸入した戦闘機SU-35と地対空ミサイルS-400を購入したところから、人民解放軍に制裁を発動している。さらに、議会超党派委員会が北京冬季オリンピックの開催地変更を要求、アメリカ海軍の軍艦2隻が台湾海峡を通過させていた。

特に注目を引くのは、ナバロ氏が発表した「軍事産業基盤の包括的見直し」の報告書で、トランプ大統領は「アメリカ軍の優位を維持するためには、常に最前線にいなければならない」との宣言である。

この中に、人材を育成するため、科学技術・数学の教育を発展させるとの中長期の方針を盛り込んでいた。それは、冷戦初期にソ連に立ち向かったアイゼンハワー政権のように、今後、アメリカ政府が産業基盤の直接投資を拡大する姿勢を示したものだ。

アイゼンハワー政権は、ソ連の人工衛星に後れをとった「スプートニク・ショック」から立ち直り、反転攻勢をかけていった。直ちにＮＡＳＡ（米航空宇宙局）をつくり、全米科学財団の支出金を大幅に上積みした。やがて、１９６９年７月の「アポロ11号」による人類初の月面歩行によって、アメリカはソ連への追い上げ追い抜きに成功する。

ペンス副大統領の演説は、決して共和党政権だけに見られる嫌中現象ではなく、むしろ、アメリカ国内に蔓延している対中観の王道を行くものであった。その声はコロナ危機以降ますます高まっている。

アメリカに追いつくと奢ったソ連と同じ運命となるか？

では、アメリカの戦略家たちは、両雄激突の見通しをどう描いているのだろうか。ハーバード大学のジョセフ・ナイ教授やクレアモント・マッケナ大学のミンシン・ペイ教授の見解を敷衍《ふえん》し、「米ソ冷戦」と比較しながら「米中新冷戦」の行方を展望しよう。

米ソ冷戦初期の頃、ソ連がやがてアメリカを追い越すことになると考えられていた。フルシチョフ首相は1959年に訪米し、ソ連が遅くとも1980年までにはアメリカに取ってかわると自信満々だった。1976年に至ると、ブレジネフ書記長は共産主義が1995年までに世界を支配するだろう、とまで豪語していた。

共産主義が欧州に浸透し、当時のソ連経済は近年の中国のように年6~7%成長を驀進していた。ブレジネフ時代には550万人の通常兵力を持ち、核戦力でアメリカを追い抜き、ソ連から東欧向けの援助が3倍に増えた。

だが、奢るソ連システムにも腐食が進む。一党独裁体制の秘密主義と権力闘争、経済統計の水増しなど、どこかの大陸国家とよく似た体質であった。ソ連の経済モデルは、利益よりも生産量に置いていたから、左足用の靴を数十億も生産し、右足用がゼロという不合理でも生産量は増加を示すことになる。

そして、労働力を支える出生率の低下と資本の不足が重なり、やがてソ連崩壊への道に転げ落ちていった。ナイ教授が挙げるソ連崩壊の方程式を眺めると、いまの中国の弱点と、実によく似ていることが分かるだろう。

そのソ連共産党が１９９１年に崩壊したとき、もっとも衝撃を受けたのが、当の中国共産党だった。それ以前から、全体主義の延命を至上命題とする共産党指導部は、ナチスドイツの崩壊とソ連の崩壊から多くを学んできた。ナチスは12年間続き、それが自滅する前に第二次大戦が起こった。ソ連は70年以上も続き、崩壊するまでには何十年もの冷戦による対決を必要とした。

中華人民共和国とはまさに、フィクションの上に真実をまぶした共産党の全体主義国家である。彼らは常に、共産党崩壊につながりかねないアリの一穴を、用心深く探してはふさいできた。だが、それ以上に党の基盤が決壊しては元も子もない。彼らはただちにソ連崩壊の理由を調べ、原因の多くをゴルバチョフ大統領の責任とみた。しかし、中国崩壊論のペイ教授によれば、党指導部はそれだけでは不安が払拭できず、スターウォーズ作戦によるアメリカの排発以外の三つの重要な教訓を導き出した。

中国はまず、ソ連が失敗した経済の弱点を洗い出し、経済力の強化を最重点目標とした。中国共産党は過去の経済成長策によって、一人当たりの名目ＧＤＰを１９９１年の３３３ドルから２０１７年には７３２９ドルに急上昇させ「経済の奇跡」を成し遂げた。

他方で中国は、国有企業の改革に手をつけず、債務水準が重圧となり、急速な高齢化が進んで先行きの不安が大きくなった。これにトランプ政権との貿易戦争が重なって、今後の成長の鈍化は避けられない。しかも、アメリカとの軍拡競争に耐えるだけの持続可能な成長モデルを欠いている、とペイ教授はいう。

第2に、ソ連はコスト高の紛争に巻き込まれ、軍事費の重圧に苦しんだ。中国もまた、先軍主義の常として軍事費の伸びが成長率の伸びを上回る。2020年5月の全国人民代表大会（全人代）では、コロナ危機の荒波を受けて経済見通しも出せなかったのに、国防予算ばかりは、前年比6・6％増を打ち出して例年と変わらぬ高水準を維持している。だが、軍備は増強されても、経済の体力が続かない。新冷戦に突入すると、ソ連と同じ壊滅的な経済破綻に陥る可能性が否定できないのだ。

第3に、ソ連は外国政権に資金と資源を過度に投入して経済運営に失敗している。中国も弱小国を取り込むために、多額の補助金をばらまいてきた。ソ連が東欧諸国の債務を抱え込んだように、習政権は経済圏構想「一帯一路」拡大のために不良債権をため込んでいる。たしかに、スリランカのハンバントタ港のように、戦略的な要衝を借金のカタとして分捕るが、同時に焦げ付き債務も背負うことになる。これが増えれば、不良債権に苦しんだソ連と同じ道に踏み込みかねない。

かくて、ペイ教授は「米中冷戦がはじまったばかりだが、中国はすでに敗北の軌道に乗っている」と断定している。安倍首相の昨今の訪中で、自民党親中派の二階俊博幹事長の押しによって「一帯一路」に乗ることが懸念されたが、日中が交わした正式文書には「一帯一路」の文言が入らなかった。中国の重なる要求を巧みにかわしたものと推察する。

対日軟化は米中対立の賜物

中国は日本を日米同盟の従属変数と考えているのだろう。アメリカといさかいを起こすと、日本に対しては穏健路線にカジを切って日米引き離しにかかる。もっか、米中貿易戦争の中にある中国の対日接近も、その経験則に合致するから注意を要する。

ある日本の研究所が招いた中国人研究者との意見交換会でも、それを感じたことがある。マクロ経済の協調路線は軽やかに論じても、中国の核心に触れる批判にはさすがに、強い反応が返ってくる。

日本側の大学教授が例の「一帯一路」について、無理な貸し付けで港湾を整備し、スリランカが返済できなくなると、「港の九九年租借とはひどすぎないか」と疑問を呈した。

中国側は習主席肝いりの政策への批判とみて、「正当な貸借にすぎない」と猛烈に反発した。さらに、中国の南シナ海の軍事拠点化への日本側の懸念に対しても、「過剰な反応だ」と認める気配がない。

そこで筆者からは、数字を示して反論を試みる。まず、「一帯一路」に関しては、中国がスリランカに高利でハンバントタ港の整備費を貸し付け、返済が困難になると、「九九年租借」とは国際常識に反する。三十年程度が妥当ではないか。九九年とはイギリスが植民地化した香港北側の新開地域と同じ長さであり、アヘンを売る代わりに債務で同じことをするのか。

日本はアメリカとともにADB（アジア開発銀行）の創設に努力したが、日本の出資額がトップでも本部をフィリピンに譲り、プロジェクト収入でも日本企業はわずか〇・五％しか獲得していない。それに対して中国は、「一帯一路」を支えるAIIB（アジアインフラ投資銀行）の出資額がトップなのはもちろん、本部も中国、総裁ポストも中国人である。受注もその大半が中国国有企業ではないか。

さらに、中国は周辺国に「軍事力を恐れるな」というが、2018年度の中国の経済見通しが成長率6・5％なのに対して、軍事費の伸びは8・1％もある。研究開発費を含めるとさらに増える。イギリス戦略研究所の試算によると、2025年にアメリカの国防費を抜き、2030年代にはGDPでアメリカを抜くとの予測がある。

さらにアメリカの建艦計画は今後、最大でも355隻体制だが、中国の建艦計画では414隻体制になるとの予測がある。中国の巨大海軍力と均衡抑止を図るには、日米同盟では足らず、インド、オーストラリアを加えても怪しい。従って、日米豪印を軸としたインド太平洋戦略の動きは、いわば中国が後押しするようなものだ。

すると中国側は即座に、ＡＤＢは日本が総裁を輩出していると指摘し、「中国の艦船数を挙げるが、排水量を考慮していない」と些末な部分で釈明した。中国側はそこまで反論すると、「異なる見解を聞くのは意義がある」と一転、穏健路線でまとめた。

習近平国家主席は２０１８年６月下旬の中央外事工作会議で、「周辺国への外交工作を巧みに行い、中国に有利なものにする」と指示していた。アメリカとは貿易戦争が収まらず、右肩あがりだったヨーロッパとの関係も急落している。だから、李克強首相の２０１８年５月の訪日は、米欧で「略奪的」と批判された「一帯一路」のトップセールスであった。あれだけ日本をあしざまにしてきた中国は、自己都合でいかようにも様変わりするのだ。

チェルノブイリとコロナが全体主義を滅ぼすか

いつの時代も、貿易戦争は先端技術を含む覇権争いに根差している。それぞれにイギリスとアメリカの覇権を意味する十九世紀のパクス・ブリタニカも、二十世紀のパクス・アメリカーナも、経済規模そのものというより時代の先端技術を制して世界の覇権を握った。

そして中国もまた、中華覇権を意味する「パクス・シニカ」を成し遂げるには、技術開発能力でアメリカを抜き去るとの露骨な挑戦を決意している。

だからこそ、トランプ政権は技術買収や窃取を含む「中国製造2025」計画を、ハイテク覇権争いの元凶として強く意識しているのだ。この計画は、アメリカとの技術覇権競争によって「製造強国」を目指すだけではない。2025年までに「製造強国」になり、軍事融合戦略と結びついて「宇宙強国」や「海洋強国」の軍備増強を目指している。そのためには、ヨーロッパの先端企業を買収して技術を手っ取り早く入手する戦略に裏打ちされている。

トランプ政権の誕生は、アメリカ第一主義が先行して右に左に揺れ動き、肝心のTPP離脱によって綱の切れた暴走犬のようだった。2017年暮れの「国家安全保障戦略」によって、政府の公式文書にピルズベリーの所論が、向かうべき方向として打ち出された。そしてペンス副大統領の演説で、ようやくドクトリンとして政府方針が固まった。

この間にも、中国全体主義の少数民族や異教徒に対する過酷な圧制は続いた。ウイグル、香港での中国当局による宗教的、政治的な自由に対する抑圧と、その過酷な政策に対する世界的な抗議。海峡を挟んだ台湾では、蔡英文氏が総統選挙で圧勝するといった流れの中で、武漢発のコロナ危機が発生した。

　前述したように、20世紀の米ソ冷戦は2つの軍事同盟の戦いであった。しかし、21世紀の米中冷戦は2つの経済体制を巻き込むハイテク覇権の争奪で始まった。特に、第5世代（5G）移動通信システムは、従来の100倍もの高速であるだけに、地政学上の安全保障リスクにも直結する。トランプ政権が中国の通信機器最大手・華為技術（ファーウェイ）潰しのために、最高財務責任者の孟晩舟をカナダで拘束させ、5Gの心臓部分にあたる半導体の供給阻止に動いたのもそのためだ。

　2020年5月には、半導体受託生産の世界最大手、台湾積体電路製造（TSMC）が、ファーウェイからの新規受注を止めることになった。トランプ政権が求める禁輸措置に対応しての措置だ。ファーウェイはスマートフォン市場で世界2位だが、基幹半導体の供給が断たれれば5G向けの端末開発などで影響が出るのは必至だ。そこに素早くクサビを打ち込んだ。

　一方、習政権にとっては、5Gシステムがトランプ政権の「覇権つぶし」に対抗できる唯一の技術分野なのだ。中国はアメリカとのハイテク冷戦を最小化して、いわば「一帯一路」にそったデジタルシルクロードを西に向けて最大化する。ファーウェイなどによる「中国5G」が狙う最大のターゲットが、その先のヨーロッパ市場にある。

　陸と海をもつ中国の地理的優位は、習氏の「中国の夢」として結実するのだろうか、あるいは悪夢に終わるのか。中国を巨大な儲け市場としか見なかったヨーロッパ主要国も、パンデミック下であっても、中国による企業買収の攻勢を受けて、ようやく中国拡張主義の危険に目覚めたようだ。

冷戦末期の１９８６年、モスクワはチェルノブイリ原発事故の隠蔽や責任回避で世界から非難を浴びた。それがソ連崩壊の引き金になったことを思えば、北京が今回のコロナ危機で、同じように共産党崩壊への軌道を走っているように見える。イギリスの歴史家、エドワード・ギボンの示唆にしたがえば、衰亡のタネは繁栄の中に潜んでいるのであり、衰亡は繁栄の絶頂期に始まることを心得ておくべきだろう。

今後、全体主義の中国を待ち受けているのは、栄光か奈落か。少なくともＷＨＯは、アメリカの圧力によって改革へとカジを切り、ＩＭＦの本部が北京になるという事態は阻止されるだろう。だが、そのためには自由世界の結束と不断の努力が不可欠となる。そのリーダーシップの役割を担うのはアメリカであり、支えるのは日本、ヨーロッパの同盟国である。

第二部

アフターコロナの危機突破は「保守」にしかできない

第一章　安倍首相は「日本のサッチャー」になれるか

「パラダイムの転換」は保守しかできない

戦前期に左右の全体主義と闘った河合栄治郎は、その生涯を「自由の気概」をもって生きた唯一の知識人であった。戦後世界を形成してきた民主主義、法の支配、人権など自由主義の価値観が揺らぎはじめたいま、日本の指針としてこの「戦闘的自由主義者」の強靭な精神が見直され、単行本や著作選集の出版が相次いでいる。

安倍晋三首相が河合の生涯を描いた拙著『全体主義と闘った男　河合栄治郎』（産経NF文庫）を2018年12月末に、年末年始の読書したい本として手にしたのも、試練を迎えた自由主義世界秩序をもう一度、活性化させようとする決意の表れなのではないか。国際社会はまさしく、パンデミックを含む新たな危機に対応する思考の枠組み転換を図る「パラダイム・シフト」が求められている。

民主主義の司祭であるアメリカが世界をリードする意思と活力を失い、EU（欧州連合）は英国の脱退「ブレグジット」やら、流入する難民の扱いで協調体制を揺るがしている。代わりに台頭してきたのは、独自の華夷秩序づくりを狙う中国の全体主義であり、クリミア半島を力で併合したロシアの拡張主義、そして北朝鮮の独裁者は核、ミサイルを手放そうとしない。

東京国際大学名誉教授の原彬久氏によれば、直面する国家の大事や危機に際して、歴史は保守政治が「大きなパラダイムの転換」を牽引してきたとみる。戦後のアメリカでは、ニクソン大統領の米中和解やレーガン大統領の経済改革がそうだった。日本国内でも吉田茂首相の日本独立、岸信介首相の日米安保改定、佐藤栄作首相の沖縄返還など、保守政治家が幾多の困難を超えてきた。従って、「安倍首相は保守か」と問われれば、彼が保守のリアリストでなければ大きな政治は実行できないということである。

天皇を戴く自由主義

河合栄治郎が生きた戦前・戦中の時代は、文字通り世界のパラダイム・シフトが起きた激動期であり、安倍首相が左右の全体主義と闘ったこの戦闘的な自由主義者を通じて、何かを手繰り寄せようとすることは不思議なことではない。そこで、河合の自由擁護の闘いから、まずはその手掛かりをさぐってみよう。

東京帝国大学教授だった河合栄治郎は、昭和初期に「左の全体主義」マルキシズムが大学や論壇を席巻すると、自由主義の立場から果敢に闘いを挑んだ。マルキシズムの矛盾点とその危険性を批判し、たとえ左派から「御用学者」と罵倒されても怯むことがない。マルキシズムは個人の自由、言論の自由を徹底的に阻害する以上、決して受け入れることはできないからだ。

やがて、日中戦争が勃発するころからマルキシズムが低迷し、代わって軍部を中心とする「右の全体主義」ファシズムが台頭してくる。河合は身の危険を覚悟で、専断的な軍部にひとり抵抗した。評論家の扇谷正造は、「河合先生の思想や体系はいつも不動だった。しかし、日本の思想界が左旋回すると、それは反動にみえ、また右旋回すると今度は、その同じ思想が赤くみえる。それは逆にいえば、思想のしたたかさを示すものであるともいえましょう」と的確にとらえている（『河合栄治郎全集』「月報八」所収）。

その強靭さは昭和11年、首都を揺るがす青年将校による軍部クーデター「二・二六事件」が発生したとき、マルクス主義者が口をつぐんでも、戦闘的な自由主義者は黙っていられなかったことに示される。河合は死を賭して、東京帝大新聞や中央公論を通じて1人、軍部批判の言論戦に挑んでいく。やがて、著書の『ファシズム批判』や『時局と自由主義』など4冊が「世を乱すもの」として発禁処分になり、東京帝大から追放された。まもなく、起訴されると病を押して法廷に立ち、有罪判決を受けたのちに帰らぬ人となる。

河合は自由主義に生きた思想家であり、国際派であるからこそ愛国者であった。河合の天皇観は、出版がかなわなかった幻の著書『国民に愬《うった》う』の中で縦横に語られ、祖国の危機にこそ天皇の地位の重要性を認識していた。早くも敗戦後の危機を見据え、「我々の祖国は天皇に象徴せられる」と述べたうえで、「そこに国民の結成が強められ、国民の前進が早められる」と、象徴天皇の役割を見通していたかのようだ。

保守がカジ切る現実主義

河合は明らかに「天皇を戴く自由主義」であった。この自由の気概を持つ愛国者に、自由主義の保守政治家である安倍首相が共感を覚えるのは当然なのかもしれない。では、自由主義陣営の中でも、なぜ保守政治にはそれが可能だったのか。

保守主義は、そもそも人間の理性を懐疑するところから現実主義とも重なってくる。イギリスの政論家、エドモンド・バークの言葉を借りれば、保守主義とは伝統を尊重し、「保守するために改革する」として漸進的な改革を追求する。物事は白か黒かで割り切れるものではなく、経験的な知識の積み重ねによって表現される。したがって、バークにとって政治は、「多様な要求の妥協」と「善と悪の妥協」に他ならない（関嘉彦『社会思想十講』）。

重光葵外相が「変事の才」と形容したイギリスの首相、ウィンストン・チャーチルは、決断力をもって戦争を指導した稀代の保守政治家である。アメリカの知日派との会話で話が安倍首相のことに及ぶと、チャーチルになぞらえて「変事の才」を称賛することがあった。ディック・チェイニー副大統領の補佐官だったスクーター・リビー氏や戦略国際問題研究所のエドワード・ルトワック顧問らは、安倍首相の戦略観のある決断力に注目した。

安倍首相自身もまた、第二次大戦を勝利に導いた指導者像としてチャーチルを意識していることは明らかだった。それは安倍首相が、２００７年に第1次政権で首相の座を降りて2カ月後、私邸を訪問したバンダービルト大学名誉教授のジム・アワー氏が一冊の本を差し出してからかもしれない。チャーチルの伝記『Never Despair』（決して絶望してはならない）である。首相は「この本の表題を見つめて諦めなかったおかげで、首相に復活できた」として、アワー氏に感謝の念を述べている。

サッチャーの在任期間に匹敵する安倍首相

しかし、筆者はむしろ、同じイギリスの宰相でも、安倍首相には東西冷戦を勝利に導いたマーガレット・サッチャー首相を目標にしてほしいと思う。エリザベス女王が元宰相の葬儀に出席したのは、過去に3人しかいない。第一次大戦を戦って1945年に死去したロイド・ジョージ首相、第二次大戦で国運を担った1965年死去のチャーチル首相、そしてフォークランド戦争を指導したサッチャー首相なのである。

だが、サッチャーが相手にしたのは南大西洋に浮かぶ小島の奪還作戦だけではなく、それよりも大きく、世界を二分した「東側」との東西冷戦に打ち勝ったことにある。それは、巨大な核兵器群をもってにらみ合い、世界最大の地上軍をもつソ連を屈服させ、アメリカを叱咤して「西側」を勝利に導いた。しかも、サッチャーは在任期間が11年に及ぶ異例の長期政権だった。安倍首相もまた、新たな総裁任期は2021年9月末までだから3567日で歴代最長となって、サッチャーの就任期間に肉薄する。

いま、安倍首相が立ち向かうインド太平洋の戦略環境は、チャーチルが指導した第二次大戦時代よりも、「米ソ冷戦」を戦ったサッチャーの時代状況に似てきた。第二次大戦の結果、ヒトラー型や日本型の右の全体主義は消えた。しかし、左の全体主義は生き永らえて、冷戦時代を通じて自由主義陣営と対立した。それは右派と左派の対立ではなくて、「全体主義と自由主義」の対立であった。

上智大学名誉教授の渡部昇一氏は、日本のジャーナリズムが全体主義という言葉を使わないのは、使ったとたんに「日本には右の全体主義は無きに等しく、左の全体主義のみ多いことが歴々然としてくるからである」と見抜いていた。民主主義はそのシステムの上に、力強い指導者と確固とした基盤がなければ、強力な全体主義とは戦えない。

いまや世界覇権を狙う中国は、まずは地域覇権確立のため南シナ海で勢力範囲の拡大を試してきた。2017年までに7つの人工島をつくり、オバマ前大統領との約束をたがえてこれらを軍事拠点化した。南シナ海に関する国際仲裁裁判所のクロ裁定は、中国が南シナ海を独り占めにする「九段線」論を否定した。だが、裁定を「紙くずだ」として否定されれば、国際法は軍事力の前に無力だ。

世界を地政学のチェス盤に例えれば、近年の米中関税争いの盛衰は、派手な割に小さな一手に過ぎない。貿易戦争の本質は先端技術を含む地政学的な覇権争いが背景にあり、これを「米中冷戦」と呼ぶ論者が増えた。ペンス副大統領自身が2018年11月13日の専用機内インタビューで、中国が全面的な冷戦を避けたければ、基本的な行動を変えなければならないとの認識を示し、冷戦の対決か否かは中国の出方次第であるとクギを刺した。

やり残したパラダイム・シフトは憲法改正だ

サッチャーが対ソ戦略でレーガンを叱咤したように、安倍首相もまた対中戦略でトランプの尻を叩き続ける必要がある。しかし、昨今は前述したように、習近平主席の国賓待遇としての招待を決めるなど、その対中姿勢は低姿勢のままだ。コロナ騒動で延期にはなったが、いまだ沙汰止みにはしていない。しかも首相は、国内のパラダイム・シフトにつながる最大課題の「憲法改正」をやり残している。

アメリカの人気SF映画「バック・トゥ・ザ・フューチャー」のように、安倍首相が憲法改正に強固な意欲を示して「２０２０年の施行」を掲げたのは、未来に向けて積み残した過去を修復するという意思の表明であった。しかし、時の流れは非情で、「２０２０年の施行」はもう不可能になった。

日本国憲法がアメリカ軍主導の日本占領下でつくられた以上、１９５１年9月のサンフランシスコ講和会議で独立が決まれば、憲法改正に動くのが憲政の常道であった。吉田は憲法96条に基づいて改正の手続きをはかるべきところを、政局を気にしてそうしなかった。

あの当時、連合国軍総司令部（GHQ）のマッカーサー司令官が、「無害な三等国をつくる」とした究極の仕掛けがこの新憲法である。1946年2月にGHQは外相当時の吉田に新憲法の草案を突き付けた。天皇を戦犯にしようとする諸外国の要求を避けるために、天皇を象徴とし、戦争放棄することを飲ませようとした。天皇の地位がいわば人質である以上、日本政府はマッカーサー草案を受け入れざるをえなかった。

従って、サンフランシスコ講和会議による日本独立こそは、占領憲法を改正する千載一遇のチャンスであった。のちに、作家の石原慎太郎氏は吉田側近の白洲次郎から、吉田の犯した最大の間違いは「日本の独立がみとめられた講和条約の国際会議でアメリカ製の憲法の破棄を宣言しなかったことだ」と聞かされた（2015年5月3日付産経新聞）。

首相の吉田は、講和会議で念願の平和条約を調印すると同時に、「戦争放棄」という新憲法がもつ欠陥を、日米安保条約を結ぶことで補完した。外交官出身の吉田は、新憲法さえも「条約」のように時が来たら改正すればよいと考え、経済復興をすべてに優先した。

202X年へ「改憲」の旅は始まっている

ある研究報告会で、「もし河合栄治郎が、戦後の首相になっていたら、どんな政策をうっていただろうか」との声が上がった。彼は敗戦の前年に死去するが、吉田より13歳年下であり、自由主義イデオローグとして戦前の社会大衆党への影響力があった。

旧制一高、東京帝大の先輩、鶴見祐輔は河合が戦後に生きていれば、社会党右派の片山哲に代わって「河合内閣」が誕生していたと考えていた。彼の統率力や指導力からすると、平時よりも動乱期にその力を発揮するのではないか。英米両国に留学経験をもち、超法規的なGHQと交渉する占領期にはうってつけであり、吉田以上に「変事の才」があっただろう。

歴史に「イフ」を持ち込めば、〝河合首相〟が憲法改正に乗り出してくれたのではないかと勝手に考える。実際に、河合の弟子のひとりで、民社党のブレーンでもあった都立大名誉教授、関嘉彦を中心に、杏林大学教授の田久保忠衛、駒澤大学教授の西修、そして弁護士の高池勝彦らが憲法問題を語り合った。討議の末に憲法草案を提言として民社党に提出した。では、憲法改正を目指す安倍首相は、ハリウッドのSF映画のように燃料切れのタイムマシンを修理して、どんな未来を切り開いていこうとするのか。修復を迫られているのは、憲法9条2項「戦力と交戦権の否認」のはずだ。バーク流の保守主義だとすれば、少なくとも9条に新たに3項を設けて「保守するために改革する」斬新的な改革を追求するだろう。すでに、安倍首相の険しい「最後の戦い」への旅は始まっている。

第二章

内憂外患に直面した大正・昭和の後藤新平と令和日本

およそ百年前、後藤新平による「国難来たる」との呼びかけは、武漢ウイルスによるコロナ危機に揺れる現代日本に警告しているかのように聞こえる。関東大震災から半年後の大正13（1924）年3月、日本近代化に尽力した後藤は、国難とは鎌倉時代の元寇や、江戸湾に現れた黒船来航のような「惰眠を醒ます挙国緊張」ではなく、むしろ、ひそかに忍び寄る目に見えない危機であるとして2つの要素をあげた。

一つは、「平和の仮面をかぶって、ぢりぢり寄せ来る外患」であり、もう一つは「美装に隠れ、国民の肉心をむしばむ内憂」であると見抜いた。波濤を越えてくる元寇や黒煙をはき出す黒船は、人々が「自ずと備えの大決心」をするが、平和の仮面をかぶって寄せ来る奸賊は「人これに気づかないが故に備えず」と注意を喚起したのだ。

後藤は満鉄総裁、外相、内相として日本の近代化を牽引し、関東大震災に際しては「天の啓示」と帝都復興院総裁として国全体の立て直しに乗り出した。後藤の時代の日本は、内には大震災、外にもロシア十月革命（1917年）、第一次大戦の終結（1918年）、アメリカの排日移民法施行（1924年）がその前後にあった。そして後藤は、第一次大戦後の世界を形づくったベルサイユ条約に接して、やがて第二次大戦が到来するかもしれないとの危険をいち早く予見した。

「あの条約調印の当時、まったくの門外漢としてロンドンにいた私は、その時すでに、この条約調印の日は、世界戦争の終わりの日ではなく、むしろ第二次世界動乱の始めの日であると直感した」

後藤の警告「無意義な政争は結局国難を強めこそすれ、国難を決して救うものではない」

後藤の警告からおよそ一世紀。東北帝国大学での講演をまとめた『国難来』（藤原書店）が復刻されたのは、目先の効く編集者の慧眼に違いない。近頃の日本列島は東日本大震災や幾多の風水害に見舞われ、「国民の肉心をむしばむ内憂」に近い試練を味わった。そして、現代日本を取り巻く国際環境もまた、後藤のいう「平和の仮面をかぶって、ぢりぢり寄せ来る外患」が、四方の海から忍び寄ってくるようだ。

海を隔てた大陸は、毛沢東以来の権力を握った習近平国家主席が、独裁制へと歴史を逆走させている。そしてコロナウイルスを世界に拡散した。半島では、北朝鮮〝王朝〟の三代目が核ミサイルを抱いて離さず、韓国の反日政権は北の顔色ばかりうかがっている。そして、北方には、衰退の著しいロシアが大国意識にしがみつき冒険主義を走る。

日本は戦後世界秩序を破壊するこれら全体主義国家との最前線にありながら、後藤のいう「国難来る」という危機意識がまったくない。これを少しでも回避しようと、安倍晋三首相がふかした日本国憲法改正の審議はなお歩みが遅いままだ。香港デモで流血の人権弾圧があっても、日本政府も国会も批判の声を上げないのはどうしたことか。安保法案に絶対反対を叫び国会前で騒音デモをした野党勢力や若者たちは、香港に対する中国共産党の「国家安全法制定」には沈黙あるのみのようだ。

安倍首相も参加した2019年8月の主要国七カ国首脳会議（G7ビアリッツ・サミット）は、中国が約束したとおりに香港に高度の自治を認め、大規模デモを暴力で鎮圧しないよう求めることで合意したはずだ。イギリス政府はいち早く香港警察によるデモ隊への実弾発射を非難する外相声明を出し、アメリカ議会は下院がデモ隊の民主化要求を支援する法案を全会一致で可決している。もちろん、フランスのマクロン大統領はG7議長として成果文書に、「G7は香港に関する1984年の中英共同宣言の存在と重要性を確認する」という方向に導いた。

それに比べて、サミット以降の日本の政界は何をためらう。香港当局の弾圧も、その背後にいる中国に対しても、ごく一部を除いてまったく批判しようとしなかった。日本政府が腰が引けているのなら、国会が率先して非難決議をすることも可能なはずだ。与党も野党も香港の人権問題で動こうとせずに、「中国を刺激せず」などと口をつぐむ。民主主義の議会として、内外に向けて「抑圧反対」の国会決議ひとつ出していないのだ。

タコつぼ状態の立憲民主党や国民民主党などは、国内で大きな口を叩くが、外に向かってはからきし意気地がない。モリカケ問題が不発に終わったためか、次には首相官邸の「桜を見る会」で、支持者を招待したことが「利権だ」などという。民主党政権でも踏襲してきた桜の行事を「縮小か中止か」ですむものに、これで「政権追及」だと大騒ぎだったのだから政治が小さい。

武漢ウイルスへの対処や、中国の公船が沖縄県の尖閣諸島の領海深く侵入を繰り返しているのに素知らぬ顔だ。そして検事長の賭けマージャン問題をめぐって退職金をカットしろと大騒ぎする。上智大学名誉教授だった渡部昇一さんは、「衆愚政治でも外敵さえいなければいい制度であろうが、この世界には常に外敵がいる」と的確に述べていた。渡部さんのいう「衆愚政治でも」とは最大の皮肉だろう。

実は、後藤の時代も、多数党の横暴だとする野党が護憲運動で気勢を上げたのに対し、彼は「自分たちの無力と信用のなさを告白する自殺行為なのではないか」と見抜いていた。そして、「無意義な政争は結局国難を強めこそすれ、国難を決して救うものではない」として、憲政の王道を歩むよう叱咤しているのだ。

全体主義にすり寄る日本政財界の堕落

いや、もっとも深刻なのは、月刊正論2020年7月号が西側情報機関のまとめた中国の対日工作の実態を「日本に上陸しているもう一つの脅威」として伝えた内容である。その工作に乗って日中友好を演じているのが二階俊博幹事長である。報告書は中国が日本の政財界の指導者、エリート官僚に取り入って経済協力の魅力的な提案を持ち掛け、「中国の活動に対する米国などによる批判を抑える工作をしている」と記されている。

とりわけ、二階幹事長のチャイナハンドとしての役割が大きく、中国の全国人民代表大会が香港への「国家安全法」導入を決めたことに、二階氏は記者会見で「他国の政治行動について、とやかく意見を述べることは適当でない」としっかりその役割を果たしている。くしくも、一部の自民党を含めた超党派の議員が各国議会と連帯してこの法律に「深刻な懸念」を表明する共同声明に署名する運動に冷や水を浴びせている。

二階幹事長は運輸相の時の2000年5月、観光業界関係者5000人を率いて訪中したのをはじめ、総務会長時代の2015年5月には、同じく旅行業者ら3000人を連れて訪中し、名実ともにチャイナハンドとして顔役ぶりを示している。従って、習近平主席肝いりの経済圏構想「一帯一路」への積極参加論者である。

いまや政界の実力者にのし上がった二階氏には、安倍首相も一目置いており、対中政策がゆがめられてしまいかねない懸念がある。中国共産党が、内にあっては人権弾圧、対外的には武力行使を振りかざす全体主義国家であることを忘れてしまったかのようだ。安倍首相が媚中派の二階氏に忖度して、習主席の国賓待遇の再訪日計画を進めようとしているのなら、ことは深刻である。

あの後藤新平が百年後の日本国会の現状を知ったら、当時と同じように「最大級の国難として挙げざるをえないのは、政治の腐敗・堕落である」と、失意のうちに繰り返すだろう。当時の政治が無策のうちに迎え入れてしまったのは、後藤が予感した第二次大戦の災禍であった。

「わが国はおそらく第一次世界戦争当時のような傍観者的地位にいることはできないであろう。その第二次世界動乱の大波濤はかならず東洋方面に倒れ来たって、ついにわが国の国難となるであろう」

ぢりぢり寄せ来る外患をマスク外交で思い知る自由世界

政治の体たらくの間に、「平和の仮面をかぶって、ぢりぢり寄せ来る外患」は日本の周辺で確実に迫っている。ベルリンの壁が崩壊して30年余後のいまは、冷戦時代よりもはるかに危険で複雑な安全保障環境の中に放り込まれている。新たに台頭してきた中国の巨大パワーが、ウイグルや香港人を弾圧し、台湾の併合を試みつつ、西太平洋を勢力圏に取り込もうとしているのである。

かつて、ニクソン大統領が中国の門戸を開き、対ソ戦略として「チャイナ・カード」に組み込んだはずが、一世代を経て、そのアメリカに牙をむくライバル国家に変貌した。日米欧企業は中国の巨大な労働市場を当て込んで、巨額投資による「世界の工場」を生み出した。経済力で豊満になった中国は、やがて軍事力という筋肉をつける。

イギリスの小説『ガリバー旅行記』にでてくる巨人国ブロブディンナグのように、大きいがゆえに傲慢になっていく。晩年のニクソンが漏らした「われわれはフランケンシュタインをつくってしまった」とのささやきは、それを象徴しているだろう。中国に経済力を注いでしまったのは、ほかならぬ先進主要国であったのだ。そのしっぺ返しをコロナ危機による「マスク外交」で思い知ったのではないか。

２００８年9月のリーマンショック後の金融危機で「アメリカの衰退」が指摘されると、中国は国際ルールの軌道から大きくはみ出した。習近平国家主席は「中国の夢」を掲げ、中華人民共和国の建国から「百年マラソン」を駆け抜けて世界に君臨する夢を見ているのは前述したとおりだ。

中露枢軸へプーチンの決意

その世界覇権を狙う中国と、大国主義に固執するロシアが急接近している。ハドソン研究所のウォルター・ラッセル・ミード氏によると、多くの研究者は、中露が連携を深めることになることを軽視してきたという。プーチン大統領は長年、ロシアをヨーロッパと中国の間で、独立した大国にすることを外交目標にしてきた。ロシアの緩やかな衰退と中国の急速な台頭を踏まえれば、弟分であるはずの中国との「連携か孤立か」を選ばざるを得ないところに追い込まれた。そしてプーチン氏は、西側への扉を閉ざす決心をする（Wall Street journal 7/31/2019）。

２０１９年7月22日に韓国防空識別圏内で、中国とロシアの軍用機が日韓の防空能力を探っていたのは、中露枢軸の強化を示す最新事例だ。このとき、ソウルの軍当局者は、ロシアA-50空中警戒機が竹島（韓国名、独島）の領海上空を二度横切ったと述べ、韓国軍機がロシア機に三百発以上の警告射撃を行うという異常さだった。

中露の軍用機の航跡は、長い距離を結ぶ合同演習を示しており、日韓の激しい争いが続く緊張の空をわざわざ通過している。米CNNテレビは、「モスクワがアメリカの同盟関係を破綻させるために仕掛けた」との分析がある、と報じている。

さらに、近年の「中露接近」事例としては、ロシアが2016年にサウジアラビアに代わる中国最大の原油輸入国になり、2017年にはバルト海で中露初の合同演習を実施。さらに、2018年に習主席がプーチン大統領を「親友」と呼び、同じ年にウラジオストックでの大規模演習「ボストーク2018」に、三千人規模の中国軍を招いて合同演習をした。

ボストーク2018は兵力三十万人規模の大演習であり、北方四島に侵攻した「外国軍」、つまりは日本とこれを支援するアメリカから島を奪還することを想定している。ちょうど同じ時期に、プーチン大統領はウラジオストックで「東方経済フォーラム」を開催して、安倍首相や習主席を招いて経済協議をしていたから、これ以上の非礼はない。右手でコブシを振り上げ、左手で愛想笑いを浮かべながら握手をしている。さすがの安倍首相としても、席を蹴って帰国したいところを、グッとこらえたものと察する。

プーチン大統領は、北方領土を返す気もないのに二島返還を装って安倍晋三首相に接近してきた。実際にプーチン氏が２００５年9月に「第二次世界大戦の結果、南クリール（北方四島）はロシア領となった」と従来と違う見解を述べて以来、その態度を崩そうとしない。「日露間には領土問題は存在しない」というのが、プーチン政権の公式見解になりつつある。外交の世界では騙される方が悪いと聞くが、中露引き離しを策して騙されたフリというのもあるのか。

習近平が切った「ロシアン・カード」

では、中国とロシアの力量、国力はどの程度なのか。ソ連時代のフルシチョフ首相は、１９８０年代までにアメリカ経済を追い越すとまで豪語していたが、いまのロシアは、韓国なみの中所得国に転落している。１９８９年のソ連経済は中国の2倍の規模だったが、いまは中国の7分の1に過ぎない。輸出するものといえばエネルギーと兵器しかないのだ。

ロシアは確かにアメリカなみの核兵器保有国家であり、シリアのアサド政権を救うために軍を派遣し、サイバー攻撃でアメリカの中間選挙を揺さぶったりもした。プーチン大統領はそうした軍事戦術にはたけている。だが、彼には国家を繁栄に導く国家戦略が欠けており、衰退に歯止めをかけることができない。

ハーバード大学のジョセフ・ナイ教授は、「プーチンの成功した戦術的作戦の一つは、中国との連携でしかない」とみる。ウクライナへの攻撃により米欧から経済制裁を受けたのちに、中国を「重要な戦略的パートナー」と宣言した。その返礼として習近平主席は、プーチン大統領を「親友であり同僚」と応じ、対米対処で共通の利益を見出した（Project Syndicate 11/05/2019）。

ニクソン大統領による米中接近は、米中ソ三角関係のもっとも弱い中国を「対ソカード」に使った。いまは逆に、中国がもっとも弱いロシアを「対米カード」に使おうとしている。プーチン大統領が２０１９年6月の英紙インタビューで、自由主義を「時代遅れだ」と嘲笑して旗幟鮮明にした。自由主義世界秩序に対抗する中露疑似同盟の成立である。

また、コロナ危機に関しても、中露は融和的だ。２０２０年4月16日、プーチン大統領と習近平主席との電話会談が行なわれ、習氏はアメリカを念頭に、新型コロナウイルスの大流行を「政治問題化させたり、根拠のないレッテルを貼ったりすることは国際協力の役に立たない」と述べたという。それに対して、新華社電によると、プーチン氏は「一部の人がウイルス発生源の問題で中国の顔に泥を塗ろうとしているやり方は受け入れられない」と同じ権威主義国家を擁護した。

習氏も、この手の「ロシアカード」を使って、中国の責任を追及するアメリカなどの動きを牽制しようとしている。今後は日本に対しても甘い囁きをしてくるだろう。すでに一部新聞には、武漢ウイルスと呼ぶなといった主張が展開もされている。

権謀術数に乗らない教訓

アメリカのダン・コーツ前国家情報長官によれば、「ユーラシア大陸の二大国がこれほど接近するのは、1950年代以来のこと」だという。北京とモスクワの連携はその挑戦を増幅させることになる。だが、著者がコーツ氏なら、中露に加えて「日中接近」への懸念を付け加える。習近平政権は、ロシアを疑似同盟に引き入れたその手で、日米同盟の切り崩しに狙いを絞る。彼らはアメリカとの覇権争いを立ち回るうえで、「ジャパン・カード」として日本を利用することに戦略的価値を見出している。

大きなウソと健忘症は、詐欺漢のつけ目だそうだ。たまの「日中友好」も、繰り返し言われるとあたかも事実のように脳裏に刻まれる。中国にとっては、孤立を回避するために、日本ほど使い勝手のよい国はない。天安門事件から3年後の1992年に、天皇陛下が訪中して米欧からの経済制裁に風穴を開けてしまった苦い経験が、我々にはある。延期になった習近平主席の国賓待遇による来日が、もしも実現することがあれば、香港の乱暴な振る舞いやコロナ騒動の責任免除を日本が率先して認めることになりはしないか。

ブッシュ政権時代のスコウクロフト大統領補佐官も、天安門事件直後の1989年7月に極秘訪中して協議をしてはいるが、先陣を切ってしまったのは日本であった。この当時、外相であった銭其琛氏は回顧録『外交十記』の中で、主要国からの経済制裁で「日本は最も結束が弱く、天皇訪中は西側の対中制裁の突破口という側面もあった」と描いていた。当時の外務省幹部は中国に裏切られた思いを強くしたようだが、すでに後の祭りである。自らの読みの甘さを恥じるべきだ。この時の教訓こそは、二度と中国共産党の権謀術数や手練手管に乗らないことである。

「ようこそ民主主義の国へ」

トランプ大統領の方は2019年5月に国賓として来日し、天皇、皇后両陛下が即位後はじめての国賓と会見した。令和初の国賓との会見が、同盟国のアメリカであったのは、まだしも救われる。しかし、中国はアメリカにとって貿易戦争やハイテク覇権を争う「新冷戦」の敵対国である。

ペンス副大統領の２０１９年10月24日の演説でも、中国が「より攻撃的になっている」ととらえ、香港や台湾をめぐる対応を批判している。米ウィルソン・センターで行ったこの演説は、２０１８年10月４日に行った対中政策演説に次ぐ第二弾である。演説の核心は、中国が自由、人権、民主主義、国際規範を守らないことへの非難であり、問題のある中国の行動を具体的に挙げた。とりわけ、台湾を非民主的な中国と対照的な存在として強く支持している。

ペンス演説は同盟国の日本が対中スクランブルを発進しなければならない回数が、２０１９年に過去最高になったことを指摘もした。中国は沖縄県の尖閣諸島沖の領海侵犯をも繰り返しており、北海道大学教授の岩谷將教授は解放されたものの、まだ10人以上の邦人がスパイ容疑で拘束されたままだ。

こうした北京のほんの小さな譲歩は、一時回避の「戦術的後退」という。大量の機密資料を収集したなどとして中国当局が拘束していた岩谷教授が、２カ月ぶりに２０１９年11月に解放されたのも、日本から反発が出てきたための「戦術的後退」に他ならない。当時、翌年の春（２０２０年４月ごろ）には習近平主席が国賓として日本に招かれていたところから、日中関係にキズがついてはいけないからとさすがの中国共産党も判断したのだろう。

とても、安倍首相のいう「日中関係は完全に正常に戻った」（参院予算委員会発言）といえるような状況ではなかった。これらが解決されないまま、日本が習主席を国賓として迎えれば、国際社会からは中国に恭順する国家ととられかねないところであった。コロナ危機は、そうした失敗の繰り返しをとりあえずは先送りすることになった。

振り返れば、１９９７年に当時の江沢民総書記が公式訪米したときのことである。ワシントンで出迎えたのは在米チベット人の大規模デモだった。ホワイトハウス前のラファイエット公園に、保守派からリベラル派まで約三十団体数千人が結集して、「政治犯の釈放」と「チベットの解放」を訴えた。

江沢民氏にはこれが気に入らない。さっそく、アメリカ政府にデモの取り締まりを要求した。この件を記者会見で聞かれたホワイトハウスの報道官は、ひと言「ようこそ民主主義の国へ」と巧みに応じていた。言論・集会の自由を享受する記者たちには、それだけで十分に理解できた。これには江沢民氏も二の句が告げない。

これまでも中国は、東京で開催された世界ウイグル会議に参加したラビア・カーディルさんの来日に横やりをいれたことがある。習近平主席の訪日が先のばしにされたとして、中国はデモの規制を日本に求めてくるだろう。そのとき菅義偉官房長官は、果たして「ようこそ民主主義の国へ」といえるだろうか。

「取引」があって「戦略」がない

トランプ政権が単騎、中露の疑似同盟と闘うには非効率でかつ犠牲が大きすぎる。いまはむしろ、仲たがいしている日米欧が「不信の壁」を取り払い、同盟国を総動員しなければならない時であろう。しかし、トランプ大統領による2019年10月のシリアからのアメリカ軍撤退決定は、いかに重要な同盟関係にあっても、無慈悲に切り捨てかねないことを示した。

残虐な過激派組織「イスラム国」（IS）との戦いで、クルド人はアメリカ軍と生死を共にする同盟相手ではなかったか。シリアからの撤退は、そのクルド人を見捨てるものであった。東アジアの核保有国に囲まれた日本にとって、アメリカは比類のない同盟国であることに変わりはない。しかし、今回のトランプ大統領の決定は、日本が日米同盟を強化しつつも、自立への備えとリスクに備えるために多国間連携を怠ってはならないとの教訓になった。

トランプ大統領は中東で費やされる莫大な軍事費に嫌気がして、早くからシリア駐留米軍の撤退を公言していた。しかし、シリア北部からアメリカ軍が撤退すれば、トルコのエルドアン政権はシリア北部のクルド人勢力がトルコ国内のクルド人反政府組織と結託しているとして、攻撃することは目に見えていた。

残念ながらトランプ大統領には、「取引」はあっても「戦略」がない。戦略家であるマティス前国防長官の辞任は、このシリア撤退をめぐるトランプ大統領との確執が原因だった。トランプ氏は同じく撤退に反対したボルトン大統領補佐官（国家安全保障担当）をも解任すると、エルドアン大統領との「取引」に動いた。シリア北部に緩衝地帯を設けるとの交渉の末に、この地域をトルコ軍に明け渡した。そのトルコ軍がシリア北部を即時空爆したのだ。

アジアの「クルド」にならないために

アジアの同盟国はいま、トランプ政権の約束と道義性に対する不信感がぬぐえない。とりわけ、アメリカの後ろ盾によって対中抑止を図っている台湾は「アジアのクルド」になりかねない不安の中にある。ある日、ある時、トランプ氏が習近平主席との「取引」で、台湾の地位をないがしろにしないとも限らないからだ。

アメリカ議会はこうした不透明なトランプ外交を懸念して、これまでの台湾関係法に加えて、「台湾旅行法」を制定（２０１８年3月発効）し、政府間のあらゆるレベルの人的交流を可能にした。また、アメリカ議会が採択した２０１８年「国防権限法」は、台湾への武器売却だけでなく、共同演習、米高官の台湾訪問を検討する内容になっている。さらに、中国のＲＩＭＰＡＣ（環太平洋合同演習）への参加禁止も書き込まれた。

問題の「アメリカ第一主義」がトランプ大統領だけの国家観だと思われがちだが、「トランプ後」であってもこの流れは変わらない可能性がある。いまのアメリカは、国力の衰退におびえ、同盟国に距離をおき、そして敵対国をつけあがらせてしまう。日米関係の戦略的根拠が、いつかは崩壊することがあることを覚悟すべき時代が到来したのかもしれない。

トランプ大統領は２０１９年6月に「日米安保破棄」の可能性を口にしたことをブルンバーグ通信が報じている。理屈でなく、それが長い間の持論であるからだ。かつてモンデール駐日大使が日米安保条約第5条は尖閣諸島に適用されないと述べ、やがて解任されている。しかし、発言の主が最高司令官の大統領とあっては、ことは深刻なのだ。

日本としても、トランプ政権に対する一抹の不安がある以上、自立国家として日米安保条約の片務性を双務性に近づけ、オーストラリアやインドなどと安全保障上の連携を探ってリスクに備えなければならない。復刻の書『国難来』は、後藤が当時の日本を「自らを信じ自らに依拠する中心軸がなく、懐疑し煩悶するあまり、右に左に傾いて中庸を失った」

と見抜き、愛国心をもって最悪の事態に備えることを強調している。それは100年後の祖国に対する後藤新平の警告でもあった。安倍首相は拙著（『全体主義と闘った男　河合栄治郎』）のみならず後藤のこの本も手にして一読していただきたい。

第三章 コロナと一体化する「一帯一路」「健康シルクロード」の罠

「一帯一路」に参加したイタリアでコロナ被害がなぜ大きかったのか？

２０１９年６月に、イタリアのコンテ首相は、中国の習近平国家主席が主導している巨大経済圏構想「一帯一路」に正式に参加するという覚書に署名した。Ｇ７の中で初めての国となった。そのことに胸騒ぎを覚えた。

そんなに中国に深入りすると、いずれ、しっぺ返しを受けることになるのではないかと考えていた。その懸念は半年ばかり後に、思わぬところからやってきた。案の定、イタリアはコロナ危機に襲われ、ヨーロッパ諸国の中でも、フランス、スペインを上回る死者数を数えているではないか。北イタリア・ミラノなどには、不法移民も含めて、かなりの中国人が進出しており、それが「病巣」となった。

実は、「一帯一路」の覚書署名に関連して、アドリア海に面するトリエステ港の名前を見つけ、妙な気分を抱いていた。

トリエステといえば、あのチャーチル元首相による「鉄のカーテン」演説に出てくる有名な地名なのである。それが一帯一路構想でいう「海のシルクロード」の上陸地点になり、ここを基点にヨーロッパ全土に中国の物資が運ばれる。

地図を見てもわかる通り、トリエステ港はヨーロッパの中心部にあり、中国のモノ、ヒト、そして影響力がここから放射状に延びていく。ついでに新型コロナウイルスもここから拡散する。

ちなみに、対中貿易に熱心なメルケル首相のドイツには、この悪性ウイルスが、武漢発の長距離鉄道により「陸のシルクロード」を経由して運び込まれていた。

さて、中伊の覚書に従って、中国の国有企業が例のトリエステ港に雨あられと投資し、垂涎の的のターミナルや鉄道網を整備する。その中国による投資攻勢をウォッチしていたマクロン仏大統領は、「中国に無警戒でいる時代は終わった」と述べた。だが、その正しい指摘も、あっという間に後退する。中国によるヨーロッパ航空機大手エアバスのA320旅客機300機の発注など経済協力の発表では複雑な表情を浮かべた。

ヨーロッパ連合（EU）は、中核国が切り崩され、EUが中華経済圏に組み込まれていくことに危機感を強めている。

だが、胸騒ぎのもう一つの理由は「トリエステ」が地政学的な過去の記憶を呼び起こさせるからだ。先に触れたように、第二次大戦当時のイギリス首相、チャーチルは1946年3月、米ミズーリ州フルトンで行った「鉄のカーテン」演説に、のちに有名となる次の一説を織り込んでいた。

「バルト海のシュテッティンからアドリア海のトリエステまで、欧州大陸を横切って鉄のカーテンが降ろされた」

米欧の人々はその名を聞いた途端に、自由主義と共産主義が分断された時代を思い出すに違いない。チャーチル演説はソ連の拡張主義に警鐘を鳴らし、米ソ冷戦の始まりを告げた。習氏が「米中新冷戦」を戦いたくないのなら、トリエステ港への中国の投資という合意を外すべきであった。

EU加盟国のうち、すでに鉄のカーテン東側のハンガリー、チェコ、ポーランドなど13カ国が一帯一路の覚書を締結していた。これらは、冷戦時代にソ連の勢力圏になった国々とほぼ一致する。むかしソ連、いま中国である。まして14カ国目になるイタリアは、西側の先進7カ国（G7）のメンバー国であって、中国によるEU分断が印象づけられる。

冷戦を回避へ「21文字方針」

前述したように、世界を地政学の大きなチェス盤に見立てると、米中関税争いの盛衰は派手な割に小さな一手にすぎない。貿易戦争の本質は、先端技術を含む地政学的な覇権争いが背景にあり、これを「米中新冷戦」と呼ぶ識者が増えた。

ペンス米副大統領自身が2018年11月13日の専用機内でのインタビューで、中国が全面的な冷戦を避けたければ、基本的な行動を変えなければならないとの認識を示し、冷戦の対決か否かは中国の出方次第であるとクギを刺した。

習氏が信頼する清華大学特別教授の閻学通《えんがくつう》氏ら戦略家のアドバイスに従うなら、アメリカとの冷戦を回避するだろう。その上で、「一帯一路」という疑似餌をヨーロッパに向ける。習氏がローマを訪問し、イタリアという手ごろなヨーロッパへの基点を確保したのはそのためなのだ。

「一帯一路」の主要2ルートのうち、南シナ海からインド洋を経てヨーロッパに延びる「海のシルクロード」の沿岸国はおおむね途上国ばかりで、勢力圏の拡大はできても投資効率が悪い。これにイタリアと東欧諸国を組み込めば、北京から中央アジアをつなぐ「陸のシルクロード」と結合させ、アメリカの中国包囲網をユーラシア内部から崩すことができる。

果たして習氏は、国内の弱腰批判を覚悟の上でアメリカとの冷戦を避け得るのか。習氏は２０１７年10月の中国共産党大会で、21世紀中葉までに「中華民族は世界の諸民族の中に聳《そび》え立つ」と啖呵《たんか》を切り、わざわざアメリカの警戒感を呼び起こした。ところが、２０１８年末に香港紙がスクープした中国の対米「21文字方針」で、習政権が「冷戦回避」にかじを切ったことが暴露された。

最高レベルによる決定として、「不対抗、不打冷戦、按歩伐開放、国家核心利益不退譲」の21文字を連ね、アメリカに対抗せず、冷戦を戦わず、歩みに即して開放し、核心的利益は譲らないことをひそかに指示していた。ちょうど2年前の２０１８年3月に、全国人民代表大会で「習近平新時代」を憲法に明記したころからの大幅な後退である。このうちの「不打冷戦」とは、中国経済の失速とアメリカとの貿易戦争の激化から、トランプ政権が仕掛ける米中新冷戦には乗らないとの決意である。

いま振り返ると、先の閻学通氏が米外交誌『フォーリン・アフェアーズ』２０１９年1月号の論文を通じて、トランプ政権向けに低姿勢のシグナルを送っていたのではないか。閻氏はこの論文で、アメリカの覇権はすでに終わり、米中二極体制になりつつあると概観した。ただし、アメリカが「超大国」であるのに対して、中国は「ジュニア超大国」であると、アメリカにへりくだる表現をあえて使用した。だが２０２０年1月以降のコロナ危機でその目論見は破綻し、修正を余儀なくされている。

ハイテク争奪が核心的利益に

もう一度、例の21文字方針を読み解くと、最後の4項目に書かれた「核心利益不退譲」に注意を払う必要がある。中国の外交官は台湾やチベットのほかに「華為技術（ファーウェイ）こそ核心的利益だ」と公言している。いつの間にか、ハイテク覇権の獲得も、この核心的利益に忍ばせていたのである。

20世紀の米ソ冷戦は２つの軍事同盟の戦いであった。しかし、21世紀の米中冷戦は２つの経済体制を巻き込むハイテク覇権の争奪である。特に第5世代（５G）移動通信システムは従来の１００倍もの高速であるだけに、地政学上の安全保障リスクにも関係する。

習政権にとっては、５Gシステムがトランプ政権の〝覇権つぶし〟に対抗できる唯一の技術分野なのだ。中国はアメリカとのハイテク冷戦を最小化して、いわばデジタルシルクロードを西に向けて最大化する。「中国５G」が狙う最大のターゲットが、ヨーロッパ市場にある。その野望が、武漢発のコロナ危機によって迷走をはじめた。

中国の習近平政権は、アメリカをはじめとする国際社会から武漢ウイルスの隠蔽《いんぺい》と拡散を批判され、プロパガンダによる反転攻勢に転じる。習主席自身が2020年3月16日、イタリアのコンテ首相と電話会談をして、「一帯一路」の一環として中伊協力により「健康シルクロード」の構想を実現する決意を示した。習政権はその頃から医療物資を一方的に押し付ける「マスク外交」を広げていく。もっとも、中国の「詫びるどころか恩に着せる」外交の高慢な流儀に、主要国は辟易とさせられていた。

ともあれ、陸と海をもつ中国の地理的優位は、習氏の「中国の夢」として結実するのか、あるいは悪夢に終わるのかもしれない。今回の武漢発のパンデミック危機は、中国にその試練を課した。

イギリスは5Gシステムに採用する予定だったファーウェイの機器を、大幅に見直す方針にシフトした。イギリス政府は2020年1月、ファーウェイの5G参入を限定的に容認すると発表したばかりである。アメリカの度重なる撤回要求にも、「情報流出は防げる」との自信を示してかたくなに拒否してきた。しかし、今回のパンデミックで、中国によるコロナ対応が独善的、偽証的であるところから、イギリスの怒りを誘った。ジョンソン首相が武漢ウイルスに罹患して生死をさまよっていたさなか、イギリス企業を買収する動きがあったことも中国への不信感を深めた。今後、数年を経てファーウェイの5Gを完全に排除することになれば、英米の対ファーウェイ排除政策はようやく一致する。

２０１９年の総選挙でジョンソン率いる保守党が大勝していたことは、第二次大戦後すぐの総選挙でチャーチル保守党が敗退して労働党に政権を渡したことの故事からすると幸いだったかもしれない。米ソ冷戦が本格化した時、アメリカはトルーマン民主党政権、イギリスはアトリー労働党政権だった。そのために対ソ政策や対日占領政策や朝鮮戦争をめぐっての英米の対応がやや決断に時間を要したかもしれない。それを思えば、現在、イギリスはジョンソン保守党政権、アメリカはトランプ共和党政権、そして日本は安倍政権である。弱体化しつつある安倍政権やトランプ再選の可能性などについて気がかりなことがないでもないのだが、保守現実主義の政治パワーで中国を封じ込め、その全体主義体制を打破していくべきだろう。

第四章　蔡英文たちは習近平の圧力を跳ね返せるか？

中華帝国主義に一国二制度はありえない

オリンピック年が「世界激震」を刻むとの伝聞にたがわず、2020年は年明けから激動の幕開けであった。日本では資金力で法の壁を破る「ゴーン被告、国外逃亡」で始まり、イラン革命防衛隊のソレイマニ司令官が、アメリカの無人機で殺害される事件で、国際社会は戦争の淵に立たされた。だが、この世には、巨大権力を握る独裁者でさえ制御ができず、戦争以上に人類を震え上がらせる脅威が存在することを知らされた。聖書の黙示録が予言した「疫病」のパンデミックである。

中国の湖北省武漢を発生源とする武漢ウイルスは、台頭することが当たり前と思われていた強国独裁システムを直撃した。WHO（世界保健機構）の定義によれば、パンデミックとは「新しい病気の世界的な広がり」であり、地域限定である感染症の流行をはるかに越えている。しかし、WHOはテドロス事務局長以下、親中派が多いためなのか、中国の意向を忖度して彼らのパンデミック判定はとてつもなく遅かった。トランプ大統領でなくとも、それが世界的拡散をもたらしたと考えたのは当然であった。

習近平国家主席は今世紀の半ばには、覇権国家のアメリカを抜いて「世界の諸民族の中で聳え立つ」と自信を語っていたから、ウイルスという「悪魔」の到来は、奈落の底に落とされるほどの衝撃だったに違いない。そうでなくとも、2008年以来の債務の重荷が重なり、習近平体制の基盤が揺るぎ始めていた。香港の民主化要求デモが長引き、米中貿易戦争で妥協を強いられ、台湾の総統選挙では独立色の強い民進党の蔡英文総統に勝利を奪われた。

しかも、情報統制を固める習近平体制のはずが、上手の手から水が漏れた。中国共産党機関紙、人民日報が通信アプリ「微信」に配信した記事に、共産党指導部を示唆して「武漢へ行け！」との見出しが登場した。実際には習主席による北京視察を伝える記事に続いて、別の記事がこの見出しをアップしていた。すでに、李克強首相は武漢入りしていたが、感染対策では「自らの指揮」を強調する習氏が、なかなか武漢へ行かない。彼が恐る恐る武漢を訪れたのは、ようやく3月に入ってからだ。共産党の一党独裁への批判は、ウイルスと同じように当局が消しても〝防疫・防衛ライン〟を難なくすり抜けていく。

習主席失脚の可能性もあり

香港人の抗議デモに悩まされてきた習近平国家主席は、独裁体制を揺さぶる武漢ウイルスには、「またか」という心境なのだろう。香港に対しての国際社会の懸念は、冷戦期に東欧で起きた抗議デモにソ連が戦車で踏みにじったハンガリー動乱や、1989年6月の天安門事件が再来することへの警戒感であった。キューバ危機で核戦争の恐怖を招いたソ連のフルシチョフ第一書記が解任されたように、習主席もまた香港介入で失脚の憂き目にあわないとも限らない。

その香港では、武漢ウイルスの拡散が民主化運動に質的な変化をもたらしている。香港の行政長官である林鄭月娥氏は一時、民主化勢力と対峙しつつ、北京との間でも微妙な距離をおかざるをえなかった。共産党中央が国際社会に「逆境の中でこそ真の友情が明らかになる」と呼び止めているときに、林鄭長官は香港と中国本土との境界をどう管理すべきかの板挟みになっていた。

だが長官の懸念をよそに、ウイルスという悪魔は、国境や行政区画を容赦なく飛び越えていく。１９１８年のインフルエンザ「スペイン風邪」は３年間で地球を一周し、弱い子供や体力のない高齢者を餌食にした。従って、国境の封鎖を選択する為政者にとって、その決断は「相手が同盟国か否かすら関係ない」(ナバロ米大統領補佐官) ことになる。林鄭長官もまた、中央権力より怖い悪魔の台頭にきれいごとを言ってはいられなかった。

２０２０年2月初旬に、香港の病院労働者が、中国本土との境界を完全封鎖するもっともな要求をして、デモに入った。香港内のウイルス感染は80件以上になり、死者も２人に増えていた。武漢ウイルスの対応への不満が、多くの労働組合の結成を促し、中国共産党への抵抗運動では労組が中核的な役割をもってきた。２０１９年6月以降、香港政府に対して４６５件という労組結成の登録申請があり、このうち47件が手続きを終えている。

香港医療関係の新労組は２０１９年12月に発足し、武漢ウイルスの感染の最前線に立たされる事態に伴って労組員が増加した。1月下旬に２０００人あまりだった労組員が、2月上旬には2万人に膨れ上がった。興味深いことに林鄭長官は、2月3日のデモを「市民に影響を及ぼす不当な措置」と批判したものの、その裏では中国との境界の一部を閉鎖した。国籍を問わず本土から香港に入境した人々に2週間の隔離を義務付けたのだ。

その決定は、新労組にとっては勝利を意味した。病院労組はまもなくストを打ち切ったが、航空労組はこれらのストを称賛した。過激な民主化運動に距離をおいていた人々も、労組の運動には、別の不満のはけ口となったのだ。習政権は学生を主力とした香港デモを「テロ」と定義したが、労組の正当な要求の前にはなす術もない。そういう香港当局の生ぬるい対応を見て、2カ月遅れの2020年5月に開催された全国人民代表大会（全人代）で、中国は香港に国家分裂などを禁じる「国家安全法」を強要していた。英米などがさっそく声高に批判を加えたが、日本は傍観するのみだ。

そして7月1日の同法施行とともに、民主活動家の多くが逮捕された。その日、産経新聞は「香港は死んだ」と報じた。

台湾排除に負けない蔡英文

当然ながら、香港危機を前にして、共産党中央が支払う政治コストは台湾にも飛び火した。台湾の人々はこれまで、習政権による香港への仕打ちから、「一国二制度」のまやかしを確信するようになっていた。それは独立志向のつよい蔡英文総統の支持率を押し上げ、2020年1月の総統選で地滑り的大勝利を獲得することになった。

1月11日の台湾総統選挙が近づくにつれて、習近平政権による台湾に対する圧力と深刻なリスクが高まっていた。蔡英文総統が1つの中国を前提とした「92年コンセンサス」の受け入れを拒絶しているところから、近年の台湾海峡の両岸は一層、緊張をはらむ。

蔡政権に対する中国の圧力は、①海峡間対話メカニズムの停止②中国人観光客の制限③台湾と外交関係のある諸国への圧力④国際機関へのオブザーバー参加の拒否⑤台湾に対する軍事的威嚇――などからなり、台湾海峡危機へとエスカレートする危険がある。もっとも、中国人観光客の制限は、今回のコロナ危機にあたっては台湾側には好都合であった。それだけ流入する中国人があらかじめ制御されていたからこそ、感染者、死亡者も少なくなったことにつながる。また臨機応変の国民へのマスク配布など、果敢な措置を取ったことによって、蔡英文総統への支持率は急上昇した。

中国は上記③の南太平洋の台湾承認国に対するいじめや賄賂攻勢によって、台湾との外交関係を断絶させてきた。2019年9月には、数少ない承認国のソロモン諸島とキリバスを台湾と断交させることに成功した。台湾を承認している国は、もはや世界で15カ国のみになってしまった。蔡英文政権の発足時の22カ国から3年半の間に、7カ国も減少したことになる。中国はこうした弱小国を札束外交で寝返らせ、台湾の外交空間を狭めて孤立に追い込んでいたのだ。

しかし、香港デモによる民主化要求と中国共産党がバックの香港政府による抑圧は、明らかに台湾独立派の追い風となった。北京が香港に対して高圧的になればなるほど、台湾の人々にとっては、「一国二制度」の魅力がさらに色あせていった。

そこに浮上した武漢ウイルスの流行は、台湾人には中国への不信をさらに助長するものだった。台湾当局は日米両国のように、武漢に滞在している自国民のためにチャーター機を送ろうとしたが、中国当局によって2週間放置された。2月2日になって、台湾は武漢とその周辺にいる台湾人500人のうち、200人が中国機で戻ることになったことを知った。

中国共産党は人の命がかかっている問題でも、一切の政治的な譲歩はしない。台湾を「国家扱いはせず」との前提にたって、中国東方航空の機体を用意して台湾人を移送した。それが台湾を自国領とする大義名分を貫く建前だからである。

中国は蔡政権に対しては、④の「国際機関へのオブザーバー参加の拒否」としてWHOの緊急会合への参加すら拒んでいた。これに対して、アメリカや日本、ドイツ、イギリス、オーストラリアなどが台湾の参加を強く支持し、その甲斐あって、2月11日にテレビ会議の形式で参加が認められたが、5月の臨時総会には、オブザーバーとしても招かれることはなかった。

習近平主席は2019年夏の長老、要人が参加する北戴河会議で、香港の混乱をめぐって江沢民派から責任を追及されたと伝えられ、続く武漢ウイルスの処理のまずさをめぐっても揺さぶられているとの情報があった。台湾の国防安全研究員の林彦宏研究員は、相次ぐ失策によって習近平政権が不安定になってくると、台湾攻撃の危険性が高まると指摘した。こうした動向は、アメリカと情報をすり合わせて細かくチェックしているようだ。

トランプ政権は最悪の事態に備えて2019年夏、戦車100両や対戦車兵器、そしてF16戦闘機の改良型66機の台湾への売却を決定している。人口わずか2400万人の台湾が、防衛費でその10倍以上の年間予算を抱える中国と対峙している以上、戦争を抑止するためのアメリカからの支援は欠かせない。

台湾はペンタゴンにとって対中封じのカギを握り、日本列島からフィリピンに連なる「第一列島線」上で、中国海軍が東へ移動する際の障壁になる。中国が台湾を支配下におくことになれば、西太平洋におけるアメリカの防衛体制は打ち砕かれ、抜本的な立て直しを強いられるだろう。

台湾海峡に危機が到来すれば、東京とワシントンは間違いなく紛争に巻き込まれる。ただ、アメリカの台湾関係法は、「禁輸を含む台湾の未来を左右するいかなる試みについても、アメリカはそれを西太平洋の平和と安定に対する脅威、憂慮を禁じ得ない事態とみなす」とあり、必ずしも有事に台湾支援が義務づけられているわけではない。

だからこそ、可能な限り台湾が自衛に必要な兵器システムを供与することで対中抑止をはかることが重要になる。さらには、台湾を支援する数ある既存の法律に、また一つ台湾を擁護する法「台北法」(台湾同盟国際保護強化法)が2020年3月に成立した。

これは、外交、国際参加、経済貿易の3分野における台湾の国際的な地位の向上を支援するよう米政府に求めるものだ。台湾の安全保障や繁栄を傷つける国に対し経済、安全保障、外交分野での接触を見直すことや、台湾が主権国家を参加資格としない国際組織に加盟したり、その他の適切な組織にオブザーバーとして参加したりできるよう支援することなどが定められている。また、国務長官に対しては、台湾との関係を強めるよう働きかけるとともに、台湾との関係を切ろうとする国に対しては経済・軍事支援を控えるよう求めている。

アメリカ人にとって香港の逃亡犯条例に対する2019年来の抗議デモは、アメリカ独立戦争の引き金となった「ボストン茶会事件」を思わせると考えるようだ。イギリスの植民地ボストンの急進派市民が1773年、本国の茶税に反対し、入港した東インド会社の船から茶を捨てた歴史的な事件である。

中国軍の弾圧を香港人が跳ね返して自治権や独立性を獲得するケースを想定することができる。中南海の共産党首脳部にとっては、アメリカの独立になぞらえる「ボストン茶会事件」の例えほど危うくて、忌々《いまいま》しいものはないだろう。ジョージワシントン大学のゲリー・アンダーソン教授は、ボストン市民が茶税を自治権の喪失と見ていたように、香港人もまた、逃亡犯条例を「一国二制度」が破壊される最初の一歩と感じていたという（Washington Times 10/16/2019）。

多くのアメリカ人は自由と独立のために戦う人々に強い共感を持った。あのボストン茶会事件を前哨戦として、植民地の急進派が1774年4月、ボストン郊外でイギリス軍と衝突して始まった独立戦争は、自由と独立の大義につながる彼らの誇りだ。このとき、北米の13植民地の急進派市民を誇らしげに「自由の息子たち」と呼んだ。

したがって、アメリカの人々が持つ香港や台湾の「自由の息子たち」に対する親近感は、ことのほか強いのだ。

ただ、香港はイギリスが1997年に全体主義の中国に返還されて、主権が大陸に移されてしまったという手遅れ観がある。しかし、台湾は独立性の高い民主的な国家システムを自らの手で切り開いており、アメリカは兵器の供給と国際機関に加盟するための後押しが十分可能なのだ。

一点だけ正しておきたいのは、中国の王毅外相が「香港問題は中国の国内問題であり、外国勢力は干渉すべきではない」という常套発言である。あの1984年の「英中共同声明」は、表題を「声明」とうたっているので誤解されるが、実はれっきとした条約なのである。

それが証拠に、条項の中に批准義務が書き込まれ、実際に英中間では批准書も交換されているのだ。

だから、イギリスが香港問題で中国を条約違反で非難するのは、国際常識なのである。中国が全人代で国家安全法なるものを勝手につくるのは、香港が立法権を持つという条項にも違反している。まさか、条約の共同声明を「紙くず」とまではさすがの王毅外相もいえないだろう。もっとも、中国は国際法違反の常習者だから、また一つやらかしたということなのかもしれない。そういう相手であることを熟知したうえで、中国とは相対峙しなければならない。

パンデミックの恐怖を招いた新型の武漢ウイルスは、中国の全体主義がその隠蔽体質、下部組織の指示待ち姿勢、そして1100万人の大都市でさえ隔離してしまう強権性など、強国独裁モデルが裏目に出たといえる。

それどころかミシガン大学のユエン・ユエン・アン教授は、習近平主席がかろうじて権力にしがみつく以外に、武漢ウイルスが引き金となって退陣に追い込まれるか、あるいは共産党政権そのものの崩壊もありうることを指摘していた。

「親愛なる総領事殿、ふざけるな」

そういった劣勢を跳ね返そうとして、中国はさまざまな言論工作を展開している。だが、それらは間違いなく裏目に出ている。

例えば、アメリカの五大湖に近いウィスコンシン州議会上院の「決議案」として、中国当局による巧妙な英作文が州議会議長に提示されたという話は笑いを誘った。というのも、次のような荒唐無稽な内容だったからだ。

中国がウィスコンシン州議会に提示した決議案には、新型コロナウイルスの蔓延《まんえん》を阻止した中国の努力を州上院が支持し、WHO（世界保健機関）と協力するようアメリカ政府に勧める、などと書かれていた。すべてはトランプ政権が主張している内容とは正反対だ。あたかも、州上院が中国を称賛し、中国寄りのWHOと協調するようアメリカ政府を誘導している。

この決議案は、駐シカゴ中国総領事からウィスコンシン州議会のロジャー・ロス上院議長宛てのメールに、案文として添付してあった。差出人の総領事は、州議会上院で「中国の対応を称賛する決議」を行ってほしいと露骨な依頼をしていたのだ。

武漢ウイルス発生の責任から目をそらすために、評価の書き換えを第三者に委ねようとした。

この件を取材した英紙フィナンシャル・タイムズのジャミル・アンデリーニ記者によると、ロス議長は外国勢力による地方議会への露骨な介入に、初めは半信半疑で、次に怒り、ついにはあきれてしまった。そこでロス議長は、決議の文案伝授に対して次のように返信したという（4月20日付フィナンシャル・タイムズ紙）。

「親愛なる総領事殿、ふざけるな」

当然の反応だろう。このように、隠蔽《いんぺい》工作に失敗した中国が、失われた権威を無理に引き戻そうとして、かえって墓穴を掘っている。

そこには恥も外聞もないから、ウィスコンシン州に求めたことは他州へも依頼しないはずがない。中西部のミズーリ州は逆に、中国が世界に嘘をつき、感染を抑止できなかったとして連邦地裁に損害賠償請求を行っている。アメリカの地方を狙った宣伝工作も、あっさりしっぺ返しを受けているようだ。

そもそも中国指導部がいまや使うなという「武漢ウイルス」という俗称を、国営通信社の新華社が２０２０年1月22日付英文サイトで自ら使っていたではないか。当初は北京公認で伝えながら、のちにポンペオ国務長官が言及すると、「人種差別だ」と逆上するのは奇怪である。

中国がアメリカに向けて使う「人種差別」とは、不都合な批判を黙らせるときに、相手の贖罪意識を呼び覚まして金縛りにする決まり文句である。

日本に対しては、「軍国主義復活」と決めつけるのと同じ手法で、言葉の裏に政治的な思惑が隠されている。

ところが、自らも武漢ウイルスと称していたのでは辻褄が合わない。そのことを私が4月3日付の産経新聞コラム「世界読解」で指摘すると、この日を境に、新華社サイトから武漢ウイルスの「Ｗｕｈａｎ ｖｉｒｕｓ」の見出しが消去された。なるほど、中国が歴史を塗り替えるとはこういうことかと、得心した次第である。

不可逆的なデカップリング

中国共産党は身勝手な宣伝戦に頼りすぎて、逆効果を生む傾向がある。「ふつうの国」なら、まず、ウイルスを世界に拡散させてしまったことに遺憾の意を表する。次いで、ウイルス関連の詳細なデータを国際社会に提供し、同情と尊敬を得ることになる。もちろん政権交代は覚悟の上だ。

そこは全体主義の悲しさで、なにより体制護持を優先して「隠蔽工作」と「対外宣伝」にひた走る。隠蔽に失敗すると、脅しを交えて反論し、アメリカ軍のウイルスばらまき説という陰謀論に飛びついた。

そして、世界に散らばる大使館や領事館を動員して、独裁統治システムの優位性を誇張するキャンペーンを展開する。

16世紀のフィレンツェでペストの大流行を目撃した『君主論』の政治思想家、マキャベリは、疫病の感染爆発について「誤った支配の直接的な結果である」との言葉を残した。今回の感染爆発も、習近平政権の失策から国際的サプライチェーン（供給網）を破壊する流れが強くなりつつある。まさに誤った支配の結果なのである。

北京大学の著名な政治学者、王緝思教授は米中関係が最悪のレベルに達し、経済と技術の米中デカップリング（分離）は「すでに不可逆的である」とまで述べている。中国に医薬品成分の大半を依存するアメリカは、共和、民主の両党一致で国内の医薬品増産を奨励する法案を成立させている。

コスト高の受け入れ覚悟

中国を巨大もうけ市場としか見なかったヨーロッパも、ウイルスを世界にばらまきながら粗悪な医療器具を送り付けられ、「詫びるどころか恩に着せる」態度にかつてない屈辱を味わった。しかも、パンデミックにてこずるうちに、中国企業が半導体など先端技術の企業買収に出ていたことに気づいて怒りが渦巻いた。

フランスのマクロン大統領は中国依存から自国生産に切り替える品目を挙げ、イギリスからは、中国通信機器大手、華為技術（ファーウェイ）の第5世代（5G）移動通信ネットワーク導入を見直す声が首相周辺からも出てきた。

安倍晋三首相はさらに踏み込み、習近平主席の訪日延期が決定した3月5日、緊急経済対策でサプライチェーンの再構築に乗り出している。首相が議長を務める「未来投資会議」で、付加価値の高いものは生産拠点を日本に回帰、そうでないものは拠点を東南アジアなどに移して多元化する企業への支援を明示した。

台湾はむろんのこと、日米欧の明確な「中国離れ」に、北京は衝撃をもって受け止めている。武漢ウイルスの発生以前から、巨額債務を抱えて苦しい経済運営を強いられ、日米欧がサプライチェーンを断ち切ることを最も恐れる。

ＷＨＯ年次総会で、習氏がいくら「人民を基本とし、生命を至上とし、透明性があり、責任を担う」と自賛しても、事実はすべて逆だから悪い冗談としか見られない。

むしろ日本、豪州、ＥＵが提出したウイルスの起源に関する独立検証作業を求める決議案が、全会一致で採択されたことに真実がある。中国にとっての痛手は、決議が「公平、独立、包括的な評価」を求め、１２０カ国が決議支持に回ったために受け入れざるを得なくなったことだ。決議の採択は中国の敗北を意味しており、今後、検証チームの編成を引き延ばし、検証内容の書き換えで骨抜きを図るだろう。

アメリカのシンクタンクからは、今後、中国が医薬品を汚染物質でつくるなど「医薬品の兵器化」を警戒する声さえ出ている。だが多くを西側製品とするには、消費者がコスト高を受け入れる覚悟が欠かせない。果たして読者諸氏は、安いが安全の疑わしい中国製と、高くつくが安全な国産のどちらを選ぶだろうか？

中国を疑い始めた欧州のトランプ離れ

ところが、肝心の自由主義の覇者、アメリカのトランプ政権が、国内外ともに問題を抱えて、この機会を生かし切れない。中国は武漢ウイルスで多くのものを失ったが、アメリカもまた、雇用を劇的に減らし、今後は巨額の財政赤字で苦しむことになった。武漢肺炎によるアメリカの死者数は、10万人を超え、すでにベトナム戦争による死者数を越えてしまった。パンデミック危機の到来を軽視したのはトランプ大統領その人であり、その思い付きのような発言が人々の神経を逆なでしてきたことは否めない。

コロナ危機に疲弊したアメリカ社会が、警察官による黒人暴行事件を発端として暴動が広がり、人種差別、貧富の差という病理が一気に爆発した。とくに、2018年12月に辞任して沈黙を守ってきたジェームズ・マティス前国防長官が6月3日、米誌「アトランティック」への寄稿で、トランプ大統領を痛烈に批判したことが、アメリカの分断がいかに進んでいることを象徴していた。

マティス氏はまず、トランプ大統領が全米の暴動を制圧するために軍を投入すると表明したことを断固として批判した。海兵隊大将として国家に奉仕してきたマティス氏にとって、軍は深く分断された国家であっても、政治的な中立を保つことが何よりも優先された。彼は声明の中で、「私の生涯で、アメリカ国民の融和を図ろうとしない、図るふりすらしない初めての大統領だ。それどころか私たちを分断しようとしている」と述べて、アメリカの強みであった結束と信頼を崩したことを鋭く突いた。

中国共産党がその力による膨張を策謀しているときに、トランプ大統領その人がアメリカを分断して、弱体化させているとの判断だろう。マティス氏は前国防長官としての視点から「成熟したリーダーのいない3年間の結果を目の当たりにしている」と、衝撃的な内容であった。尊敬を集める4つ星の大将発言によるトランプ氏への見限りは、2020年11月の大統領選を前にしたアメリカ世論を動かすだけのインパクトがある。

アメリカ国内の分断傾向はかくの如しであるうえ、国際社会でのトランプ政権の指導力の劣化も進んでいた。

トランプ大統領が6月に招集したG7（主要国首脳会議）も、ドイツのメルケル首相がパンデミック禍を理由に参加を辞退し、アメリカが意図した西側同盟国の結束を内外に見せつける計画を台無しにした。さらに、トランプ氏がG7プラス韓国、ロシア、インド、オーストラリアの参加を表明したことにイギリスのジョンソン首相やカナダのトルドー首相が、クリミア半島の併合を強行したロシアの復帰を拒否していた。さすがのトランプ氏も、9月まで「G7プラス」を先のばしせざるを得なくなった。

アメリカを代表する保守派論客で、ハドソン研究所のウォルター・ラッセル・ミード研究員は米紙で、乱気流に巻き込まれたこの型破りな政権について、「トランプ氏を見限り始めた世界」として苦い論評を寄稿した（Wall Street Journal 2020/6/3）。

ミード氏はメルケル首相がユーロ圏南部諸国を救済するパッケージをフランスのマクロン大統領と協調することを優先し、トランプ政権を無視した形だ。これにトランプ大統領は報復としてドイツ駐留米軍の削減で応じている。こうなると、武漢ウイルスのパンデミック危機をつくって、世界から批判を受けている中国という「手負いの龍」も、好機到来と考えるだろう。中国とロシアの枢軸は、11月のアメリカ大統領選で誰が勝とうとも、もはや同盟国を団結させるだけの能力はなくなり、国際問題から手を引くことになると考えるのは自然の流れだ。

覇権国家としてのアメリカの強さは、危機の到来に対して大統領の下に結束して、巨大なパワーを生み出すことにある。真珠湾攻撃を受けたルーズベルト政権は日本を敗戦に追い込み、ソ連の人工衛星スプートニクに出し抜かれたアイゼンハワー政権も、NASA（米航空宇宙局）をつくって追い抜いた。そして「9・11」の同時多発テロに見舞われたブッシュ政権もまた、アメリカ人の結束力をものの見事に発揮して国際テロ組織とテロ支援国家という敵に倍返しした。

とりわけ、東西冷戦でアメリカは同盟の力を結集して、全体主義との戦いに勝利した。その結束力と指導力がいま、極端なアメリカ第一主義のトランプ政権下で大きく揺らぎ始めた。秩序と協調の代わりに国際社会の遠心力が勝って、秩序崩壊と混沌の時代が到来することを予感させる。

「抑圧の独裁者」を抑止する日本の知略

米欧の指導者たちがいがみ合ったとしても、パンデミック危機によって習近平国家主席に対し「抑圧の独裁者」として、厳しい目が向けられていることにはかわりない。特に、習政権による初動の隠蔽工作をはじめ、告発者を黙らせ、各国に粗悪な医療品を送り付ける「マスク外交」には辟易としている。揚げ句に、危機に乗じて南シナ海では軍事力で威嚇する戦闘モードに入った。

米中覇権争いでは、すでに後戻りできないサプライチェーン（供給網）の切り離しが始まっている。すでに日米政府当局は、2019年秋から供給網の再構築に関する検討を行ってきた。その延長で、安倍首相は2020年3月、武漢肺炎の緊急経済対策に、日本企業が生産拠点を中国から日本回帰か、もしくは東南アジアに移す支援策として2400億円を補正予算に計上した。わずかな予算でも波及効果は大きく、アメリカ国家経済会議のクドロー委員長も同様の措置へ踏み込んだ。独仏など主要国も、外国企業による買収の規制に動き出している。

中国はトランプ政権による科学技術への接近阻止から、ヨーロッパの先端産業に目を向けてきた。2008年の金融危機以降、英伊独仏などで約360社のヨーロッパ企業を買収している。とくにドイツは、メルケル首相が就任して以来10回以上も訪中して経済のかさ上げに成功した。逆に中国は、2015年の「中国製造2025」戦略にそってドイツ企業の買収を急増させた。短期的にはドイツが有利に見えて、中長期的には中国がまんまと技術をそっくり懐にしている。

特に、ドイツ経済の中枢をなす3州のうち、中国の「一帯一路」構想に署名したノルトライン・ヴェストファーレン州には、悪性ウイルスが武漢から「陸のシルクロード」を通る長距離鉄道で持ち込まれた。それは「海のシルクロード」の上陸地点になるイタリア北部も同じで、これらを起点にヨーロッパ全域に武漢肺炎が拡散した。

繰り返すが、巨大もうけ市場としか見なかったヨーロッパも、企業買収の攻勢を受けて、ようやく中国拡張主義の危険性に目覚めた。そこに到来したパンデミックで、濃淡こそあれ間違いなくヨーロッパの「中国離れ」が加速している。ドイツの有力政治家が「中国はヨーロッパを失った」と述べたほどだ。この歯車をトランプ嫌いという感情によって「アメリカ離れ」へと逆回転させてはならない。

武漢肺炎による中国経済への打撃は深刻で、習主席は21年の中国共産党創立100周年に向け、内政の不安を対外的な強硬策で乗り切ろうとする。香港の締め付けをはじめ、台湾海峡や南シナ海、東シナ海で軍事的圧力が増してくるのだ。全人代では、経済見通しも出せなかったというのに、国防予算だけは前年比6・6％増を打ち出した。

対中抑止の最前線にある日本は、今回のコロナ危機で「中国離れ」が顕著なヨーロッパ、東南アジアを巻き込む戦略的好機を迎えている。それを生かすも殺すも、安倍政権の腕一つである。安全保障面では、インド太平洋戦略の核である日米豪印4カ国戦略対話（クアッド）をベトナム、インドネシア、台湾などにも拡大し、「クアッド・プラス」に向けて、日本がリードできる環境にある。さらに経済面でも、TPP（環太平洋経済連携協定）をサプライチェーンの軸として米欧を説得し、「TPPプラス」として再構築が可能だ。

いまこそ日本が知略を描く番である。

第三部　文明の不作法

第一章　世界に異彩を放つ文明社会の光と影

日本人選手の活躍を喜んでばかりはいられない

世界を目指す若い才能たちは頼もしい。平昌《ピョンチャン》冬季五輪の金メダリスト、羽生結弦《はにゅうゆづる》は東日本大震災で被災後に、練習拠点をカナダに移して技を磨いた。女子スピードスケート五百メートルで金メダルの小平奈緒《こだいらなお》は、前回ソチ五輪でメダルを逃したあと、スケート王国のオランダに単身乗り込んだ。

投打の二刀流で大リーグに衝撃を与えた大谷翔平もその一人に違いない。マリナーズに復帰したイチローは45歳までプレーし、大リーグでも伝説の選手となった。テニスの大坂なおみは日本人初のグランドスラム（全豪オープン）初優勝を遂げ、コメントのユニークさやマナーの良さで国際的な人気を博した。スポーツだけでなく、芸術の分野にも世界に飛躍した凄腕がいる。

ハリウッドで米映画界最大の栄誉、アカデミー賞のメーキャップ&ヘアスタイリング賞を辻一弘《つじかずひろ》が受賞した。辻は『スター・ウォーズ』の特殊メーク技術に魅せられ、二十代で渡米している。CG全盛の時代に、映画『ウィンストン・チャーチル　ヒトラーから世界を救った男』のアナログのメーキャップ技術で賞を手にしたとは、いかにも日本人らしいではないか。

それに比べると、得意と思われていた日本の理系・技術系がふるわないのはどうしたことだろう。全米科学財団が2018年1月に発表した科学技術の論文数でも、中国が米国を抜き去り、世界のトップに躍り出た。際立つのはインドの3位で、10位から一気に追い上げている。

報告書は2年ごとにまとめられ、2016年に発表された論文数は、中国が約43万本、アメリカが約41万本で、続いてインド、ドイツ、イギリスと続き、日本は6位と低迷しているではないか。直近10年間の国別の論文数の推移は、中国が約124%増と大きく飛躍。インドも182%増と伸び、新興国の躍進が著しい。ちなみに日本は13%減った。

これらの数字がすべてではないが、もはや日本は見る影もない。確かに、日本のノーベル賞受賞者は多数存在するが、10年や20年も前に開発した技術や理論だから将来は危ぶまれる。中国は逆に、将来の受賞に先行投資している構図である。

アメリカの大学で学ぶ外国人留学生の推移をみても、2008年まではインドの10万3260人をトップに、中国が9万8235人と迫っていたが、翌年に中国がトップに躍り出て、2016年には34万人とインドに倍近い差をつけた。日本は2000年に韓国に抜かれてから下降し続け、いまやアメリカ国際教育研究所のいう「トップ4」にも入らない。

ちなみに、2010年4月11日付のワシントン・ポスト紙は、名門ハーバード大学の日本人留学生は15年間にわたって減少し、2009年の学部入学生はたった1人だったと報じていた。その報道があってからは、やや持ち直しているが、中国やインドに比べるとその差は歴然としている。

注目すべきは、中国が将来を見越して若手研究者の育成を推奨し、とりわけアメリカの先端科学技術の習得に力点を置いていることだ。アメリカ流の儲け優先の経済学とともに、科学技術も国力の拡大に直結するという共産党の判断だ。

ロボット工学の出願率は、中国が2015年に2位の日本の倍以上で世界のトップに躍り出た。世界の工学系大学トップ10のうち、米中から同数の4大学が入り、オバマ政権の8年間を通じて理数系の博士号の取得では、中国の大学がアメリカのそれを上回った。

中国は経済成長のスピードが速く、血眼《ちまなこ》になって金儲けに走るから吸収しようとする意気込みが違う。しかも、習近平体制になってからは一層その傾向が強く、国策としてAI（人工知能）分野など最先端技術に集中投資して世界のトップを目指している。中国の「新世代AI開発計画」によると、2030年までに「世界をリードする」との目標を掲げている。AIは新しい軍事能力を生み出し、軍の指揮、訓練、部隊の展開を変える可能性があり、米中間の軍事バランスを決定づけるだろう。

野村資本市場研究所の関志雄《かんしゆう》シニアフェローは以前、「10年後に中国の学生がマルクス経済学を勉強しようと思ったら、日本の大学に行くしかない」と、筆者に大まじめで語っていたことがある。〝現役〟の社会主義国にあっても、元祖マルクスはとうに死んでしまったのだ。

いつまでもマルクスとその親戚筋の容共リベラルに縛られるような国は、ジワジワと社会の劣化が進む。いま、「日本の凋落」を食い止めないと、人口減少の重圧とともに日本の未来は描けなくなるだろう。スポーツ界での活躍を喜んでばかりはいられない。

高輪の大木戸だかなんだか知らねえが

20年ほど前、山梨県に「南アルプス市」というカタカナ交じりの市が誕生して、世間は仰天させられた。この騒ぎを欧米の新聞が報じるところとなり、本家筋ヨーロッパ・アルプスのイタリアで「南アルプス市とは俺達のところではないか」と、トリノやノバーラの人々を妙に刺激した。

たとえば、シャンパンはシャンパーニュ地方の特殊銘柄だから、いまどきの日本で「銀座シャンパン」なんていったら、笑われるのがオチだ。アルプスの名付け方もこれと似た流れなのかもしれない。町長や村長たちは、「南アルプス国立公園」から採用していると考えていようが、そもそも国立公園名に赤石《あかいし》山脈の通称名「南アルプス」を冠してしまったところに問題があった。

次いで、愛知県で「南セントレア市」の名が浮上した際は、さすがに「それはあんまりだ」と批判が起きて失速した。懲《こ》りない人々はなおもいて、まもなく駒ケ根《こまがね》市など三町村が「中央アルプスでどうだ」と協議した。こちらも、ギリギリで良識が働き、合併そのものが消えた。かくて、奇抜《きばつ》な名前が登場した「平成の大合併」の狂騒《きようそう》は、世界の失笑をかって終わったのである。

田中康夫の小説『なんとなく、クリスタル』のように、ブランド名がキラキラと並ぶと、なんとなくポスト・モダンの独特の空気感に満足するのかもしれない。お祭しの通りで、こんな話を思い浮かべたのも、JR東日本が運行する山手線の新しい駅が、「高輪《たかなわ》ゲートウェイ」と名付けられたからだ。ゲートウェイなどと羽田空港への便の良さを売りに、世界への玄関口を強調したいのか。これも「なんとなく、○○」のようで、ほかの駅名に伝《でん》播《ぱ》してほしくないものよ、と余計な心配をしてしまう。

ともかく、その土地が持つ固有の名称を大事にしない。世界を見渡せば、地名の破壊は、何らかの政治革命に付き物のはずであった。革命は過去のすべてを否定するため、通り名から、町の名前、国名までをも標的に一気に破壊する。フランス革命、ロシア革命、中国の紅衛兵《こうえいへい》運動もみなそうだ。北京の目抜き通り長安街《ちょうあんがい》は、毛沢東賛歌の曲名「東方紅大路」になり、外国公館が多い道は、反帝国主義を意味する「反帝路」に化けた。

日本も明治維新で、江戸を東京に変えた。慶応四年の詔書には、「江戸を称して東京とし、京都を称して西京とせん」とあった。すると西京・京都に対して、東京・江戸と称すべきではないかと、江戸っ子は怒るのだ。

ちなみに、東京近郊の千葉県松戸市には、「21世紀の森と広場」という広大な公園がある。20世紀に名付けた際には「未来志向」であっても、21世紀の今となっては当たり前のことで少しも未来を感じない。地名を無視して時系列を取り入れたための失敗例である。公園の真ん中に、大きな千駄堀《せんだぼり》があるところから、市民からは「千駄堀公園でなぜ悪い」と反対運動まで起きていた。

さて、この高輪ゲートウェイでやや救われるのは、この地が江戸時代に東海道から江戸府内の出入り口となる関所「高輪大木戸《おおきど》」の跡地だったからだ。宝永7年（1710）、初めは街道の両側に築かれた土塁《どるい》の間に木戸を設け、明け六つに開き、暮れ六つに閉じて治安の維持をはかった。その後、木戸の両脇は土塁から石垣に変わり、いまも草むした石垣が痕跡をとどめている。江戸の幕末期に全国を測量した伊能忠敬《いのうただたか》は、この高輪大木戸を測量の起点にしたといわれる。これを今風にゲートウェイとしゃれたつもりかもしれない。

センスの良さを見せようとした無粋者《ぶすいしゃ》の浅知恵ほど、うっとうしいものはない。

なにより、新駅名を公募しておきながら、上位の3位に入った「高輪」「芝浦」そして「芝浜」などは無視された。公募で130位の高輪ゲートウェイが採用されたというから、これほど応募者をバカにした話はない。そんな怒りなのか、「長すぎる」「昭和のセンス」とネット上で炎上気味になるのももっともなのである。

個人的な趣味から言えば、落語にちなんだ「芝浜」にすぐるものはない。芝は金杉に住む魚屋、勝五郎の「魚勝」と、よくできた女房が織りなす人情噺《ばなし》で、白魚船《しらおぶね》をマクラに夜明けの浜の風景が巧みに描写されているところがいい。落語の舞台は芝1丁目から4丁目まで諸説あるようだが、芝の海岸線は長い。魚勝ならここで、「なに！　ゲートウェイだ。高輪の大木戸だかなんだか知らねえが、ええい、いまいましい」と啖呵《たんか》を切るところだ。

ロボットの反乱よりも恐ろしいこと

ハマっ子が自慢する無人運行の「シーサイドライン」が逆走した。この事故を「やっぱり」と思うか、運転手のいる乗り物より事故は「少ない」と考えるか。仮に、人為的な運転ミスよりコンピュータシステムで動く無人電車の事故の方が少ないとしても、脳内の抵抗感が許さない。やはり、機械任せの方が安全というのは、なおも納得がいかないのだ。

平成元年に開業した無人運行システム「シーサイドライン」は、横浜市磯子《いそご》区の新杉田駅と横浜市金沢区の金沢八景駅を結ぶ。いまや、無人の交通機関といえば羽田空港に向かう「ゆりかもめ」がそうだし、航空機のオート・パイロットも当たり前で、税申告ソフトを支える技術でさえAI（人工知能）であることを忘れている。

この数年で、データ収集やら計算処理能力やらが向上して、いまやAIの柔軟な機能である「機械学習」の領域で大きな進展がみられる。ただ、技術がいくら進歩しても、「シーサイドライン」のようにAIが壊れないとは言えない。いま、各国がシノギを削る無人自動車は、無人兵器と同様に、ほんとうに危険ではないのか。

その証拠に2017年6月、中国電子科技集団公司が119個のドローン群の飛行実験を成功させて、アメリカ国防総省を仰天させた。アメリカ海軍の主力、空母打撃群がスズメバチのような無数のドローンに襲われたらどうなるか。あまりに数が多すぎて、現状の近接防空システムの能力をはるかに超えている。まして、壊れたＡＩの指令によって、無数のスズメバチ・ロボットが海を越えて、日本の小学生たちが襲われてはかなわない。

また、この先端技術が世界支配をもくろむ独裁者の手に渡ったら、人類は恐怖のどん底に叩き込まれるだろう。ＡＩの凄さは、スーパーコンピューター上でのわずか四時間の学習だけで、これまでのチェス最強の打ち手を打倒した事例を見ればわかる。国家が絡む軍事技術になると、能力、規模ともに大きくなり、どんな兵器が生み出されるか分かったものではない。

実際に、この年、ロシアのプーチン大統領は「人工知能の開発をリードする国が世界の支配者になる」と不気味な警告をした。同じころ、中国の習近平国家主席は「２０３０年までにＡＩのグローバルリーダーになる」と宣言し、「新世代ＡＩ発展計画」を発表した。この号令のもと、官民を挙げてアメリカやヨーロッパの先端技術を窃盗することに余念がない。

中国が危険なのは、開発した監視システムを海外に輸出し、ついでに全体主義的な法律と政策も輸出する。すでに、ジンバブエの公共施設で顔認証システムを作動させ、マレーシア、シンガポールがこれに続く。これに対しアメリカ国防総省は2年遅れで「ＡＩイニシアティブ」を発表し、民間や同盟国との連携を打ち出した。世界はすでに、「ＡＩ軍拡競争」の時代に突入しているのだ。

チェコの作家、カレル・チャペックは戯曲「人造人間」（岩波文庫版は『ロボット』）として、これらＡＩの恐怖を100年も前に描いていた。彼は作品の中で、初めて「ロボット」という新語を編み出し、人間をむしばむ機械文明や全体主義の矛盾を風刺した。

序幕では、製造会社「ＲＵＲ」製のロボットが労働の現場に配置される。これに頭脳を組み込むと、まもなく、ロボットは人間に搾取されていることに気づいて反乱を起こす。第3幕では、ロボットの男女に新しい愛の感情が生まれ、一筋の光を残して幕となる。戯曲の一節で、人間がロボットに殺戮《さつりく》された後、ＲＵＲの建築主任、アルクビストが叫ぶ場面がある。

「責むべきものは我々だ。ドームン君をはじめ、僕及び諸君全部だ。利己的目的のために、利益のため、発展利益のために我々は人類を破滅させたのだ」

使い方を誤ると、殺人機械となって跳ね返ってくることへの悔悟《かいご》だ。ＡＩが全盛の時代になり、くしくも2020年はチャペックの描いた「ロボット生誕百年」を迎える。

ＡＩは医療から交通に至るまであらゆる分野で大きな恩恵を受けるが、同時にリスクを増大させる。脅威は「AI軍拡競争」に後れをとることではなくて、競争意識に駆られて、誰もが安全が確認されていないAIシステムを拙速《せっそく》に配備しようとすることなのだ。新アメリカ安全保障センターの上級研究員、ポール・シャーリ氏は、「ロボットの反乱を恐れることはない。本当のリスクを作り出すのは人間だ」と結論づける。

火葬場さえままならぬ団塊の世代

アメリカ西海岸のサンディエゴ郊外に、スペイン語で「宝石」を意味するラホヤというリゾートがある。もう20年以上も前のこと。アメリカ大統領選の共和党候補者を選ぶ「共和党大会」の取材の合間に当地を訪れ、昼食に手ごろなレストランを探していた。ラホヤは同じカルフォルニア州のビバリーヒルズと並んで資産家の立派な邸宅が多い。「ここは分不相応だったかな」と後悔し始めたころ、海に面した小ぶりなホテルが目に入った。車を止めてドアを開けると、狙い通りのこぎれいなレストランである。

ところが、不思議にお年寄りが多くて雰囲気が妙だ。通りがかりのボーイに、「こちらはレストランですね」と尋ねると、「そうです。ただし、老人ホームのレストランですが」と笑みを返した。なんと、瀟洒《しょうしゃ》なホテルに思えた建物は老人ホームであった。日本のそれと比較するには酷すぎる豪華さである。

あれから20余年が経っている。人口問題に詳しい同僚から、日本には老人ホームの快適さの質どころか、量が決定的に足りない「２０２５年問題」があると聞かされた。いまや、日本の人口は折り紙を二つ折りにするかのような勢いで減っている。次の世代も、また子供を1人しか生まなければ、さらに折り紙を半分に折ることになって4分の1になる。かくして、人口ボリュームの多い団塊の世代が75歳以上になる２０２５年には、老人ホームや介護施設が足らず。介護サービスをする人材も枯渇する。

２０４０年ごろには「火葬場まで不足する」などとまことしやかに伝わり、団塊の世代に生まれてしまったからには、腹をくくらねばならない。先行きの不透明さに驚いているさなかに、ひょんなことから、あのラホヤに引けを取らない老人ホームを房総半島で拝見するチャンスがめぐってきた。

新聞社のワシントン赴任時代の友人から、「千葉県の御宿《おんじゅく》へ黒沼ユリ子さんのヴァイオリン・コンサートを聴きにいかないか」と誘われたのだ。わざわざ房総半島の御宿まで駆けつけるとは、彼もよほどの黒沼ファンに違いない。

商社マンだった友人は、メキシコ在勤時に当地で音楽活動をしていたヴァイオリニストの黒沼さんと交流を持った。傘寿《さんじゅ》に1年ほどの彼女はいま、メキシコと縁の深い御宿の老人ホームに住んでいるという。1609年に岩和田海岸で起きたスペイン船の漂着事故をきっかけに、ここ御宿町と当時のスペイン領だったメキシコとの交流が始まった。

御宿海岸を見下ろす広い芝生の丘の上にその老人ホームはあった。ホームに付属するコンサートホールは別棟にあり、吹き抜け天井をもつ120席あまりのほどよい規模である。観客は東京都内からの人が多く、中には九州から駆け付けた人もいた。コンサートの冒頭で黒沼さんは、「自分の人生で、これがソナタを立って弾く最後になりそうです」と語った。

メキシコ人ピアニストのラファエル・ゲーラさんの伴奏でヘンデルやプロコフィエフを奏でる弦さばきは、なお力強い。特にヘンデルのソナタ第4番ニ短調は、黒沼さんが11歳で学生音楽コンクール小学生部門に優勝したときに弾き、「一音たりとも忘れることのできない曲」なのだ。その情感あふれる演奏に共感し、客席で目に涙を浮かべている人が多かった。

翌日は、ユリ子さんの姉、黒沼俊子さんの案内でこの老人ホームを見せていただいた。当ホームのレストランもまた、ガラスのアーチが美しく、あのラホヤを思い出させるほどだ。リクライニングの椅子が備わった図書室、油絵の制作室や焼き物の窯まで備えた陶芸室、ジムの卓球台では5、6人がプレーをして、見事にスマッシュを決めていた。

クリニックには鴨川の有名な亀田総合病院から医師が派遣され、認知症を患った方の棟も完備と、至れり尽くせりである。入居者は穏やかにホームライフを楽しんでいるようだ。ただし、ネオンがお好きなシティー派には、なかなか順応するのは難しいそうだ。でも、そんな選択肢を考えているうちは、まだましなのかもしれない。

労働人口が減ってくれば、モノづくりも減るが、暮らしに必要なサービスも維持できなくなる。コンビニも病院も、かの老人ホームもまた、需要が見込めるところしか店舗や施設をおかなくなるだろう。65歳以上の高齢者人口は2042年にピークを迎え、国家財政にも深刻な影響がでてくる事態を「2040年問題」という。やはり、ほんの一部を除いて老人ホームの「ラホヤ化」を期待するのは難しそうだ。

強制でなく「道義的勧告」で武漢ウイルスに立ち向かう

武漢発の新型コロナウイルスの感染拡大に際し、日本の安倍晋三政権が発令した緊急事態宣言に、「強制力がなくて見かけ倒し」だと一部の海外メディアがやかましい。日本の武漢肺炎による死者が100人に満たない4月の初めごろ、欧米の4カ国はすでに1万人以上が亡くなっていたから、感染爆発への教えを諭《さと》したかったか。

安倍首相がその緊急宣言に際して「フランスのようにロックダウン（都市封鎖）はできな

い」と述べていたことが、フィガロ紙はよほど気に障ったらしい。彼らの筆致は「日本人は在宅を強制されないし、自粛要請に従わなくても企業は処罰されない」と憎々しげだ。ロイター通信もこれに同調した。

筆者には、これらの記事が万を超える死者を出してしまった欧米の妬《ねた》み嫉《そね》みに聞こえ、中国や韓国のそれは、日本がこれから感染爆発で苦闘することへの願望に思えた。善良そうな顔をした叱咤や忠告は、下心が見えて胡乱《うろん》である。日本が主要国に比べて死者が少ないのは、政府が感染症専門家チームの支援で集団感染を抑え込み、強制によらず「道義的勧告」を受け入れる独自文化があったからだと確信する。

遠くヨーロッパでは、イタリアが自宅待機を破れば武器の使用もありうると首相が脅し、スペインでは鉄道をすべてストップさせ、イギリスでは外出禁止令に違反すると罰金を科した。目を転じれば、非常事態を迎えたときのアメリカ人の行動がすごい。マスクには目もくれず、真っ先に銃器店へと駆け込んだ。犯罪や暴動を見込んで、自分と家族の身を守るためだ。

日本人の目には彼らの行動が異様に映るが、あちらからは罰則規定のない日本は緩すぎて異質に見える。人種が混在し、貧富の格差が大きいアメリカ人やヨーロッパ人にとって、人は利に走りやすく、欲張りで、悪事を働くとの性悪説に立っている。政府の自粛要請があると、若者たちは逆に広場でパーティーを繰り広げるから、日本のような「道義的勧告」を受け入れる許容量に乏しい。

日本で見られるのは、マスクを求めて開店前からドラッグストア前に整然とならぶ人々の姿だった。日本人にもよこしまな心根はあるものの、幾分かは恥と礼節と長幼の序の名残をもち、かつ横並び意識が強い。逆にいえば、お上に対する上下意識からくる忖度があり、村八分という掟の残滓《ざんし》が意識の底にあるのかもしれない。決まったことには、おおむねその方向で動く。

そうした傾向は人口比の数字に表れていて、米国ジョンズ・ホプキンス大学、および我が厚労省による2020年5月27日段階の統計で、人口100万人あたりでみる武漢肺炎の死亡数が、最多のスペインの577・8人に対して、日本は6・8人と少ない。スペインに次ぐイギリスが562・6人、イタリア543・8人、フランス425・9人、アメリカ300・5人である。

欧米メディアは日本の検査数に疑問を投げかけたが、検査数の多さが死者数を減らすことにもならない。アメリカの100万人あたりの死者数は日本の50倍以上だし、PCR検査の多さを自賛する韓国の死者数も5・3人と、日本とあまり差がない。

日本政府の専門家チームの見解をもとに、欧米流の声を追い風にしたのが東京都の小池百合子知事であった。連日、彩り豊かなマスクで会見する小池知事は、巧みに国との対立構図をつくって強い指導者像を印象づける。当初は感染症がこのまま拡大すれば、「ロックダウンしなければならない」と強調し、法的に不可能と知るや、今度は「ステイ・ホーム」へと切り替えた。都市封鎖を意味するロックダウンはヨーロッパ風だし、ステイ・ホームはアメリカ風である。

小池知事の手法は、連日午前10時の記者会見を通じて信頼を高めたニューヨーク州のクオモ知事を彷彿させる。実はそのクオモ知事が繰り出したのが、この「Stay at Home」だった。小池知事はすかさず「Stay Home」のボードを掲げた。彼女が繰り返す警告が、なぜか「夏の都知事選向けパフォーマンス」と余計な憶測を生むのは人徳のなさだが、それで武漢肺炎の抑止に効果があるのなら結構だ。

日本人は関東大震災の後も、第二次大戦後も、絶望的な焦土の中からよみがえった。そして、阪神・淡路大震災や東日本大震災のときも、衣食足りずとも礼節があった。ようは自国の伝統文化に見合った公衆衛生上の考え方を貫けばよいのではないか。いずれにしても、日本が独自の道で武漢ウイルスの制圧を貫くのなら、一致して「道義的勧告」の成功を見せてやろう。

第二章　平和ボケばかりが集まる国会

区議会以下の衆院予算委員会

２０１８年早春のこと、久しぶりに東京・銀座は泰明《たいめい》小学校の名前を聞いて、今は亡き柴辻吉明のことを懐かしく思い出した。柴辻は銀座７丁目にある小体な酒場の主人だった。大正14（１９２５）年に生まれた、銀座のおでん屋「やす幸」の長男で、泰明小学校の古い卒業生なのである。亡くなったときも、夫人と銀座の真ん中、数寄屋橋交差点を渡っていて脳溢血の一撃でやられた。生まれも育ちも仕事も、そして倒れたところまでが銀座だった。

さすがは銀座の土曜日で、通行人の中から医者が駆け付け、看護婦だという女性がタオルを枕にしてくれた。交番からは警察官が飛び出して救急車の手配から交通整理まで手際がいい。中に一人、お祈りをする人まで出て、夫人は仰天させられた。

柴辻の子供時代の遊び場は、電通ビルの屋上だった。店から卵を持ち出しては、屋上から下を走る自動車めがけて投げつけた。呉服屋の倅《せがれ》と喧嘩したときは、自宅から包丁を持ち出して店先の反物をバッサリやった。「やす幸」はちぎれた反物をそっくり買い取らされた。そんな柴辻が、母校の制服が高級ブランドの「アルマーニ」だと聞いたら、どんなうんちくを聞かせてくれるだろうかと思う。

公立小学校の校長さんの中にも、面白い人物がいるものだ。よほど子供たちに着せてやりたかったか、何かの趣味なのか、あのアルマーニがデザインした制服を独断で採用した。なにしろ、学校は高級店がひしめく銀座の泰明小学校である。話題の着せ替え校長、和田利次は「泰明小らしさを表現する一つの方法」と述べているから、ご本人は粋な決定をしたつもりだった。

ところが、値段がややお高い。最低限必要な上着などが4万円あまり、買いそろえると8万から9万円ほどになる。下町育ちの身には「てやんでー」と思うが、高いか安いかは親たちの所得と生活レベルと教育観に関わってくる。もっとも、校長が採用したのは、正確にいうと制服ではなく「標準服」というそうだ。必ずしも購入が義務付けられているわけではないから、校長は「購入者側の判断で決めて欲しい」と、採用を撤回するつもりはさらさらない。

ただ、学校から「標準服」で推奨されれば、親たちに横並び意識が働くから制服と少しも違わない。従来のそれは2万円ほどだったから、保護者から「負担が重い」と文句の一つも出たのだろう。アルマーニのシャツは、1着で9万円というのがあるそうだから、安く仕入れられるのは校長の交渉力のたまものなどと、ヘンな感心をする人もいる。

校長の和田は「銀座の街の特色を学校の中に持ち込めないか」と考えたらしい。だが、銀座っ子以外の学区外に入学希望者が多く、抽選で越境入学が許される。彼らが入学しないと廃校の憂き目に遭いかねないから、柴辻のような銀座っ子は、いずれ絶滅危惧種になるのかもしれない。

校長が銀座の特色をいうなら、制服の「地産地消」を考えて銀座の老舗《しにせ》で調達すべきであった。しかし、そうしないのは、やはり銀座にありながら銀座っ子の小学校でなくなるからか。和田は記者会見で、三年ほど前からシャネルやエルメスに断わられ、最終的にアルマーニになったというから、ハナから銀座産の制服など頭になかった。

銀座は街も人も変わり、いくつかの老舗が消えて海外の高級ブランドがやってきた。泰明小学校のアルマーニ騒ぎは、外来種に駆逐される在来種の哀しみのようだ。アルマーニの制服では、汚れが気になって卵投げも包丁の持ち出しもできないから、柴辻の嘆きが聞こえてきそうなのである。

この「泰明小のアルマーニが議会で取り上げられた」というから、中央区議会だと思ったら、国会で野党が質問したのだという。衆院予算委員会は国費の審議なのに、区費どころか個人負担を問題視した。区議会議員もビックリどころか、テレビのワイドショーなみである。

つい先ごろまで、わが国会は、朝鮮半島で北朝鮮による核・ミサイルの暴走があろうとも、中国軍が南シナ海でどんなに沿岸国に軍事圧力をかけようとも、モリカケ問題が天下の一大事であった。有権者はさすがにあきれて、2017年の総選挙では政権のあら探しに終始する野党に拒否の1票を投じた。

聞けば、国会はまだモリカケ問題であるらしく、泰明小学校のアルマーニ騒ぎですら、新鮮に感じたらしい。かくて国会は、区議会レベル以下に落ちていく。

軍事日報の公開を迫る野党の非常識

みんなで渡れば怖くないと考えるのだろうか。国会議員やメディアの安全保障観の欠如には愕然《がくぜん》とする。彼らは、陸上自衛隊の海外派遣部隊が書いた「日報」を白日《はくじつ》の下《もと》にさらそうと、毎年のように防衛省をこづき回してきた。提出を逡巡《しゅんじゅん》し、見つからないと答えれば、「隠蔽《いんぺい》するのか」と正義の鉄槌《てっつい》を下す。

野党の狙いは、日報に「戦闘」の二文字があることを探し出し、部隊を送り出した政府の責任を追及すること。憲法が自衛隊を戦闘区域に派遣することを禁じているとの解釈からだ。

そこには、南スーダンの人々の安全や復興のために働く自衛隊員へのねぎらいや、イラク安定のために貢献する隊員への感謝もなかった。まして国益の「こ」の字もない。あるのは安倍政権の足下を崩そうとする政争パフォーマンスばかりだ。

日報には、任務の経過や成果もあるが、他国から得た機密情報も含まれる。あるいは、過酷な地で活動する自衛隊員の行動パターンも分かってしまうから、日本を敵国扱いする悪辣《あくらつ》な国にとって、こんなに楽な情報収集はない。わが国会議員は騒動好きのメディアと一緒になって、かの国の工作員を喜ばせるばかりなのである。

軍事関係の日報や兵士の日記は、決して公開してはならないものだ。第二次大戦中に、日本軍将校が戦地でも欠かさずに書いた日記が、捕虜になって接収され、米軍に作戦行動のすべてを把握されてしまった苦い経験がある。これらの教訓が、戦後の反軍ムードから少しも生かされていない。

日本の旧陸軍士官学校は、紳士のならいとして平時から日記をつけることを推奨していた。日本軍人は戦地で捕虜になるという前提がないから、記録類が災いになるとは考えもつかなかった。しかし、敵情報の入手を重視するアメリカ軍にとっては、日記はまさに宝の山であった。ちなみに、アメリカ軍人は戦地で日記などメモを残すことを厳しく禁じられた。情報に対する考え方の違いが、勝敗や生死を分けることになる。

昭和16年12月8日の日本軍による真珠湾攻撃で、ハワイや西海岸に住む日系人12万人が強制収容所に送られた。収容所から志願した日系二世は、欧州の激戦地に送られ、第442連隊がドイツ軍に包囲されたテキサス大隊を救出した戦闘は、ドキュメンタリー映画『442日系部隊』で広く知られるようになった。

実はこの戦闘部隊とは別に、アメリカ軍が敵国情報を入手する手段として日本語能力をもつ日系人を軍事情報部（MIS）が採用していた。彼らは語学学校で日本語の再訓練を受けたあと、太平洋戦線の情報部に語学兵として配属された。彼らの使命は、日本人捕虜からの聞き取りや、所持する日記の翻訳などであった。

日系語学兵は陸海軍の百を超える部隊に編入されたというから驚きだ。フィリピンや南太平洋の激戦地では、日本兵に投降を呼びかけ、捕虜の尋問を行った。特に、日本人将校の日記を分析することによって、アメリカ軍司令官は敵行動の予測が可能になり、南太平洋戦域での劣勢を逆転することにつながる。

ところが、現在の防衛省・自衛隊は、財務省や国土交通省など一般行政官庁と横並びで情報公開法に縛られている。だから、陸自の日報も他省庁なみの行政文書と位置づけられ、公開の対象にされてしまう。ばかげたことに、国を挙げて自衛隊員の命を危険にさらしているようなものではないか。例外は外務省の外交文書で、一般の行政文書とは別に局部長が指定する「極秘文書」と課室長が指定の「秘文書」に分けられている。指定期間は5年を超えないものとするが、延長も可能で、原則的に公開は30年経過したものとしている。

アメリカの情報公開法もほぼ同様で、作成後30年以上が経過した外交文書は原則的に公開されている。公開までに一定期間を置くのは、交渉の手のうちをさらして国益を害する危険があるからだ。国防総省、国防情報局、中央情報局（ＣＩＡ）、中央軍などの関係文書はさらに厳しく精査したうえで、一部が公開される。実際には、機密が解除されるのはそうたやすいことではない。

陸自の公文書管理に甘さがあった点は否めない。しかし、国会議員が「法の制定者」を自負するのであれば、国益に照らして欠陥のある法や規則を直ちに改めるべきであろう。日報は事実を把握し、のちの活動に生かすために引き継がれるべきものだ。こうした軍事資産を政争の具にするのではなく、本来のあるべきＰＫＯの前提となる憲法改正を、粛々と行うのが議員の本懐ではないか。

四捨五入すれば3時間――枝野幸男「魂の大演説」

世界でやたらと長い演説といえば、おおむね独裁者のそれと相場は決まっている。キューバのカストロ首相もソ連のフルシチョフ首相もそれは立派な長広舌《ちょうこうぜつ》で、人の迷惑も顧みずに4時間を優に超えていた。しかも、身振りが大きな絶叫調で、演説の長さは彼らの〝独裁度〟をはかるモノサシであった。

その独裁調への憧れか、単なる議事妨害《フィリバスター》か、こちら立憲民主党の枝野幸男代表は、2018年7月の衆院本会議で2時間43分で話題をさらった。

民主システムのわが国会で、3時間にもう一歩という演説は、まあ「グッド・チャレンジ」というところか。衆院では、記録が残る1972年以降でもっとも長かったらしい。

当初、報じられた「3時間超」に届かなかったところで、なぜか無念さがにじむ。なにゆえに、事前に「3時間超」などと囃《はや》されていたのかは分からない。まさか、大陸で独裁者の地位に上り詰めた中国の習近平国家主席の演説を、知らぬ間に意識していたものなのか。

中国の習主席は、2017年10月の第19回中国共産党大会で、3時間20分という長広舌をふるった。このとき、習近平もついに毛沢東なみの「独裁者の資格」を得たかと妙に感心したものだ。報告を終えて拍手の嵐の中を自席に戻ると、隣の胡錦濤《こきんとう》前主席が自身の腕時計を示して「長かったねえ」といわんばかりだった。その光景がテレビ電波に乗って、日本にも届いた。ちなみに、胡さんの2012年大会の演説は1時間30分余りで、全体主義国家のトップにしてはささやかなものだった。

その甲斐あってか、習氏は2018年3月の全国人民代表大会で、自らの任期「2期10年」の上限を撤廃して「終身主席」に道を開いた。彼が望む限り国家主席の座に居座り続け、毛沢東以来の権力をその手に握ったのである。もっとも、終身へのごり押しが、後に党内の「習おろし」に火をつける遠因にもなった。

枝野代表はこの習主席には及ばなかったが、ポピュリズム時代に上々の話題づくりにはなった。目ざとい出版社が、間髪を入れずに緊急出版すると名乗りを上げた。3時間には17分ほど足りないこの演説に、なんとか下駄を履かせて四捨五入し、『枝野幸男、魂の3時間大演説』のタイトルをつけた（1989年、扶桑社刊）。

長いばかりが話題になることを懸念して、副題には「安倍政権が不信任に足る7つの理由」などと中身を強調している。枝野演説は森友学園に関する財務省の決裁文書改竄《かいざん》など官僚の不祥事に言及して、「首相自身がウミになっている状況では信任できない」などと政権批判を繰り返した。

たしかに、枝野が言うように、国会が閉会間際の「カジノ法案」の審議はいただけなかった。はたして、党利党略、参院の私物化などの指摘を受けた「参院六増」の改正公選法は、この国会の大きな汚点というべきものだった。自民党はあれだけ嫌った「合区」を残し、あぶれた議員を比例代表で救済する策に転じた。

ただし、野党がターゲットにしたモリカケ問題については、国会の追及によって刑事訴追があったわけでもなく、ただ政権非難をだらだらと続けていた責任はぬぐえない。枝野の「3時間」狙いも、他党の登壇者が10分前後で演説を終わる中、内閣不信任決議案の賛成討論を長々とやった凄腕だ。

ソ連のフルシチョフ首相は1960年の国連総会で、ソ連を「帝国主義」と激しく非難するフィリピン代表に、「議長、アメリカの帝国主義を黙らせてください」と叫ぶや、靴を脱いで机にたたきつけるパフォーマンスを演じた。このフルシチョフには、独裁者スターリンの死から3年後の1956年の共産党大会の秘密報告で、延々4時間にわたる演説でスターリン批判をした前歴があった。

史上有名なこのスターリン批判は、アメリカ国務省が同年6月に内容を公開するまでは世間に知られていなかった。フルシチョフ発言は劇的な偶像破壊で、神とあがめられていたスターリンが、実は血に飢えた独裁者であったことを暴露した。この当時の日本も、スターリンを神とあがめた左翼の総合雑誌が腰を抜かし、あわてて「マルクス主義はどこへ行くのか」という特集を組んだ。

枝野の長広舌がたとえ「3時間超」になろうとも、いまはこの手の左翼雑誌も青息吐息で、せいぜいが商魂たくましい商業出版が飛びつくぐらいだから、時代は変わった。

ウクライナ留学生が必死で訴えた憲法改正

「この世は問答無用の些事《さじ》から成っている」といったのは、コラムニストの山本夏彦翁である。晩酌は酒にするかビールにするか。その都度、亭主に聞かなければならぬ女房であるなら、さっさと別れた方がいいなどと厄介なことをいう。ところが、この「問答無用」がお茶の間を飛び出て国際政治で繰り広げられると、さらに厄介なことが起きる。

令和で初となる5月3日の憲法記念日に開催の「公開憲法フォーラム」で、そんなことを再認識させられた一件があった。登壇したウクライナ出身の留学生が、その生々しい経験から「抑止力なしに平和を得た国はない」と突き付けた結論に、会場は息を呑んだ。

FNNニュースによると、ナザレンコ・アンドリー君は、戦火の祖国から5年前に来日した。彼はウクライナのクリミア半島を強制的に併合したロシアの問答無用を非難して、「自称平和主義者はどんな争いも話し合いで解決できるというが、言葉によって戦争を止められるならば、その言葉を教えてほしい」と問いかけた。「毎日、新たな犠牲者が出ているウクライナ出身だからこそ、どうしても日本の憲法問題の議論に関心をもちます」として次のように語った。

「隣国に侵略されることを非現実的だと考える方もいらっしゃるでしょうが、実はウクライナ人だって2014年までみんなそういうふうに考えてきたわけなんです。しかしいま、平和ボケしていた時期を振り返ると、戦争が一切起こらないと考えさせることも敵の戦術の一つだと私はわかりました」

隣国ロシアのプーチン大統領は、世界の目が注がれる「ソチ冬季五輪」のさなか、ひそかに軍を整え、クリミアのウクライナ軍に投降を求めていた。問答無用の力の前には、国際法といえどもなす術がない。1994年の「ブダペスト覚書」は、旧ソ連の核兵器を廃棄する見返りに、米英露などがウクライナの独立と主権を尊重すると認めていたはずだ。97年の「ロシア・ウクライナ友好協力条約」もまた、ウクライナの領土保全と不可侵を約束している。

それらをすべて力で踏みにじり、クリミア半島をロシアに併合してしまった。隣国の悪行はそれだけで終わらない。プーチン政権はなおも、軍をウクライナ東部にまで差し向けて主権を侵害している。アンドリー君の訴えは続く。

「北朝鮮にしても、中国にしても、ロシアにしても独裁国家ばかりではないか。その国の国民は、いくら平和を愛しても権力者が戦争をしろと命令したらノーとはいえない」

かくてウクライナの留学生は、周囲を全体主義国家に囲まれる日本には、憲法改正が待ったなしであることを強調したのだ。会場にいた長島昭久議員は、憲法改正に反対する立憲民主党議員にこそ「必聴だった」と、ため息を漏らしていた。日本国内にしか通じない〝お茶の間政治〟に生きる善人ポーズの政治家は、しょせん、これら全体主義国家の敵ではない。

いまや、「問答無用」政治の代表格は共産党率いるその中国である。東西冷戦の末期、中国共産党は天安門広場で起きた学生の民主化要求を銃と戦車で踏みつぶした。いまから31年前の1989年6月にこの流血事件が起き、次いでベルリンの壁が11月に崩れた。あの天安門広場で、中国共産党の指導者は自国民に銃を発射するという愚行を犯しながら、何事もなかったようにシラを切った。

当時の日本の新聞は、人民の味方のはずの人民解放軍が、学生らに呼応して分裂し、新しい政府が誕生するとの幻想を抱いた。しかし、共産党の軍である解放軍に、そんなロマンがあるはずもない。上智大学の渡部昇一教授は当時の雑誌で、英国のサッチャー首相が首相就任前に中国を訪問した際のエピソードに言及して、日本人の中国幻想を戒《いまし》めていた。サッチャーは会談した中国首脳から「中国の共産主義はソ連の共産主義と違って、実に素晴らしいのだ」と言われ、直ちに、かつ毅然《きぜん》として答えた。

「いいえ、共産主義にいい共産主義も悪い共産主義もありません。全部悪い」

中国の権力政治は恐ろしいほど変わっていない。習近平国家主席が次に描くのは、人々を未来に向けた「中華民族の夢」へと誘うことである。豊かにするだけでは、やがて共産党の統治が難しくなるとの保身から出た知恵である。その野心が外に向けられたらどうするか。もう一度、アンドリー君の言葉を想起しよう。

「抑止力なしに平和を得た国はない」

前言を撤回するのは「セクシー」じゃない？

政治家には賢くあってほしいと思うが、聖人や君子を求めようとは思わない。彼らは有権者の鏡だから、この国民にして、この国会議員、知事、地方議員が誕生する。近頃は、ソフトな語り口で「国民や県民に寄り添って」が売りの日本型ポピュリズムの政治家が跋《ばっ》扈《こ》するが信用はできない。

カメラ目線を気にしながら正義を語る彼らを前に、「公益のために前言訂正に踏み切る勇気があったら」と思うことがある。いつの世も事実に即し、世の大勢に逆行して、決然と実行するのは難しい。仮に「原発ゼロ」を訴えた元首相の細川護熙や小泉純一郎が、その「ゼロ」を看板にして東京都知事選に敗北したことから、「反原発は誤りだった」と容認に転じたらどうだろう。支持者は裏切られたと感じ、左派メディアはこぞってバッシングに走る。

たとえば、気候変動問題について「スピード感をもって、できることは全部やる」と宣言した元首相の息子、小泉進次郎環境相には前言訂正に踏み切る勇気を期待したい。その彼が、国連の気候行動サミットで「気候変動に取り組むには、すべてが楽しく、クールで、セクシーでなければいけない」と、大衆受けを狙った。

これには環境保護団体が敏感に反応する。日本が2012年以降、50基の石炭火力発電所の新増設を計画していることに「石炭のどこがセクシーだ」とかみついた。日本の技術力をもって二酸化炭素を減らす石炭火力発電所をつくっても、そこには火力の限界がある。記者会見で脱石炭火力の今後を聞かれた際も、「減らす」と即答したものの、「どうやって?」と詰め寄られて6秒間の沈黙が話題を呼んだ。

この場面で、彼は「原発再稼働によって」とは口が裂けても言えない。結局、「大臣に先週なったばかりで」と禁句を漏らしてごまかした。で、「やはり口先だけだったか」と早くも失望の声が広がったのだ。

それでも世界には、前言を明確に訂正する骨のある人たちがいる。世界的に著名な環境保護活動家の中から、「やはり原発を推進しないと、地球温暖化や人口増加に対応できない」と転換した人々がいる。米国環境保護運動の先駆者、ブランドは、エネルギー研究会に参加しているうちに、原発こそが地球温暖化の解決手段であるとの結論に行き着く。彼はロバート・ストーン監督のドキュメンタリー映画『パンドラの約束』で、「数十年にわたって環境保護派をミスリードしてきたことを後悔した」と語った。

彼の影響を受けた後継者たちは、石油、石炭など化石燃料を燃やしていれば、世界で年間300万人が大気汚染で死んでいると強調する。世界的に見て、原発は風力についで安全で、太陽光ではとても日照時間が足らない。原発の怖さは誰もが知っている。できれば避けたいが、貧困地帯に病院ができ、エアコンで快適な生活が広がればエネルギーの使用量は増していく。原発も核も、英知と技術を結集してどうコントロールするかにかかっているのである。

前言を訂正して悔い改めればと思うのは、国際芸術祭「あいちトリエンナーレ2019」

の中の企画展「表現の不自由展・その後」もそうだ。この芸術祭は2019年8月に開催から3日で中止に追い込まれたものの、〝正義の新聞〟朝日や地元紙に励まされた大村秀章愛知県知事が、2019年10月8日にこれを再開した。

昭和天皇の肖像を燃やす動画の展示は、明らかに日本へのヘイト（憎悪）なのに、主催者は人々の不快感を考えもしない。主催者側は憲法が認める表現の自由を引き合いに出すが、自由な社会にしか自由なメディアが成り立たないことを無視している。

哲学者の田中美知太郎《みちたろう》によれば、自由な社会には契約の束縛があって、交通信号に従わないと大混乱に陥るように、個人の自由は社会のコンセンサスの上に成り立っている。ある人の自由なエゴが、他者の自由を侵害することは許されないのだ。

果たして、天皇の肖像を燃やす映像を流すことは、公共性を破壊する反社会的な行為ではないのか。慰安婦を象徴する少女像は、韓国が史実を誇張、捏造して日本非難の宣伝に使ってきたものだ。自由気ままに表現した行為が、他人の自由を侵害すれば罰せられることもある。

自らが選択した行為には、当然ながら責任を負うということである。大村知事の正義が、芸術祭の名の下に社会のコンセンサスを打ち破っては、その責任からは逃れられない。展示の再開がかえって自由社会をおとしめたことから、主催者には〝前言訂正〟を望む。

第三章　平和に仇なす国々に囲まれた「和を以て貴しとなす国」

外国人には「性悪説」で接しなければならない

以前、新聞のコラムに、シンガポールで緊急手術を受け、病院食の多彩なメニューに驚かされたことを例に、多人種社会では病院も刑務所も社会の安定に不可欠な心遣いが必須であると書いた。かの地では、4種類のメニューからベジタリアンは牛を敬《うやま》うインド系が選択し、マレー食は豚を忌《い》み嫌うイスラム教徒の多いマレー系向けに提供する。これに中華と洋食が加わる。人種や宗教に絡んだ不満は暴動につながりやすいから、「食」といえども細心の注意を払うのだ。

日本政府が深刻な労働力不足への対応として、外国人受け入れを拡大するなら、日本人は「おさまりの悪さ」という覚悟が欠かせないとの警鐘《けいしょう》である。

すると読者のNさんから、シンガポールで1999年までの5年間、現地子会社の責任者として赴任した際の興味深い経験談を教えていただいた。いかにしてシンガポール政府が、この「おさまりの悪さ」を克服しようとしてきたかの奮闘ぶりが浮かび上がってくる。

Nさんが赴任したときは、ちょうどアジア通貨危機に見舞われたころで、当地もやはり労働者が不足していた。やむなく同社は、中国から男性作業員2人、女性の事務員1人の計3人を雇い入れた。そこは外国人労働者に厳しいシンガポールで、独身女性は月ごとに「妊娠の可否」を証明する診断書の報告を義務づけられた。驚いたことに、妊娠が分かれば帰国させられるのである。幸いにもこの女性は3年間の勤務期間を終えて帰国していったという。人権上の問題はあるが、これが秩序を優先する国家の覚悟というものなのだ。

問題は男性作業員の方で、現場作業員の一人が、会社にパスポートを預けたまま、姿をくらませてしまった。当局に報告すると、「監督不行き届き」を理由に年間給与相当額の罰金をしぼり取られた。わずか3人の雇用にしてこんな具合だから、日本政府が外国人労働者の受け入れ枠を拡大する大転換の先行きは、五里霧中《ごりむちゅう》といったところである。

Nさんの会社は、これ以降、「中国移入労働者」をあきらめ、現地確保に切り替えている。ちょうどバブル経済になって、経営陣はジョブホッピング（短期間転職）と工場内の換金性の高い植物油の窃盗に悩まされた。当時のシンガポールは、北のマレーシア国境から偽装難民が夜陰に乗じて侵入し、これらの排除に忙殺された。Nさんの会社は、やむなく、工場内に監視カメラを設置すると、今度は一部の従業員から過剰監視のクレームがつく始末だった。

工場内は交代による24時間勤務体制で、食事はどうしても工場内の食堂で提供することになる。そこは病院食と同じで、中華料理とイスラム料理に区画が分けられ、食器洗浄も完全に分離しなければならない。そうした注意を払わなければ、不測の事態を引き起こすことにもなりかねないのだ。事実、過去には食事問題一つで、シンガポールはじめ、クアラルンプールやジャカルタでも、多くの暴動が発生している。

もちろん、それは東南アジアの実態であるばかりではない。アメリカのトランプ政権がメキシコ国境に壁をつくることにこだわったのは、押し寄せる中南米からの移民志願者の群れに神経過敏となっているからである。ヨーロッパには、地中海をボートに乗ってより良い暮らしを求めて難民が殺到する。

適正な数と適度な品性、それに異文化への適応能力がなければ、貴重な労働力もやがては悪辣《あくらつ》な犯罪者の群れに豹変《ひょうへん》しかねない。それらをどうコントロールするかは、長年、この問題で苦労してきた受入国の悩みなのだ。移民や難民を絞り込んでいる米欧からみれば、逆行する形で日本が受け入れを表明したことは、よほどの準備と覚悟を固めての決定であると考える。

だが、政府も国会も外国人労働者受け入れの審議の大枠に気を取られ、異文化の受容がいかに難しいかの議論がない。日本はここ数年、外国人の数が急増し、2017年には256万人に膨れ上がり、このうち中国人が最大多数を占めている。

ここに、新たな在留資格によって、2020年度から5年間で最大34万人、初年度に最大4万8千人が日本に入ってくる。中国は2010年に国防動員法を制定し、海外居住者といえども国家緊急時に動員が義務づけられた。偶発的にでも日中間が紛争に至れば、全国各地で後方攪乱《かくらん》を起こす危険性がある。

もはや、日本の古き良き時代の「あうんの呼吸」など、性善説からは協調を生み出せない時代に入った。外国人の受け入れは清濁《せいだく》併せ呑《の》むようなものだから、当局は米欧並みの性悪説に立って、厳格にルールを維持しなければ社会は根底から崩れる。

条約破りの常習者ロシアにどう立ち向かうか

どういう訳か、昔からユーラシア大陸から飛んでくる言葉は信用がならない。彼らは自らを正当化するために、戦勝国として独自解釈の歴史ストーリーを好き勝手に使う癖があるからだ。日本が「北方領土の返還を」というと、ロシアのラブロフ外相ら政府要人は「第二次大戦の結果は見直さない」などとうそぶいた。戦利品としての北方四島は、ロシアの主権下にあると言い張るのだ。日本は第二次大戦で英米とは戦ったが、中立条約の相手国であるソ連と戦争をした覚えはない。

戦闘行為があったのは、日本がポツダム宣言を受諾して武装解除したスキに、北方領土を奪いにきた卑劣な〝闇討ち〟であった。丸腰の日本軍を蹴散らした結果、不法占拠が今日にまで至る。しかも、一方的な戦闘は、日本が東京湾に浮かぶミズーリ艦上の降伏文書に調印した1945年9月2日を超えて続いた。ちなみに、ソ連の正史『第二次世界大戦史　第11巻』は、ソ連軍の戦闘停止が調印前の9月1日までと偽っている。

そして、戦後の国交回復交渉で結んだ1956年「日ソ共同宣言」の前後も、日本はソ連外交に翻弄《ほんろう》され続けた。思い起こすのは、駐ソ大使だった新関欽哉《にいぜききんや》さんから聞いた旧ソ連の元外相、モロトフの不誠実な言葉であった。

「ソ連は適当な口実があるときはガラッと態度を変える国だ。モロトフの勝手なセリフに〝万物は流転する〟というのがある。もっとも、彼自身もフルシチョフの流転により閑職に追いやられてしまったが」

ギリシャ哲学の言葉で自身を正当化したモロトフも、哀れな末路を迎えたという皮肉で

ある。日ソ交渉の末に１９５６年10月19日、訪ソした鳩山一郎首相は、ブルガーニン首相との間で共同宣言に調印した。しかし、調印から4年後の60年1月、ソ連は日本が日米安保条約を改定した際に不快感を示し、日本政府に「ソ連政府の対日覚書」を送りつけてきた。

日ソ共同宣言で平和条約と同時に歯舞《はぼまい》・色丹《しこたん》を日本に引き渡すとしていたのを、「日本領土から全外国軍隊の撤退」を条件に引き渡すと、一方的に通告してきたのだ。このときを振り返って新関さんは、モロトフの言葉を引きながらその無念さを語っていた。

そうした悪癖は、後継国家のロシアにもしっかりと引き継がれていた。ウクライナとの二つの覚書を無視してクリミア半島を併合したことを見れば、協定破りの伝統がなお息づいている。ロシアはあくまで力に反応する国であり、「条約破り」の常習者であることを片時も忘れてはならない。

油断のならないロシアを相手に、安倍首相が北方領土の交渉に前のめりになっているから、その行く手につい暗雲を見てしまう。とりわけ、首相が「自分とプーチン大統領の手で必ずや平和条約を結ぶ」との決め台詞を聞くと、56年に日ソ共同宣言を結んだ鳩山一郎首相の政治的な立ち位置がよみがえってくる。

あのとき、ソ連はスターリンが死んでフルシチョフが共産党第一書記として権力を握っていた。舵を切ったのは「平和共存路線」で、日本と国交を回復することが米ソ冷戦の勢

力均衡上必要であるとの認識があった。そこで、ソ連代表部のドムニツキー首席代理が、東京・文京区にそびえる鳩山首相の音羽《おとわ》御殿を勝手口からひそかに訪問した。ドムニツキーが鳩山首相に、交渉を呼び掛ける書簡を手渡したのが最初の一歩になった。このときのソ連は、日本側の期待感を思い切りあおり、鳩山首相を前のめりになるよう誘導した。

この話を聞いた元外務省欧亜局第一課長だった曽野明《そのあきら》さんは、「日ソのどちらが国交回復をより強く求めたかによって、交渉の成果が決まる。放っておけば、日本側に有利な交渉ができた」と、鳩山首相がドムニツキー書簡を安易に受け取ったことを揶揄《やゆ》した。逆に鳩山内閣は、国交回復を実現しなければ政治責任を問われる立場に、自らを追い込んでしまった。

安倍首相がプーチン大統領との関係を軸に、北方領土問題に挑む姿を見るにつけ、また も交渉の不利な顚末《てんまつ》が頭をよぎってしまうのだ。

プーチン氏の任期は2024年5月までであるが、安倍首相のそれより2年半も長い。安倍首相から経済的な譲歩を引き出しながら、平和条約の締結も二島の引き渡しも、のらりくらりと時間稼ぎするだけの余裕があると見るべきだろう。

ここは安倍首相が自らの発言に対する縛りを解いて、四島の主権は断固として譲らぬ覚悟を持たなければならない。いまは、じらし戦術をクレムリンに投げ返してやるべき時ではないのか。

北方の守りを固める男たち

天気図で見る限り、3月上旬の北海道・大雪山系《だいせつざん》のすそ野に広がる旭川は、まだ雪の中である。5年前の厳冬期に横殴りの吹雪の中を、その旭川から上富良野《かみふらの》に向かったことがあった。この時にご一緒したのは、富良野出身の坂東政道さんで、いまは電子機器会社の会長さんだが、もとをただせば陸上自衛隊の前身である警察予備隊の一期生であった。昭和25年の創設時に入隊し、オホーツク海沿岸の遠軽《えんがる》駐屯地に赴任《ふにん》したこともあり、歳を召されても寒さにはめっぽう強い。

このとき、雪道を陸上自衛隊の上富良野駐屯地を訪ねて、第二戦車連隊の九〇式戦車に試乗した。白い迷彩の防寒服を着て首を出すと、雪で数メートル先しか見えない。始動からわずか5分ほどで猛烈な頭痛に襲われた。戦車から降り、その夜になっても頭痛は治らない。すぐに甥の脳神経科医に連絡をとると、「かき氷を食べたときに起こるのと類似の痛みでしょう」とにべもない。寒冷地を守るわが陸自隊員の過酷さと凄さを実感した瞬間であった。

その坂東さんが先ごろ、90の卒寿《そつじゅ》を迎えて後輩の自衛隊員たちから祝福を受けた。彼はいまも国内の主な自衛隊各駐屯地を慰問《いもん》し、海外に派遣される国連平和維持活動（PKO）部隊には、カップ麺やDVDを送り続けた応援団長であった。つい先ごろも、北海道の部隊を訪問して帰京したばかりで、今度はワシントンに飛ぶ予定なのだという。とても卒寿とは思えぬ強靭《きょうじん》さだ。

それにしても、坂東さんがなぜ、自衛隊員たちに慕われるのかが不思議であった。敗戦後まもなく、警察予備隊員として遠軽での2年間の勤務を終えると、退職金6万円を手に東京に出た。業界紙の記者などを経て、独力で電器のコネクター会社を設立した。

偶然、出会った予備隊時代の知り合いを通じて、自衛隊員との付き合いが始まる。土曜の午後には、奥様の手作り料理に誘われて40坪ほどの自宅が自衛隊員であふれた。こうして始まった〝坂東塾〟の中から、のちの統合幕僚長《ばくりょうちょう》や陸上幕僚長を輩出して現在に至る。いまや、〝塾〟には退役幹部だけでなく、評論家やジャーナリストが集って飲みかつ議論が続く。

坂東さんは遠軽駐屯地に勤務したこともあって、北の守りには人一倍、気を遣う。いまは海洋進出を狙う中国や、朝鮮半島との緊張から防衛省が「南西重視」でも、最後は陸上自衛隊がものをいうことを固く信じている。陸自は米ソ冷戦構造の崩壊後も、北の守りを固めながら、なお東日本大震災に駆け付け、国連南スーダン派遣にも加わった。

いくらロシアのプーチン大統領が、北方領土の一部返還ポーズを見せながら安倍晋三首相にささやいても、日ソ中立条約を破って北方領土を奪った相手は信用できない。その悪癖《あくへき》は、後継国家のロシアに受け継がれ、ウクライナとの条約と覚書を無視してクリミア半島を併合してしまう悪漢ぶりだ。

その北の鎮《しず》めとする陸自北部方面隊の歴史をたどると、ロシアの南下政策に対して明治政府が採用した「屯田兵《とんでんへい》」に行き着く。ふだんは荒れ地を開拓し、外敵の侵入があれば銃をとって防衛任務に赴く。政府は明治7年に全国から屯田兵を募集し、一戸あたり5ヘクタール（5町歩）の土地と兵屋を支給した。

冬は氷点下40度にも下がるから想像を絶する過酷さである。旭川兵村《へいそん》のあたりは大密林地帯で、「1本伐《き》ればやっと1本分の空が見えた」といわれるほど森林が深かった。

明治34年に旭川に旧陸軍第七師団が移駐し、日露戦争では乃木希典《のぎまれすけ》将軍の第三軍指揮下で戦った。大東亜戦争では南方のガダルカナル島、北方のアッツ島での戦闘に参戦した。玉砕したその夜、七師団の兵舎近くで、彼らが行進する足音だけが聞こえたという。

昭和26年5月のアメリカ統合参謀本部の「情勢見積もり」は、ソ連の日本侵攻が「明らかに切迫している」と警告していたほどだ。旧軍の後継である陸自第二師団もまた、ソ連侵攻を迎え撃つ精鋭を配備した。ヨーロッパ正面で戦端が開かれれば、数十万の極東ソ連軍が宗谷《そうや》海峡を渡ってきて北海道が主戦場になる。

陸上自衛隊は2018年12月に、北海道への武力攻撃を想定して千歳《ちとせ》市の東千歳駐屯地で、アメリカ陸軍などと15日間、日米共同対処の指揮所演習「ヤマサクラ」を展開した。氷点下の北海道や東北の駐屯地を訓練場として、日本から計5000人、米側は計1600人が参加した。北海道には、いまも頼りがいのある「北鎮の男たち」がいた。

日本外交は「トランプ化」しているか

米バード大学のウォルター・ラッセル・ミード教授の国際情勢分析は、ワシントンの言論空間では一目置かれた存在だ。ところが、米紙に掲載された最新コラム「トランプ化する日本外交」は、妙なレトリックが先行して、明らかに潮目を読み違えている。ミード先生にいわせると、日本は国際ルールに基づく国際協調の支持者であるのに、シンゾー・アベは「旧来の制約から抜け出したがっている」のだという。

ミードによれば、かのトランプ外交は「幻惑的で目が回るような外交手法で、外交官や識者を魅了し、懸念させ、そして混乱させた」と巧みに描写した。その上で、多くは「この即興的で一方的な外交が、トランプ退場とともに消えることを望んでいる」と、いつものミード節である。

ところが、音楽でいえばここで転調させて、「日本で起きた二つの出来事」からそうもいかないと仮説を立てる。日本外交の「トランプ化」として、日本が国際捕鯨委員会（ＩＷＣ）から脱退し、小型の船団をもって31年ぶりに商業捕鯨に出港したことをあげた。もう一つが、韓国向けのスマホ画面や半導体の製造に不可欠な素材についての輸出規制である。

これらの日本外交を「一方的なトランプ外交」の流儀にダブらせる。だが、ＩＷＣからの脱退など少しも珍しいことではない。これまでもカナダ、フィリピンなど計22カ国が脱退しており、むしろＩＷＣの方が変質している。１９４８年に発足したＩＷＣが「鯨類の保護」と「持続的な利用」の二つを目的としていたのに、原理主義的な反捕鯨国が、海のない国に加盟を呼びかけて自陣営に取り込んだ。その結果、ＩＷＣそのものが動物愛護が目的の組織に化けた。

まして、現状でも日本は孤立しているわけではない。ＩＷＣに加盟している89カ国のうち、捕鯨支持国は41カ国、反捕鯨国は48カ国と、実は大差がない。ところが、ＩＷＣ総会で商業捕鯨再開など「重要事項」を決めるさいには、過半数を飛び越えて4分の3以上の賛成が必要という妙なマジックが仕掛けられてしまった。動物愛護の「絶対正義」に立つと、外交に不可欠な妥協や協調は吹き飛ばされる。かのミード先生は「日本の言い分には一理ある」として、倫理をめぐる不毛の議論を指摘しているから、無理を承知で「トランプ化」に組み込んだのかもしれない。

他方、韓国に対する「輸出規制」の方は、まるで禁輸するかのような解釈によって、めでたく「トランプ化」に直結させている。ミードいわく、日本から見ると韓国が「慰安婦」への補償問題で過去の和解合意に違反しており、韓国への保護主義に対する報復ではなく、長期にわたる激しい政治紛争に伴う動きだという。したがって、貿易を政治にからませる安倍政権の決断は、「国家戦略の劇的なシフトを意味する」とみる。さあ、それはどうだろう。

韓国による従軍慰安婦合意の一方的な破棄、レーダー照射事件、東日本大震災がらみの水産物規制など、何かと癇《かん》に障《さわ》る仕打ちをしてくるから、経済制裁の一つも返してやればとは思うが実態は違う。事実は、韓国に対する新たな輸出規制ではなく、2004年からの特別優遇による簡略化の手続きを、それ以前に戻すだけ。この対象国を日本では「ホワイト国」と呼んでおり、韓国を2004年から追加した。そもそもこれが間違いだった。

ホワイト国であり続けるためには、相手国が厳格に輸出管理をしているかの協議をするのだが、北朝鮮に物資を流すなどやましいことがあるのか、韓国だけが協議に応じてこなかった。だから、この特別待遇を外すことで、台湾やインドネシアなみになるというに過ぎない。ちなみに、欧州連合（EU）が特別待遇としているのは、日本を含めて8カ国でこれに韓国は入っていない。だから韓国はEUなみの手続きになっただけで上等なのだ。

まあ、規制対象となった3種類の半導体材料は、日本から見ると小さいが、韓国製の半導体ディスプレイは世界への輸出総額が大きい。だからミード先生は、「トランプ流としか言いようがない方法で、自国の強みを最大化しようとしている」と考える。

滑稽なのは、日本からの一撃にあわてた韓国の康京和《カンギョンファ》外相が、ポンペオ米国務長官に泣きついたこと。韓国伝統の告げ口外交である。アメリカが乗り出せば有利に働くと考えていたようだが、安倍政権の決断がミード先生のいう「トランプ化」だとすれば、韓国が「トランプの流儀」にケチをつけているに等しい。康外相は日米双方を非難していることに気づく様子はなかった。

日米〝反ウイルス〟同盟による「地政学の逆襲」

武漢ウイルスとの闘いでは、安倍晋三首相が「中国への忖度で後れを取った」とあまり評判がよくない。防疫対策の近道は適切な水際対策だから、中国からの航空機をいち早く阻止していれば、武漢ツアーのバス運転手も国内感染者第1号にならずに済んだという慨《がい》嘆《たん》である。

確かに、習近平主席の「国賓待遇」訪日にこだわったばかりに、悪性ウイルスに対する迎撃が後手に回ってしまった。あちらは信義や仁義よりも、カネと腕力を優先する中国共産党だから、律儀に忖度する安倍外交の甘さが際立ってしまう。

ところが、訪日中止が決まったあとの日本外交は、英誌エコノミストに「アベが戻ってきた」と言わせるほどの対外発信力をみせる。習主席の「訪日延期」を発表した同じ2020年3月5日、安倍首相は間髪入れずに「中国依存からの脱却」策を打ち出して北京を驚かせている。

安倍首相自身が主宰する「第36回未来投資会議」で、まずは中国からの製品供給の滞りに懸念を示した。その上で「付加価値が高く、一国依存度の高い商品については、日本に生産拠点を移す」と述べ、それ以外でも「東南アジア諸国連合を含む多くの国々に生産拠点を多様化することを目指す」と宣言した。

これが満を持しての「ジャパン・ファースト」か。日本のサプライチェーン(供給網)が、中国に過度に依存するリスクを回避するためには妥当な策だ。同日には、中国からの旅行制限の強化策も発表している。日本国内ではこれを習訪日の呪縛が解けた証しとみたが、あちら北京では、日本の「中国離れ」という疑心暗鬼を生んだ。補正予算には生産拠点を移す支援策として、２４８６億円の補助金を盛り込んで本気度をみせた。ここは少額でもカネの裏付けが大事だ。アメリカのトランプ政権がこれに反応し、国家経済会議のラリー・クドロー委員長が、アメリカ企業が中国から拠点を移す費用を全額国が補助すべきと発言している。

実際に日米当局者は昨年秋ごろから、中国に依存するサプライチェーンを避け「グローバルな信頼できるネットワーク」の構築に向けて協議を開始していたのだ。これまで巨大な儲け市場としか見なかったヨーロッパも、「詫びるどころか恩に着せる」中国の強引さに態度を変えた。ドイツの有力政治家が珍しく「中国はヨーロッパを失った」とつぶやいたほどだ。

あの傲慢、尊大な習主席が、安倍政権の出方にドキドキと心拍数を上げているのは身から出た錆《さび》である。習近平流は腕力で南シナ海の独り占めを狙い、ウイルスを世界に伝播させながら医薬品の供給力で相手国を黙らせる。まして、粗悪品を提供しながら、ポーランド、ドイツなど欧州諸国に「感謝声明」を強要しているからタチが悪い。

いま、共産党支配の正統性を支えているのは、イデオロギーやナショナリズムではなくて、人民の懐をよくする経済成長だ。したがって習主席の悪夢は、外国企業が撤退し、投資の流れが逆流して中国が「世界の工場」でなくなってしまうことである。

問題は、安倍政権が宣言通りにサプライチェーンの再構築を本格化させるか否かだ。日本回帰へ啖呵《たんか》を切りながら、腰砕けになっては話にならない。トランプ政権の方は、パンデミック後も、当然ながら中国と熾烈な覇権争いを展開するはずだ。ホワイトハウスの元中国担当官は「これは地政学の逆襲だ」と対決姿勢を緩める気配がない。

GDP（国内総生産）第一位と第三位の日米が組んで、サプライチェーンを再編成することになれば、巨額債務の重圧にあえぐ中国は間違いなく失速する。北京大学の著名な政治学者、王緝思《おうけんし》教授は米中関係が最悪のレベルに達し、経済と技術の米中デカップリング（分離）は「すでに不可逆的である」とまで述べている。

今回のウイルス禍で浮き彫りになったのは、日本企業はじめ外国企業の中国依存という脆弱性《ぜいじゃく》であった。日本の「チャイナプラスワン」として東南アジアに移す戦略は、あの反日デモの時代から提唱されていながら、なおざりにしてきた。

未来投資会議での安倍首相の発言は、武漢ウイルスで操業停止に追い込まれた進出日本企業の考え方を反映している可能性が高い。

だが、これが行動に示されなければ、元の木阿弥になって同じことが繰り返されるだろう。安倍首相の周辺を固める政界親中派と、財界媚中派による巻き返しが気にかかる。

ファッション政治の自己顕示

かつてハワイで開催されたシンポジウムで、中国共産党の機関紙「人民日報」の論説委員が「人民に読まれなくて困っている」と嘆いていた。これを聞いて、一般の中国人の感覚は、なお真っ当なのだなと思う。読者本人が九千万人党員の一人ならいざ知らず、支配を受ける十三億人のだれが、宣伝と説教が満載の共産党機関紙など読むものか。いや、党員でも読みたくはなさそうだ。

日本の政党の中で、一党独裁の中国共産党と唯一「友好関係」を結んでいるのは日本共産党である。空気を読むのがうまい志位和夫《しいかずお》委員長が最近、香港への国家安全法の導入で中国側に抗議した。中国共産党と同様にみられてはマズイとの判断なのか。友党に対して、人権抑圧の強化を中止せよと批判したとは、結構なことである。

党機関誌「しんぶん赤旗」は、人民日報よりもずいぶんと〝営業努力〟のあとがみられる。その日曜版には、なじみのタレントや女優が登場するからホッコリさせて、多様な支持があることを思わせる。登場人物や寄稿者は、よほど日本共産党への信頼を寄せるか、党の暗い過去を知らない世代なのだろう。かつては「天皇制打倒」を唱え、火炎ビン闘争を行うなど、なんといっても暴力革命を目指していた政党であるからだ。

近頃、目を引いた掲載者は女優の小泉今日子さん、歌舞伎俳優の松本幸四郎さん、それに歌手の加藤登紀子さんらで、にこやかな写真とともにインタビュー記事が一面を大きく飾っていた。中でも話題の人物は、「なんてったってアイドル」の女優、小泉さんで、「黒川検事長問題」に一石を投じたお方である。

「#検察庁法改正案に抗議します」

彼女を筆頭に芸能人たちがこれに和した。ことは定年延長問題なのに、かの検事長は、賭けマージャンをしていたことが発覚し、予想外の結末を迎えたから話にならない。だが、その途中経過を眺めると、どこか懐かしい安全保障関連法の時に、「戦争法案を許すな」とタレントたちが声を上げた騒ぎを思わせる。

振り返ってみれば、彼らの大半は安保法制の条文を知らず。共産党と一緒に「戦争法案反対」、「徴兵制の復活を許すな」などと叫んでいた。実際には、戦争法にほど遠い条文で、当然ながら自衛隊は戦争も徴兵制も実施される気配はありえない。人々をさんざん扇動しておいて、このプロパガンダ発言に対する責任はだれもとらない。

タレントや俳優が転換期や黄昏《たそがれ》時を迎えると、ハリウッドをまねて政治的な発言で脚光を浴びる。知名度のあるうちに売らない手はないと考えるのかどうか。かような野心を見抜くのは政党の候補者スカウトマンで、売る人あれば買う人あり。知事選や参議院選への候補者として声がかかるかもしれない。

そこへいくと、ハリウッドの俳優たちは、ファッション政治や政治的な打算よりむしろ、自由や人権のために私財をなげうってでも力を尽くす真摯な人が多い。

チベット仏教の精神的指導者のダライ・ラマ十四世が訪米中の1995年9月に、俳優のハリソン・フォード夫妻が、米上院外交委員会で中国から弾圧をうけるチベット人の悲惨な実態を証言する姿を見た。夫妻は現地視察した際に雇った通訳のリンチェン青年が、帰国後に投獄された事実を語った。さらに、夫妻の前でチベットの歌を披露したばかりに逮捕され、獄死した娘の話を切々と訴えた。

リンチェン君の釈放運動を成し遂げた夫妻は、「残忍な中国占領下のチベット」を告発していた。夫人のメリッサさんは、世界的なヒット映画『E.T.』や、ダライ・ラマの半生を描いた『クンドゥン』のシナリオ・ライターで、支援団体インターナショナル・キャンペーン・フォー・チベットの理事でもあった。

やはり長くダライ・ラマを支援してきた俳優にリチャード・ギアさんがいる。彼は中国の江沢民国家主席が訪米した1997年10月に、ワシントンでチベット問題への抗議デモを呼びかけ、ハリウッドの人気スターたちを続々とワシントン入りさせた。その中にフォード夫妻はもちろん、スティーブン・セガール、シャロン・ストーンさんらがいた。「しんぶん赤旗」の日曜版に登場の日本人俳優たちは、政党の呪縛から離れ、フォードさんやギアさんらの無私の精神で被抑圧者を救済しようとする姿勢を見習ってほしい。彼らが日本共産党を知らない世代であるのなら、尚美《しょうび》学園大学名誉教授、梅澤昇平さんの最新刊『こんなに怖い　日本共産党の野望』（展転社）の一読をお勧めする。小泉さん世代の人々には必須の書物である。

おわりに　「中華帝国主義」(19世紀)と「自由主義」(21世紀)の価値観衝突

コロナ戦後の世界で「適者生存」する日本

二〇二〇年初頭から、中国・武漢発の新型コロナウイルスが瞬く間に5大陸を席捲し、グローバル化していた世界が、どの国も突如として国境を閉ざさざるを得なかった。WHOなどの国際機関は「救いの神」ではなかったし、むしろ国家が弱体化すれば、協調システムが崩れて国家間の争いが多くなる。相互依存の経済も、とたんに敵味方の識別が問われて、アフター・コロナの世界秩序再編への模索がはじまった。

台頭してきたのは、発生源でありながらいち早く感染拡大を抑え、一党独裁システムの優位を誇った中国である。そんな折に、日本の現役官僚とおぼしき人物が、リスクを承知で中国敵視の匿名論文を米外交誌『アメリカン・インタレスト』に寄稿していることを知った。

執筆者はイニシャルで「ＹＡ」を名乗り、日米関係に関心をもつ人々の間で、にわかに注目が集まった。この外交論壇誌が、執筆者のＹＡ氏を「日本政府当局者」であると明らかにしており、論文の表題もズバリ「対中対決戦略の効用」と明快だったからだ。

興味深いのは、世界の識者に評判の悪いトランプ外交に対し、執筆者が寛容な筆致で描いていることである。匿名でなければ明言できない敵対的な対中戦略と同盟国トップの品定めを、日本を軸とする現実主義的な外交論でずばりと突いた。集約するとこんな具合になる。

「トランプ外交はいかにもひどいが、対中関与政策のオバマ外交よりずっとマシだ」

ちょうどトランプ大統領に解任されたジョン・ボルトン前大統領補佐官の回顧録『それが起きた部屋　ホワイトハウス回顧録』(The Room Where It Happened : A White House Memoir)』が、２０２０年6月から出回り、にわかに11月の大統領選の行方が気になり始めた時期だ。回顧録が「再選を国益より優先」というトランプ氏の再選は是か非か、オバマ政権時代のバイデン前副大統領の当選は、果たして日本の国益にかなうのか、という瀬踏みである。

この論文は、中国を力で近隣国を脅迫する19世紀型の国家であると指摘し、これに対してアメリカは、オバマ前政権による曖昧な21世紀型アプローチに戻すべきではないと叱咤している。ＹＡ氏は日本がこれまで、中国の拡張主義的な危険性をアメリカ当局に繰り返し警告してきたと強調し、冷戦後の日米同盟は大陸に焦点を絞った対中同盟であるべきことを力説する。

仮にいま、ソ連を中国に置き換え、論文がイニシャルを「Y」と洒落ていれば、米ソ冷戦の到来と対ソ封じ込めを訴えた現職官僚ジョージ・ケナンの「X」論文を連想させて面白い。

第二次大戦後まもなく、対ソ戦略を打ち出した駐ソ代理大使のケナンは、ソ連の西側への敵意が「共産主義イデオロギー」と「伝統的な拡張主義」によるものであるとする長文電報を本国に送った。帰国後に国務省の政策企画局長に就任したケナンが翌1947年、筆者Xとして外交誌『フォーリン・アフェアーズ』に寄稿したのが、「ソ連の行動の源泉」と題する衝撃的な論文だった。世にいう「X論文」である。

トランプ以前に戻りたいか?

さて、こちら4月10日号の『アメリカン・インタレスト』に掲載の「Y論文」は、日本の当局者がアメリカに向けて、ソ連ならぬ中国型全体主義の危険性を訴え、再びトランプ以前の楽観的な関与政策に戻るべきではないと主張する。

それによると、日本は「関与」を打ち出したクリントン政権の楽観的な対中政策に反対はしないが、この路線によって中国が自由民主主義国になるなどとは決して信じてはいなかった。次のブッシュ政権は2001年発表のQDR（4年に1度の国防見直し）で、初めて中国の挑戦に言及し「手ごわい軍事的競争相手の出現」に警戒感を示したが、米中枢同時テロ9・11によって大規模軍事力をアフガニスタンに投入せざるをえなくなった。

次のオバマ政権は、中国に「責任ある利害関係者」になるよう期待する関与政策に逆戻りさせてしまった。案の定、2016年7月、国際仲裁裁判所が南シナ海を独り占めにする中国の「9段線」論にクロ裁定を下すと、中国は「紙くず」と拒否した。その一カ月後には尖閣諸島に300隻近い漁船を送り込んできた。日本はもちろん、アメリカに必要だったのは、関与よりも抑止だったのだ。その直後に、オバマ大統領は訪中したものの、中国の不埒《ふらち》な行為には一切言及しなかったから話にならない。

そこで安倍首相は、ニューヨークに飛び、当時、共和党の大統領候補に決まったばかりのトランプ氏との異例の会談に臨んだ。翌年2月には、日米同盟の強化によって北朝鮮への圧力を高め、インド太平洋戦略を構築する――ことを宣言にまとめ、中国に対する警告のシグナルを送った。Y論文は従来の日本外交は「外圧」によって対処してきたが、いまは日本の考え方を巧みに反映させることが可能になったことを強調している。そのうえで、

「実行はお粗末でも正しい戦略は、着実に実行される曖昧な戦略に勝る」と、中国と対峙するトランプ外交に軍配を上げる。

ちなみに日本の外交エリートは、「トランプに戦略などあるはずがない」と、Y論文が気に入らないらしい。アメリカが対中戦略を関与政策から戦略的抑止にシフトさせたのは、オバマ政権末期からだし、実行したのはトランプ個人ではなく政策タカ派の側近たちであると、但し書きをつけて論文をけなす。

当のYA氏はそうした批判があることを承知のうえで、分かりやすく分類して、中国という切迫する脅威を訴えたかったのではないか。だからこそY論文は、バイデン候補も最近の外交誌エッセーで、「中国に対処する最も効果的な方法は、アメリカが同盟国とパートナー国との統合戦線を構築し、中国の悪辣《あくらつ》な行動に立ち向かうことである」と書いていることを評価し、大統領選向けに保険をかけている。

Y論文はオバマ大統領の対中アプローチを否定し、東京の政策決定者に「トランプ以前に戻りたいか?」と問えば、答えは「ノー」であると断言する。台北、マニラ、ハノイ、ニューデリーのアジアのエリートたちも、アメリカが関与政策に戻るより、予測不能のトランプ大統領であっても、その対決アプローチを「さほど悪くはない」と考えているという。

必要なのは、インド太平洋におけるアメリカの優位性とプレゼンスであって、バイデン政権とも協力可能であることを強調している。

中国対民主国家の対決へ

このY論文が指摘する中国分析と日米同盟の重要性に対しては、まったく異論がない。ただ、論文は「日本が主権と繁栄を維持する決意」を語ってはいるが、どう責任を果たすのかという独自政策への言及がない。そこが曖昧だからこそ、執筆者が日本政府関係者であると推測ができてしまうのも皮肉なことだ。

執筆が3月末時点であるためか、Y論文には中国が武漢ウイルスを拡散させ、国際社会の対中批判に過剰反応していることへの言及がない。論文が見通していた「中国の威圧的で不安定な行動」が、コロナ危機の拡散によって加速しているのが現状だろう。

歴史家のニーアル・ファーガソン氏は、過去のパンデミック危機を振り返って、未知のウイルスが社会の階級間と、民族の間にある既存の緊張を悪化させると指摘する。なるほど、中国の習近平国家主席は、武漢ウイルスの処理のまずさから拡散を許し、内外の批判にさらされた。だが、中国共産党という「手負いの龍」は、自らの弱みを見せまいと、周囲に対してますます凶暴さを増してくる。しかも、国際社会の批判に対する中国共産党の報復行動も異常である。

とくにオーストラリアのモリソン首相が4月に、新型ウイルスの発生源に関する国際調査を呼び掛けると、中国はすかさず豪産大麦に80・5%という高関税をかけ、豪企業4社からの牛肉輸入を禁止した。中国はさらに、ファーウェイ幹部を逮捕したカナダをはじめ、前述のインドとは国境紛争を再燃させ、ベトナム、モンゴルも中国から露骨な報復を受けている。日本に対しては、尖閣諸島周辺海域に公船を送り込み、奄美大島の接続水域に潜水艦を潜航させた。

米紙ウォールストリート・ジャーナルの編集委員のグレッグ・イソップ氏は、2年前には米中対立だったものが、「中国と先進民主主義国との全面対決の様相」を帯びつつあるとみる。19世紀型の中華帝国主義と21世紀型の自由主義による価値観の衝突である。

自由主義国家の結束力

習近平主席が操る「手負いの龍」を封じることができるのは超大国のアメリカしかいない。だが、自由社会を率いるアメリカもまた、ファーガソン氏のいう人種や貧富の格差によって国家が分断された。コロナ危機に疲弊したアメリカ社会が、白人警察官による黒人暴行事件をきっかけに、一気に不満を爆発させたのだ。

悪いことに、トランプ大統領はデモ鎮圧に軍投入の構えをみせ、現職や前国防長官、軍元幹部から一斉に反発を受けた。とくに、2018年12月に辞任して沈黙を守ってきたジェームズ・マティス前国防長官が2020年6月3日、米誌『アトランティック』への寄稿で、トランプ大統領を痛烈に批判したことが、アメリカの分断がいかに進んでいるかを象徴していた。

マティス氏は、トランプ大統領が全米の暴動を制圧するために軍を投入すると表明したことを断固批判した。海兵隊大将として国家に奉仕してきたマティス氏にとって、軍は分断された国家であっても、政治的な中立を保つことが何よりも優先された。マティス氏は、ノルマンディー上陸作戦のエピソードを引いて次のように述べる。

「アメリカ軍を撃破すべく待ち構えていたナチスドイツのスローガンは、〝奴らを分断させろ〟だった。対するアメリカ軍は〝団結こそが力だ〟としてナチスを打ち破った」

そして彼の声明は、トランプ氏を「私の生涯で、アメリカ国民の融和を図ろうとしない、図るフリすらしない初めての大統領だ」と述べて、アメリカの強みであった結束力と信頼性を崩したことを鋭く突いた。

アメリカ大統領と軍とのきしみは、中国を強気にさせ、周辺国への軍事力行使のきっかけを与えかねない。国難に対するアメリカの強さは、大統領の下に結集するアメリカ人気質《かたぎ》に他ならない。旧日本軍に奇襲された真珠湾攻撃の直後に、この日を「恥辱の日」とし、大統領の下に結束して反転攻勢に出た。冷戦下でもソ連の打ち上げた人工衛星スプートニクで衝撃を受けたアメリカは、たちまちNASA（航空宇宙局）をつくって3倍返しに出る。だが、トランプ発言は、アメリカを「統合」よりも「分断」に向かわせてしまう。ただ救いは、アメリカ社会の分断傾向はあっても、双方とも中国が大きな問題の根源であることに同意していることだ。

Y論文につけ加えるなら、強権的な習近平政権には戦略的好機を与えず、自由主義国家群が結束を固めることに尽きるのだ。対中抑止の最前線にある日本は、今回のコロナ危機で「中国離れ」が顕著なヨーロッパ、東南アジアを巻き込む戦略的機会を迎えている。軍事力はないが、そこは知略を描いて大国を動かす時だろう。

かつて、日本政府はAPEC（アジア太平洋経済協力会議）を発案し、オーストラリアに提起させて国際協調のフォーラムを構築した。安倍政権もまた、自由で開かれたインド太平洋戦略を考案し、ティラーソン国務長官（当時）が推進役を買って出た。ハワイを本拠地とするアメリカ軍のアジア太平洋軍はインド太平洋軍に名称変更までしている。

日本はいま、安全保障面ではインド太平洋戦略の核である日米豪印4カ国戦略対話（クアッド）をベトナム、インドネシア、台湾などにも拡大し、「クアッド・プラス」を構築できる立場にある。経済面でも、ＴＰＰ（環太平洋経済連携協定）をサプライチェーンの軸として米欧を説得し、「ＴＰＰプラス」として再構築が可能だ。日本の知略を発揮できるかは安倍政権の力量と柔軟性にかかっている。

近年の日本は、オウム真理教による都市型テロを経験し、原子力災害をともなう東日本大震災を潜り抜け、そしていま武漢ウイルスのパンデミックに遭遇している。これらテロ、地震、疫病に立ち向かうたびに、日本と日本人の精神はしなやかで、かつ強靱なものになっていく。その雄々しき日本こそが、第二次大戦後、米ソ冷戦後、そしてコロナ戦後の世界でも、脆《もろ》さのある「強者生存」ではなく、柔軟に対応する「適者生存」で進んでいくものと確信している。

湯浅 博（ゆあさ・ひろし）
国家基本問題研究所主任研究員、産経新聞客員論説委員。1948年生まれ。中央大学法学部卒。プリンストン大学公共政策大学院Mid Career Fellow program修了。産経新聞でワシントン支局長、シンガポール支局長、論説委員、特別記者などを経て現職。主な著書に『歴史に消えた参謀　吉田茂の軍事顧問　辰巳栄一』（文藝春秋）、『全体主義と闘った男 河合栄治郎』（産経新聞出版）、『中国が支配する世界—パクス・シニカへの未来年表』（飛鳥新社）など多数。

アフターコロナ
日本《にほん》の宿命《しゅくめい》
世界《せかい》を危機《きき》に陥《おとしい》れる習近平中国《しゅうきんぺいちゅうごく》

2020年８月15日　初版発行

著　者　湯浅 博

発行者　鈴木 隆一

発行所　ワック株式会社
東京都千代田区五番町 4-5　五番町コスモビル　〒 102-0076
電話　03-5226-7622
http://web-wac.co.jp/

印刷製本　大日本印刷株式会社

ISBN978-4-89831-823-2

WAC BUNKO

髙橋洋一のファクトチェック

2024年版

髙橋洋一

WAC

髙橋洋一のファクトチェック

2024年版

目次

装幀／須川貴弘（WAC装幀室）
図版作成／メディアネット

第1章

国内政治編

派閥解散も政局である！

財政健全化推進本部は財務省による政権支配への足固め

――最近話題の財政健全化推進本部なるものについておうかがいしたいのですが。

政治と金の問題でクソ忙しいというのに、相変わらず財務省は着々と動いているんだよ。派閥解消の余波でいま大宏池会ができそうでしょう。それを利用してちゃっかり財政健全化を進めている。財務省は「健全化」と言うけれど、はっきり言えば緊縮財政と増税を虎《こ》視眈々《したんたん》と狙っているだけだよ。

岸田派はなくなっても麻生派は残るから、緊縮財政と増税路線を旨とする大宏池会ができそうだし、一方で安倍派と二階派はボロボロにやられている。茂木派は大丈夫だと思っていたら、相次ぐ引き抜きでこちらもボロボロにされてしまった。そうすると、大宏池会しか残らない。これで財政健全化の足固めができたことになる。

裏で糸を引いているのが財務省だということは、財政健全化推進本部のメンツを見ればすぐわかりますよ。

最高顧問が麻生太郎。キングメーカーだね。事実上のトップである本部長が古川禎久《よしひさ》さん。この人は茂木派だったのを財務省が引き抜いた。そして本部長代行が小渕優子さん。実務の要の幹事長が青木一彦さん。古川・小渕・青木、すべて敵の茂木派から引き抜いて麻生さんの下に付けた。わかりやすいでしょう。すべて財務省が糸を引いて、この人たちが茂木派を辞めるタイミングを計って、財政健全化本部の新体制が動き出した。

派閥は悪だという政局の裏側で、派閥ではなく勉強会のように見せながら、大宏池会の政策の実働部隊として財政推進健全化本部を動かそうとしているんだ。そうすると、この中にいる人たちの中からポスト岸田が出てくるかもしれない。ポスト岸田候補になりたければ現在の派閥を辞めてここに入って来いと財務省が言っているようなものだからね。

それから最近、私に対する攻撃がものすごくてね。この番組でも言ったけれど、債務超過700兆円なんて嘘ですよ、どうせ3月になったらわかりますよって言ったら、「髙橋は会計も知らずにいい加減なことを言っている」みたいにネットで叩かれた。でも、その財務諸表を大蔵省（現財務省）在職時に作ったのは私だし、公認会計士協会と交渉したのも私。国際的に説明したのも私なんです。そういう人間が会計の知識がないわけないでしょう。

そういう私に対する批判の出所がおぼろげながら最近わかりはじめてきて、ある財務省の職員とOBが、「とにかく髙橋はけしからん」と言っていたらしい。そうすると財務省のキャリアのほうも「髙橋はけしからん」と言い始める。彼らにいろいろ吹き込まれたマスコミ関係者や知り合いのポチ予備軍も騒ぎ出す。まあ犬笛みたいなものかな。

でも、私はそういう雑魚《ざこ》は相手にしない。本丸だったら議論してもいいと言ったんだけど、本丸とのセッティングをしてくれた人も「いや、あれはなかったことにしてください」と言い出して、その話はなくなってしまった。私に言わせれば、財務省は逃げたんだ。

日本は債務超過ではなく、資産超過だという私の主張をデタラメだという人もいるけれど、私はこの話をもう30年くらい言い続けてきていて、IMF（国際通貨基金）とか国際機関の関係者ともずいぶん話をした。IMFのほうもさすがにバランスシートの右に記されている借金だけで議論するのはおかしいとわかっているから、2018年から、パブリックセクターバランスシートというきちんとした世界何十カ国の統計を出し始めた。

財務省はIMFにそんな統計は出すなと抗議したけれど、IMFは財務省の言うことを聞く筋合いはない。でも、財務省のことだから何をするかわからない。統計をなかったことにするか、書き直している恐れがあるから、ちょっと心配になったわけ。財務省はそこまでやるんだよ。それで最近、確認したんだけれど、ちゃんとあった。私の言ったとおり資産超過GDP比で8%という数字が出ていました。

――8%の資産超過ですか。

うん。だからこの番組で前に言ったとおり100兆円程度の資産超過ですよ。さすがにIMFは税務省の脅しなんかに屈しないで普通に分析していました。IMFにパブリックセクターバランスシートの数字がありますから、私の言うことが嘘だと言う人はIMFに問い合わせてください。もしくは、英語の読めないネット民を相手に私を非難するより、IMFの数字を改竄したほうがいいですよ。

ちなみに資産超過8%、確か8~9%と書いてあったけれど、これはG7の中では2番目にいい数字です。1番はカナダですけどね。だから日本の財務状況はかなりまともですよ。

なんだか雑魚が私と議論したいと言っているみたいだけど、無理だよ。いまネットであれこれ騒いでいるのはポチの中でも下級ポチだから議論する意味がない。財政健全化推進本部の国会議員なんかは上級ポチでね、ポチの中でもランクが高くて、財務省がすごくケアしている。だけど、私はどっちにしろポチはイヤなんだよ。本丸の財務省とだったらいつでも議論しますよ。でも、本丸がなかなか出てこないからねえ。

私がなぜ上級ポチのことがよくわかるかというと、小渕優子さんがポチになる時に私が小渕さんの最初の係だったからです。さすがに財務省も、「髙橋に任せていたら危ない」と気がついて途中から外されましたけれど。

――最初の餌付け役だったんですね。

そうだよ。この財政健全化推進本部の面々でもね、安倍さんの下で働くようになってから、稲田朋美さんに安倍さんの立ち合いの下で何回もレクチャーしたことがある。すると、財務省がそれに感づいてすぐに逆レクをするんだよ。

たとえば岸田さんにレクチャーした時は、わざわざ安倍さんが岸田さんのところに連れて行ってくれたんだよ。それでもすぐに財務省から「髙橋の話はウソです」って逆レクに来た。

――なんでそっちのほうを信じてしまうんですか。

まあ、そこは人によるからね。私も体は一つだから、安倍さんに、「私がいくら話しても、逆レクでひっくり返されますよ」と言ったことがある。それはともかく、この財政健全化推進本部のメンバーを見れば、今回の政局のラスボス（最強の敵）が財務省だったことがひと目でわかるよね。

いまちょっと恐れていることがあるんだけど、ほら森永卓郎さんの『ザイム真理教』（フォレスト出版）という本が話題になっているでしょう。「日本は財政赤字で大変だ」というのは財務省の大ウソで、国民は洗脳されているだけだという内容だから、大手出版社から軒並み出版を断られたらしい。ところが森永卓郎さんはいま病気だから、あまり責めてもまずいだろうというわけで、非難がぜんぶ私に集中しているんだよ。

税務署の関係者もそれに感化されて私を悪者だと思っているらしいけど、そうじゃありません。財務省は私の首に賞金をかけているらしいから、妙に勘違いしている税務署の人がいるかもしれないけれど、私は税金をごまかしたりしないし、ちゃんと払うどころか今期の税務申告はよけいに払う覚悟でいます（笑）。税金を払う払わないで時間を取られるのが嫌なんだよね。

だからみなさん、私の言うことが信じられなかったら、私じゃなくて、ぜひＩＭＦのほうに文句を言ってください。お願いします。

（2024年2月5日）

私がこれほど財務省に嫌われているとは思わなかった

――何かと財務省から目を付けられている髙橋さんですが、ラジオ番組に出演したところ「私の意見を伝えると財務省から出入り禁止になるかもといったらすぐ別の話題へ」とXにポストしていらっしゃいましたね。

最近は森永卓郎さんのラジオ番組によく出るんだけれど、先日、森永さんから「財務省の中では髙橋洋一を三度殺しても飽き足らないと言われているというのは本当?」って聞かれた(笑)。

それから、月刊『WiLL』2月号をパラパラ眺めていたら、「政局を仕掛ける財務省は日本のディープステートだ」という鼎談記事があって、その中で産経新聞論説委員の阿比留瑠比さんがすごい発言をしていたんでビックリしました。

阿比留さんはそんなに誇張して言う人じゃなくて、事実を淡々と語るタイプなんだけど、私についてこんなことを語っているんです。

高橋氏は財務省の東大法学部の人たちのことを「あいつら頭悪いから法学部に行ったんだ」と言っていたくらいですからね（笑）。

安倍さんが言っていましたが、安倍さんの秘書官だった財務次官の田中一穂氏は、「（テレビや写真で）髙橋洋一と一緒に映っている場面は見せないでください。虫唾《むしず》が走るんです」と言っていたそう（笑）。

田中一穂さん、同じ財務官僚だったし、よく知っていますよ。第一次安倍政権の時に彼が安倍さんの秘書官で、私が準秘書官みたいな形で官邸参事官だったからね。でもまさかこんなふうに言われていたとは思わなかった。愕然としたよ。

安倍さんには「髙橋さんを表に出すと財務省の人は非常に興奮して反応するので、ちょっと表に出ないでください」と言われたことがある。それがこのことだったのかな。それにしても虫唾が走るって、ひどい言われ方だよね。安倍さんは優しいよな。私にはそんなこと何も言わなかった。それにしても、田中一穂さんとは仲良くやっていたつもりだったんだけど、全然違ったんだな。でも、そう言えば彼は年中怒っていたな（笑）。

――立場的にはどうだったんですか？

田中さんは私よりずっと上の総理秘書官。私は官邸参事官だけど、安倍さんから直接呼ばれていろいろなことをやるから、田中さんから見れば「なんだ、こいつ」「なんでこんな仕事をしているんだ」って感じだったと思う。

——**だからよけい腹が立ったのかも。**

でもこっちだって困るんだよね。私は安倍さんの要望で官邸参事官になったんだから。安倍さんから連絡があって「ちょっと来てくれ」と言われたら行くしかないじゃない。

そこら辺の話をちょっとすると、安倍さんに「官邸参事官の霞が関公募に応募して官邸に来てよ」って言われたわけ。そうしたら、財務省が「ダメだ。絶対に行かせない」って反対するんだ。そうしたら安倍さんが「じゃあ僕のところへ書類を持って来なさい」って言うから、安倍さんのところへ直接、応募書類を持って行った。それで財務省もどうしようもなくなった。そういう経緯があるんだ。

——**その頃から目の敵にされていた？**

さっき話した『Ｗ·ｉＬＬ』の記事で、阿比留さんのほかに、田村秀男さんという日経新聞から産経新聞に移って論説委員をしている人が阿比留さんの発言に応じて、こんなことを言っている。

「髙橋氏は財務省の一番痛いところを突きます。髙橋氏の話をしただけで、財務官僚はまるで幽霊を見るかのように露骨に嫌な表情をする（笑）」

いやだなあ、俺、こんなに嫌われているのかよ（笑）。

――幽霊扱いですね。

まあ財務省には三度も四度も殺されているから幽霊扱いされてもしょうがないけどね。

「またゾンビみたいに蘇《よみがえ》ったぞ」と思われているのかもしれない。

――殺されたというのは具体的にどういうこと？

社会的に抹殺されるんですよ。

――就職先がなくなるとか？

それ以上に、社会的に貶《おとし》められることが山ほどあるんだよ。でも、いまはありがたいことにこういうＹｏｕＴｕｂｅチャンネルがあるから、自分の主張を発信できる。いくらやられてもＹｏｕＴｕｂｅで反論できるからね。昔はそういう手段が全然なくて大変だった。殺されるたびに、ああどうしようと思いながら、それでもなんとか我慢して、そのたびに復活してきたんだけれどね、いまはＹｏｕＴｕｂｅでこうして私と財務省のバトルの話もできる。

直接、財務省と議論できるように間に立ってくれた人がいたんだけれど、結果的にこの話はなかったことになった。せっかく予定を空《あ》けておいたのに私も残念だし、間に立ってくれた人には迷惑をかけたかもしれない。だけど、ネット上で「髙橋は会計に無知でどうのこうの」というようなことを書き込むような素人を、私は相手にしません。

ただ、財務省とは機会さえあればいくらでも論戦します。そういうことです。

（2024年2月9日）

岸田派解散で麻生太郎キングメーカーへの道？

――政治資金問題で安倍派が解散を決めましたが、福田達夫元総務会長がさっそく「新しい集団を作る」と発言しました。

先週の『正義のミカタ』（ABCテレビ）で「派閥を解消してはまたもとに戻るのが自民党の歴史なんだ」と言ったんだけど、それにしても、普通はもうちょっとしおらしくしているものだけれど、舌の根も乾かないうちに「新しい集団を」と言い出すのはすごいよ。

この福田達夫さんって、福田康夫さんの息子で、福田赳夫さんの孫だよね。実は、安倍派というか清和政策研究会を作ったのは福田赳夫さんなんだよ。福田赳夫さんは元大蔵官僚で、もともとは派閥解消論者だった。つまり派閥解消論者が派閥の創始者というわけで、政治家というのはそういうものなんだけれど、こういうロジックは普通の人にはわかりにくいよね。それはともかくお祖父さんは、派閥は弊害があってどうのこうのって言っていた人なのに、孫になったらもういきなりだからね（笑）。ちょっと驚くね。

だけど、派閥なんて、正直言ってどこにだってあるからね。「3人寄れば2つ派閥ができる」って言ったのは宏池会の大平正芳さんだけど、これはけっこう正しいんだよ。

そういう意味で、派閥解消なんて言ったもの勝ちでさ、絶対にまたもとに戻るに決まっているんだから。集まるのは自由だから禁止することはできない。二階さんは政治勘があるから、派閥を解消したって人は自然に集まるんだと言っている。そんなものなんだよ。

1989年にリクルート事件という汚職事件が起きて、その時に自民党の綱領の政治改革大綱に派閥解消が明記されたんだよね。それでも状況は一向に変わらない。だから岸田さんも最初、派閥の会長を辞めると発表した時に、どこかで「この際いっそのこと派閥解消と言ったほうが迫力ありますね」って軽口を叩いたんだよ。

政治家は派閥解消と言えば世間の目がそっちを向いて目くらましになるのをよく知って

いるから、岸田さんもタイミングを見て言ったんじゃないかな。でもその結果、岸田派だけじゃなくて安倍派と二階派が解散することになった。まあ、またいずれもとに戻ると思うけれど、普通は3カ月から半年ぐらいはおとなしくしているものだよ。でも、おそらく2024年9月の自民党総裁選の前に総選挙がありそうだから、それが終わったら元通りでしょう。そのレベルの話だよ。

で、先日の『正義のミカタ』での私の発言が『デイリースポーツ』に取り上げられて、「髙橋洋一氏『派閥は半年で復活』大宏池会復活に麻生さんは『内心（岸田）よくやった』とほくそ笑んでいる」という記事が出た。確かにそう言ったよ。

宏池会の岸田派は解散するけれど麻生派は解散しない。麻生派は宏池会から分かれた派閥で、つまり岸田派と麻生派はもともと一緒だったから、岸田派のほとんどの人が麻生派に行くことになる。要するに、麻生派と岸田派が一緒になって、麻生さんの悲願の悲願だった「大宏池会」が復活することになるわけだよ。だから、「岸田、うまくやったな」というわけで麻生さんは大喜びしているはずだよ。

表向き麻生さんは「岸田はまったく連絡も寄こさないで勝手なことをして」と怒っているというんだけれど、怒ってはいないだろう、あれは（笑）。

こういうのは政治家にはよくある話で、「ここは怒ったことにしよう」とか言ってね。

私もそういう場に出くわしたこともある。有名なのが、当時の小泉純一郎首相の郵政解散を思いとどまらせようと森喜朗前総理が公邸を訪ねた後、森さんが記者団の前で「けしからん。干からびたチーズしか出さなかった」と言って怒ってみせたことだよ。実際は全然怒っていなかった。森さんが干からびたチーズと言ったのはフランス原産の高級チーズ「ミモレット」で、この時以来、ミモレットは日本でも有名になった（笑）。

だから、麻生さんは「岸田、最後によくやったな。これで大宏池会の復活だ」と思っているに違いないよ。こういう話をすると、麻生さんはもうトシだから総理の目はないよという人がいるけれど、麻生さんが狙っているのは、森さんのように自分がキングメーカーになることなんだ。

岸田さんも先はないけれど、最後に大宏池会の流れを作ったことになる。岸田派解散を決断したと言ったって、それは大宏池会への布石だよ。どうせ権力闘争だから、私にはそういうことが透けて見える。つまらない話だよ。

これをきっかけにいろいろなグループが集まったり離れたりしてどうのこうのという離合集散の話になって、そういうのがテレビのワイドショーは大好きだから、政治資金の話なんてどこかに吹っ飛んじゃうんだよ。私はそういうのを冷ややかに見ているだけ。

――いまのところテレビはまんまと乗せられている感じですね。

この派閥がなくなって、誰と誰がくっつくかというのはテレビ的には面白いからね。最後はそういう話になる。

だけど、デイリー記事に使われている写真は共演していた小倉優子ちゃんだった（笑）。タイトルに「小倉優子憤慨『日本の政治おかしい』」ともあるから。そりゃあ私の写真よりゆうこりんの写真を使った方がいいからね。でも、希望を言わせてもらえば私の写真と並べてほしかった。それはないか（笑）。

でも実は番組が終わった後、ゆうこりんとエレベーターで一緒になったんだよ。マネージャーの人と一緒だったけど、芸能人のオーラが出ていて、華奢な感じだけれど、近くで見ても美しいお顔でしたね、やっぱり。

――お話されましたか。

いや、スタジオに入るときにちょっと話しただけ。エレベーターの中で話はしないでしょう。「失礼しまーす。お先にー」って、そんな感じ。別に楽屋まで行ったわけではありません（笑）。

（2024年1月24日）

「ジョーカー」小池都知事が政局を嗅《か》ぎつけて動きだした!

――気になる記事があったのですが。「小池都知事『女性初の総理』へ　自民の乱は絶好期…茂木幹事長、岸田首相と面会に永田町騒然」（日刊ゲンダイ）というタイトルです。

ついに「ジョーカー」が出てきたね（笑）。ふだんはなーんにもしなくて、こういう時だけグイッと出てくるのが小池さんだよ。これは彼女の最も得意とする分野だからね。

ほら、2024年2月にオープンした、豊洲市場隣の観光施設「千客万来」の開業記念セレモニーにいけしゃあしゃあと出席してテープカットなんかしていたけど、豊洲の混乱は誰が引き起こしたのか、「千客万来」のオープンが5年も遅れたのは誰のせいか、「私は知りません」みたいな顔をしているのだからすごいよね。

「厚顔無恥」なんていう記事もあったけれど、あのオープンセレモニーがまるで小池劇場の舞台であるかのようにマスコミの前に登場してきたのは理由があってね、4月に衆議院の補選があるからなんだよ。柿沢未途さんが辞めた東京15区、元安倍派の会長だった細田博之さんが亡くなった島根1区、それに今回の裏金問題で辞めた谷川弥一さんの長崎3区だね。

島根はおそらく取れる。長崎もたぶんいけそうかなと言われている。危ないのが、豊洲のある東京15区の江東区だよ。そこで、もしかしたら小池さん本人が出るのか、それとも本人の息のかかった人が出るのかということになる。

「茂木さん、助けてあげる。茂木派はボロボロになって、手足をもぎ取られて大変でしょ？岸田さんは派閥なくなっちゃったんでしょ。私が国政に戻ったら、大勢引き連れてきてさしあげるわよ」ということでしょう（笑）。

小池さん、都知事に出るとはまだ言っていないからね。やっぱり東京都では都民ファーストの会って、けっこう強いんだよ。だから、「協力できるわよ」と言い寄りつつ、自分が国政に戻るチャンスを狙っているんじゃないかと思っちゃうよね。70歳をちょっと過ぎた小池さんにとっても、これがラストチャンスだろうからね。

まあ、あの人はこういうことになると元気ハツラツだからね。ふだんは何もせずに息を潜めているのに、その落差というか、対比がすごいよね。ある人が言っていたけど、小池さんって、スポットライトを浴びることしか興味がない。スポットライトに導かれるように吸い寄せられていく。

――虫みたいですね。

その嗅覚たるや、すごいものがある。だから安倍さんが「あの人はジョーカーだよ」って言ったんだよ。ふだんの政策はもうムチャクチャなんだよね。築地の豊洲移転の時だって、突然、ありもしない土壌汚染問題を持ち出して「豊洲は安全だが、安心ではない」とかわけのわからないことを言ってさ、おかげで豊洲の開発が何年も遅れてしまった。「千客万来」にだってひどい迷惑をかけているのに、ニコニコしながら悪びれる風もなく「良かったですねー」とか言うんだからすごいよな。あの方こそ「THE政治家」ですよ。だからこういう政局になると、がぜんやる気が出ちゃうんじゃないの？　面白い方だよ。

――政策的にはまったく何にもないって以前おっしゃっていましたが。

ないんだけど、もともとは保守系だからね。だから希望の党に合流しようとした旧民進党の一部を「排除いたします」なんて言ったことがあったでしょう。それはそれで貢献度が高くてね、希望の党を利用して旧民主党をぶち壊しちゃった。あの破壊力はすごい。それが自民党に向くと困るから、安倍さんも丁重に扱っていたよ。

いま茂木さんとか岸田さんは満身創痍だから、藁にもすがりたい気持ちかもしれない。

そこをうまくついているよね。

――手を組んだら何かしらいいことがあるかもしれない？

と、思わせるんだよな。たぶん、そうはならないんだろうけど、そう思わせるのがうまい。小池さんって、けっこうかわいらしい声で「ね、ね。そうでしょ？」と迫って来るから怖いんだよな（笑）。

――かつての小沢一郎さんが自民党を飛び出した時のような事態にはならない？

小沢さんみたいな豪腕的なところはないんだけど、確かに「女・小沢一郎」に近いよね。ここぞという時の突進力は半端じゃない。ただ、それがいい方に向かえばいいんだけど、豊洲の時みたいに変なのが周りにいて、「安心と安全は違います」なんてとんでもないことを平気で言い出してね。それじゃいまの豊洲はどうなの？　あの話、すっかりなかったことになっちゃったけど、豊洲は土壌が汚染されているから、その上に建物を建てると危険だのなんのと言っていたじゃないか。

でも、その上に「千客万来」が出来ても何の問題もなかった。東京なんて、どこを掘ったっていろんなものが出てくるよ。だからぜんぶコンクリートで固めているんだ。豊洲くらいならウチの近くと変わらない。でも、コンクリートで固めてその上で生活するには別に何の問題もないという話ですよ。

――あの時は周囲が入れ知恵したんですか。

それはわかっている。環境省の人間だよ。あの時は私のところにも都知事から「髙橋さん、お願い。ちょっと手伝って」ってやたら電話がかかってきた。だけど、その環境省の人がすでに参画していたから手を引いたんだよ。その人がおかしなことを言っているのは知っていたし、下手をすると私なんか排除されちゃうからね。これはダメだと思って断った。

そうしたら、「じゃあ髙橋さん、無理だったら人を出して」とか言われたんだけど、いやいや今回は……というようなことがありました。怖いんだよ、あの人から電話がかかってくると。ドキッとする。

――今回のことでまたかかってきたらどうします?

さすがにそれはないと思うよ。ここはもう完全に政治マターで、自民党にどうやって恩を売って、その見返りにどういうポジションをとるかという話だからね。

問題は、江東区長選挙で公職選挙法違反の罪に問われて辞職した柿沢未途さんのあとを決める東京15区補選で、いちばん面白いのは小池さん本人が出馬することだね。本人が出たら日本保守党は候補者を立てると言っているから、そうなると、どう考えても『「小池劇場」が日本を滅ぼす』と『「小池劇場」の真実』の著者、有本香さんの出番になる（笑）。バチバチの戦いが見られるかもしれないというので無責任な野次馬は大喜びだろうけれど、まあ、そうはならないだろうね。

この間の八王子市長選（2024年1月21日）では、自公が推薦する初宿《しやけ》和夫さんの応援に小池さんが駆け付けてくれて、接戦を制することができた。八王子は前政調会長の萩生田光一さんの地元だし、自民党は借りが一つできた。

今度は国政選挙だから、岸田さんは補選3つすべて勝って支持率を上げたいところだから、どうするかだね。

――どうやったら女性初の総理までの道筋が見えてくるんですか。

そこは彼女の独特なやり方があって、たとえば二階さんなんか完全に落としているからね、岸田派のほうだって麻生さんを落としたら総理になれるかもしれない。だってもう安倍派もないし、それしかないんだから。麻生さんを落として大宏池会を落としてしまえば不可能ではない。

――財務省的には小池さんはどうなのでしょう。

うーん、あまり政策がないから。まあ楽だよね。彼女は政局だけだから、それだけ好きにさせて、あとは持ち上げておいて「これお願いします」と言えば「あ、任せますよ」っていうことになるからね。

変な入れ知恵をする人がいると困るかもしれないけれど、そうでなければ全然どうということはない。

――髙橋さんをブレーンに迎えるようなことは?

今回は小池さんもそれはしないでしょう。髙橋は危険だと思ってね。

(2024年2月7日)

高市早苗さんの万博延期発言はポスト岸田の政局

――高市早苗さんが万博の延期を進言したということですが、いったいなぜでしょう。

まず言っておくと、高市さんは現在の岸田政権の閣僚でもあるよね。内閣には万博担当大臣がいるから、こういうことは言わないのが普通なんだよ。越権行為だし、所掌外だから言ってもしょうがない。それをいま敢えて言うということは、行政の仕組みを超えた、政治家としての発言だととらえることができる。

それはどういうことかと言うと、いま自民党内の政治の力学がものすごく動いているから、高市さんも政治家としての存在感をはっきりさせる必要があるということです。

現在は政治と金の問題で派閥解消の話になって、ものすごく政治的な権力闘争の動きが自民党内にある。そこに高市さんも自分のポジションを示そうとしたと私には見えます。


――どういうポジションですか。


自民党内には安倍、二階、麻生、岸田、茂木の5派閥がある。ほかにも無派閥とかそういうのもあるけれど、まあこの5派閥が塊になっていて、岸田総理を支えているのは岸田派と麻生派と茂木派で、3頭政治と言われているんだ。安倍派はまあそれなりにという感じで、二階派はちょっと距離を置いている。そんな感じなんだよね。

で、今回の政治闘争の裏にいるラスボスはたぶん財務省。このような政局の時には財務省はけっこう動くんだ。かつてのリクルート事件のあととかね、それから非自民・非共産の細川連立内閣とか、あのあたりでも、表には出ないけれど、財務省は、「大宏池会」という流れを作りたくていろいろと動いていたんだ。

もともと宏池会は池田隼人元首相が結成した保守本流の派閥で、大平正芳、ちょっと毛色は違うけれど鈴木善幸さん、その後に宮澤喜一さん、そして現在の岸田さんと、５人の総理・総裁を出している。

このうち池田さん、大平さん、宮澤さんは3人とも旧大蔵官僚です。だから宏池会はものすごく大蔵省と親和性が強い。当然、経済政策優先で、政治と経済は別だという理由で親中であることも間違いない。だから親財務省、親中国ということで宏池会は特徴づけられる。

もともと麻生さんも宏池会に所属していたんだけれど、政治改革をめぐって出ていってしまった。だからいま岸田派と麻生派に分かれている。これを再結集させようというのが、麻生さんの悲願である「大宏池会」なんだよ。麻生さんは人間的な魅力があるから、どんどん仲間が増えていって、いまや宏池会というか岸田派を吸収合併できるまでになった。そういう背景を考えれば、これはまさに「大宏池会」だよ。岸田派が解散するのは大英断のように見えるけれど、要するに大宏池会への流れを作っているわけ。そうして、安倍派と二階派を政治的にボコボコにして、岸田派は消滅。残るのは大宏池会。そういうストーリーになっている。

茂木派は存続するかなと一時は思ったんだけれど、ここへきて小渕優子さんとか、すごい引き抜きにあって、茂木さん一人になっちゃうかもしれないくらいやられている。これも財務省の一つのシナリオで、小渕裕子さんというのは財務省の最終的な秘密兵器なんだよ。

私が役人の時に、小渕さんは財務省の秘蔵っ子的な存在で、私もレクに行かされたことがある。そういう意味では私も小渕さんを育てた一人かもしれない。でも私はただ単に役所の仕事として接触しただけだし、私はそれなりにちゃんと自我を持った人間だから、財務省の言うことなんか全然聞かなくて、現在に至っているわけですけどね。

そういった大前提があって、高市さんはどういうポジションになるかというと、いまは無派閥の一人なんだよな。無派閥はこれまで菅さんがリードしていくかなと思われていたけれど、岸田派が派閥解散と言ってしまったから、無派閥のほうはいまちょっとアピールする余地がなくて、存在感が薄くなっているんですよ。それで高市さんも自ら勝負に行って政治的な存在意義を示そうとしたように見えますね。

高市さんの勝負手はフルスペックの総裁戦に持ち込むことです。フルスペックというのは地方の党員まですべて投票に参加するという意味。そうすれば勝算が出てくる。国会議員票だけではとても無理だから、いまは地方を行脚していて、大阪でも2000人集会を開く。そういう場でいろいろなアピールしていく流れであの大阪万博の話をしたんだと思います。これはまったく政治的な動きです。だから、大宏池会に入る官房長官の林芳正さん、さっそく全否定だよ。

正直言うと、大阪万博と震災からの復興は事業としては似ているかもしれないけれど、震災があったから万博を延期しろと言うのはロジックとしても無理がある。大阪万博のインフラの話はもうすべて終わっているからね。だから能登半島の復興と大阪万博のいろいろな事業は同時並行的に出来ますよ。片方を優先して片方を延期とか、そういう話は論理的には出てこない。

だから高市さんは行政の話をしたかったわけではない。今回の政治資金と派閥問題をめぐる政局と権力闘争の中で、「自分もいます」とアピールしたということですよ。

――高市さんは今後、総裁候補としてどれぐらい目があるんですか。

なんとも言えないね。流れでフルスペックの党員投票まで行けば、高市さんは地方の党員票をかなり持っているから目が出てくる。でも、国会議員だけの部分的な総裁戦の動きになったら、これはちょっと苦しいよ。

（2024年1月31日）

総理があわてて被災地視察に行ってもハタ迷惑なだけ

――岸田総理が能登半島地震の被災地入りしましたが、行くのが遅いと批判している人たちがいます。

震度7クラスの大震災というのを過去にさかのぼって見てみると、関東大震災がいまからちょうど100年前の1923年に起こっている。それからはずっとなかったのに、1995年の阪神淡路大震災以降は、頻繁に発生しているんだよ。2004年の中越地震、2011年の東日本大震災、2016年の熊本地震、2018年の北海道胆振《いぶり》東部地震、そして今回だ。

阪神淡路の時には、自衛隊を要請すべきかどうかなんて政府が議論していたために出動が遅れてしまった。何せ社会党の村山富市さんが総理大臣の連立政権だったからね。それ以後は、「そんなもの要請するに決まっているだろう」ということで、震度5以上になると自動的に現場が動くことになっているんだよ。

だから岸田さんが行くか行かないかなんて、はっきり言えばどうでもいいんだよ。ヒゲの隊長の佐藤正久参議院議員が言っていたけれど、今回は金沢の部隊の千数百人がすぐに出動している。別に岸田さんが行かなくたって、すべてオートマティックに動いている。逆に、そんな緊急時に上の人が視察に行って余計な気を遣わせたりするより、現場にまかせておいたほうがいいに決まっている。

――総理大臣が来るとなればそれなりの対応をしなければなりませんからね。

一人でブラッと行くわけじゃないから警護も必要だしね。ボランティアが現地入りするのとは違って、総理となるとやっぱり数十人クラスでゾロゾロ付いていく。だからなるべく被災地に迷惑をかけないようにするのが当然だと私は思うね。

――すぐ駆け付けたところで足手まといだから、少し落ち着くのを待っていたら今のタイミングだったということですね。

そうでしょうね。あの東日本大震災の時なんか、当時の首相だった菅直人さんは興奮して、「行く！」なんて張り切っちゃってさ、「来ないでください」って言いたいところだけど、そうもいかないから仕方なく対応したようだけれど、結果としてよけいな仕事を増やしただけだった。

現地の地方自治体の人たちは大混乱のなかで必死に働いている。今回の地震だと石川県知事の馳浩さんは金沢や被災地の近くにいて、臨機応変に対応しなければならないけれど、自衛隊は基本的には自律的に動くし、総理が出て行く余地はない。

――そもそも何で総理大臣が行くんですか。

パフォーマンスだよ。ちゃんと現地を見ているぞとアピールしたいだけ。実際は視察したところでまったく何の意味もない。専門家でもないくせにこうしろああしろと指図したって、そんなもの現地の人間は百も承知だよ。どこかの野党の党首が「俺はちゃんと現地を見てきたんだ」なんて威張っていたけど、なんか足を怪我しているのに行ったそうだから、迷惑以外このうえない。しかも被災者の休養施設用として「フェリーをすぐに出して」どうのこうのと言ったら、「もうとっくにやっています、フェリーはすでに出ています」って言われていたよね。

――見当はずれなんですね。カレーを食べに行っただけ。

最近、災害が頻発しているから、素人が考えるようなことはもうとっくに検討されていて対応済みの場合が多い。だから、わざわざ俺が俺がって現地に行ってあれこれ口を出したって、「ああ、それはもう過去の事例にのっとって、こうこうこのように対応しておりますす」ってあしらわれるのがオチだよ。

トップの人間が行くとしたら、自衛隊員とか地方自治体の人たち、それにボランティアのような、現場で一生懸命に働いている人たちを慰労するためだよ。被災者を激励するのはもちろんだけど、正月から不眠不休で頑張っている人にご苦労さま、お疲れさまですと声をかける。それが本来の趣旨だよ。とくに自衛隊の人たちは大変なところへ行って過酷な任務を遂行しているわけだから、最高指揮官の首相が部下に対して「ご苦労さん」と声をかけるのは大きな意味がある。上の人にはそういう役割があるんだよ。

ちょっとレベルは落ちるけれど、私が現場の長だった時も、こういう災害復旧の時には職員は早くから現場に行って、みんな働きづめでヘトヘトになっているから、部長クラスは夜の会合に行って「ご苦労さん、ご苦労さん」って職員に声をかける。もちろん被災者に向き合えと言われてはいたけど、やはり残業で疲れ切っている部下たちを慰労することが多かったよ。

――上がやるべきことは予算をちゃんとつけること?

それはそうでしょう。すぐできるのは、予算を組んで、安心してくれということだ。予算があればいろいろ動けるからね。それと権限だね。すぐに災害復旧費の補正予算を組んで、もう大丈夫です、それで足りなかったらもう一回やりますと約束すべきだよ。

（2024年1月18日）

あとから一言

岸田文雄首相は1月24日午前の衆院予算委員会で、能登半島地震の被災地支援のため1500億円規模の支出を決めると明らかにした。2023年度予備費から充《あ》てる。23年度予備費の残りが4600億円ほどあると指摘した。

23年ぶりに代表交代！ 日本共産党の「民主集中制」って何？

——日本共産党の志位和夫委員長が23年ぶりに交代。後任に田村智子さんが女性で初の委員長になったということです。

世界の共産党の中でも23年間トップを続けるというのはあまり例がない。すごいね。でも志位さんはたぶん院政を敷《し》くと思う。

後任は田村さんだそうだけど、一時噂されていたのは小池晃さんだったんだけれどね。それが田村さんになったというのは時代を意識して女性を抜擢したのかもしれない。とはいえ、田村さんもずいぶん過激な発言をしているんだよ。

共産党内で党首の公選制導入を訴えた人がいたでしょう。公選制って選挙だよね。共産党で選挙はないよ。選挙なんかしたら共産党じゃなくなっちゃう。だから、その人は除名になってしまった。それをまた、「除名なんかしていいんですか？」と党大会で発言した人がいてね、それに対して田村さんは、「発言者の姿勢に根本的な問題がある」と言って、除名に異を唱えた党員を糾弾して、「民主集中制」の維持を明言したそうだからすごいよね。

この「民主集中制」という言葉はわかりにくくて、マスコミでも朝日、毎日、NHKのような左がかったところはほとんど使わないんだ。だって、使ったらカッコ悪いもの。「民主」なのに「集中」させるとはどういうことかというと、要するに異論を許さないってことだよ。

民主集中制でやると、こういう党代表を選ぶ時も自由に立候補できないんだ。どこかで意見をまとめて集中させる。だから民主主義じゃないんだけれどね、それでも「民主集中制」と言って、一つの意見で異論を許さないことにみんなが納得しているからいいんだというのが共産党の言い方なわけ。

だから、この「民主集中制」という言葉、覚えておくといいですよ。これは本当に民主主義ですかって聞いてみてごらん、彼らは民主主義だと言うから。香港の選挙を見ればわかる。中国共産党が立候補させないじゃない。なんとなく力関係で決まるんだよ。

要するに「民主集中制」というのは「すべて俺の言うことに従え」という意味になる。それが共産党だからね。そうでなければ23年もトップに居座り続けられるわけがないじゃない。委員長の選考過程と、委員長がどれくらい長くやっているかを見れば、独裁かどうかわかります。

プーチンも長くやるし、習近平も長くやるのと一緒なんだよ。そのように長くやるのがいいのか、不安定だけど台湾みたいに代えていくのがいいのかという話だよ。日本はコロコロ代わりすぎているかもしれないけれど、ずっと独裁で長くやるよりはまだいいんじゃないのっていうのが民主主義ですよ。

——でも、日本共産党にまだ一定数の支持者がいるのはどういうことでしょう。

そういう人が国民の数パーセントはいるんだよ。福祉が重要だとかいう言葉に騙されて入党する人が必ずいる。

共産主義国へ行くと、幹部はけっこう裕福な生活ができる。多くの人はそうではないから、貧富の差がものすごく大きくなるのだけれどね。そういうのに憧れているのかもしれない。人間みんな平等だという福祉国家や理想社会に憧れるのは若い人にはけっこう多いよね。若い時に憧れてそのままずっと共産党という人もいる。

そういう人が一定数いることは間違いない。ただ、世界の中で共産党がいまも残ってちゃんと活動している国は確か5カ国くらいしかないからね。多くの国では共産党自体が禁止されているんだけれど、日本は優しい国だから共産党は残っている。残ってはいるけれど、破防法の監視団体だよ。

――破防法の監視団体が政党としてやっていけるのはなかなかすごいことですね。

それは政党結社の自由が憲法で認めてられているからね。ただし破壊活動をするかもしれないから、ずっと監視団体のままでいるということだよ。

――そう考えると、日本はすごく自由な国ですね。

共産党は思想が過激すぎるから禁止している国もけっこうある。その点、日本共産党はもう100年以上ずっと存続していて、一応活動させてはいるのだから、日本はユルいというか優しい国だよ。

――話を聞けば聞くほど宗教団体と似ている。

似ていると言えば似ているけれど、共産党は宗教を認めていない。似た者同士というのは憎悪を抱くものだからね。

――話は戻りますが、田村智子さんが抜擢されたのは、女性のほうが受けはいいだろうみたいな考えがあったから？

本当は小池さんだったと思うよ。書記局長として、志位さんに次ぐ共産党の顔だったからね。でも世の中がそういう流れじゃないから。共産党内の動きとしてはイレギュラーかもしれないけれど。でも志位さんから見たら小池さんより田村さんのほうが扱いやすいんじゃないかな。小池さんだと自我が芽生えちゃうかもしれない。

――共産党では自我が芽生えるとダメなんですね（笑）。

それはダメでしょう。芽生えてしまったら民主集中制にならないもの。ある人の意見にみんな従わなくちゃ。そこは宗教と近いかもしれないね。まあ選挙をしてみればわかるよ。いくらここで共産党が頑張ったって、しょせん最終的には選挙で票が取れるかどうかだから。

――田村さんは参院議員ですけれど、選挙区からは出ない？

小選挙区に出てもしょうがない。たぶん比例に回るんじゃないの。そのほうが当選しやすいからね。

――衆議院より格下の感じがしませんか。

どうせ政権取れないから関係ないよ。とりあえず議員であればいいいんじゃないの。

——おかしな政党ですね。

はい、そうです。変な政党です。

（2024年1月29日）

安倍元総理の遺産「自由で開かれたインド太平洋」を封印する岸田内閣

——2023年12月17日付の産経新聞に、元内閣官房参与の谷口智彦さんの「安倍氏の『インド太平洋』を消した岸田首相」というタイトルのコラムが掲載されたのですが、それに対して「これはデマです」というコミュニティノートが付いていましたね。

そうなんだよね。この谷口さんという人は、もともと日経BPに在籍していたジャーナリストで、並の記者とは違って、私が行く少し前にプリンストン大学の客員研究員をしていた人です。それで私もけっこう前から知っていて、取材を受けたこともある。もちろんジャーナリストとしても優秀だったけれど、国際関係に精通していて、記者らしくない、むしろ学者のような活動をされている方だなと思っていた。

そうしたら途中で日経BPをやめて外務省に入って、十何年か総理大臣のスピーチライターをするようになった。安倍総理のスピーチも谷口さんが原稿を書いていました。最終的には安倍内閣の内閣官房参与だったから、一緒に働いていたこともある。

今回の産経新聞のコラムも、面白かった。安倍元総理の遺産でもある、自由で開かれたインド太平洋戦略「Free and Open Indo-Pacific Strategy（略称：ＦＯＩＰ）」が消えてなくなりつつあるという内容なんだけれど、それに対して「（ＦＯＩＰ）は消えていません。これはデマです」というコミュニティノートが付けられた。コミュニティノートで「デマです」なんて書くのはちょっとどうかと思うけどね。無料で読める書き出しの部分だけちょっと見てみましょう。

「自由で開かれたインド太平洋」という概念が、日本外交の辞書から消えた。誰かが宣言して消したのではない。岸田文雄首相や林芳正前外相、上川陽子外相らが言わなくなって、ロウソクの火が消えるごとく隠微に消えた。

代わって最近では、中身はまるで異なるけれども語感の近い言葉が流通している。そのせいか、すり替わりに気づかない人は専門家にすら少なくないようだ。

「自由で開かれた」と、枕詞（まくらことば）は同じ。続けて「国際秩序」を言うのが岸田政権流である。今年1月の国会における林氏の外交演説などに用例がある。今や首相の国会演説（10月）に「自由で開かれたインド太平洋」への言及は皆無だ。

この冒頭だけ読んでもわかるけれど、ある日突然消えたわけじゃなくて、なるべく気づかれないように「隠微に」（ひっそりと）、首相や外務大臣が「自由で開かれたインド太平洋戦略」という言葉を消して「自由で開かれた国際秩序」と言うようになったと、谷口さんは書いているんだ。これはデマじゃない。事実だよ。官邸のホームページで確認してみると、確かにそういう言い換えが行われている。

――「自由で開かれたインド太平洋」は、海洋覇権をもくろむ中国を牽制するために安倍さんが提唱した言葉ですから、菅政権でも引き続き使われていましたよね。

そうだね。これまでは「自由で開かれた国際秩序」なんて言葉は、当たり前だけれど総理どころかトップクラスの発言にもなかった。それが岸田政権になったら「インド太平洋」が「国際秩序」に徐々に置き換えられるようになったというのは谷口さんの言っているとおりだよ。

官邸のホームページを調べると、会合によって「インド太平洋」と「国際秩序」がどのように使い分けられているかが明確にわかります。日米豪印四カ国の戦略的同盟、いわゆるクワッドとそれに関係する国際会議では、「自由で開かれたインド太平洋」という言葉が変わることなく使われているけれど、それ以外のところでは実は徐々に徐々に「自由で開かれた国際秩序」なる言葉に置き換えられつつある。

谷口さんは総理のスピーチライターだった方だけに、言葉のすり替えに敏感に反応して危機感を持ったのでしょう。それで今回は、そのことをより具体的に、わかりやすくご説明しようと思います。

２０２３年12月に日本とＡＳＥＡＮの特別首脳会談が行われたのでそれを例にとると、たとえば日本テレビが報じた岸田首相の会見では「日本は自由で開かれたインド太平洋の要であるＡＳＥＡＮと共に立ち向かう」と確かに岸田さんは言っている。谷口さんのコラムを「デマだ」と指摘するコミュニティノートはこのあたりを根拠にしているんだろうね。「ほら見ろ、使われているじゃないか」と言いたいんでしょう。

だけどこの首相会見は、私に言わせれば特別首脳会談の一部を切り取ったものにすぎません。そうではなくて、この会合全体の公式の記録を見てみる必要がある。

この日本とＡＳＥＡＮ首脳の会合は12月16日に行われた岸田総理夫妻主催の晩餐会から

始まる。その冒頭の首相挨拶が官邸のホームページに載っていたから読んでみると、ここでは岸田さんは「自由で開かれた国際秩序」という言葉を使っている。それを左に引いてみましょう。

「日本とASEANが変わらず追い求めてきたものは平和と繁栄です。より良い経済・社会が共創され、広がることで、法の支配に基づく自由で開かれた国際秩序がより確固たるものとなります。インド太平洋地域の平和と繁栄、そして、人間の尊厳が守られる世界を共に創ってまいりましょう」

これは総理の言葉としてはおかしいよね。そもそも「自由で開かれたインド太平洋」というのは安倍さんが世界に広めた日本発の国際概念で、欧米も全くその通りだと賛同した表現です。インドと太平洋を「自由で開かれた」と言ったのが重要なポイントなんだよ。地図上でインドと太平洋をグルッと囲んでごらん。これは、はっきり言えば中国包囲網ということだよ。だから欧米のリーダーたちも安倍さんのこの言葉に飛びついたんだ。

逆に言えば、この言葉を嫌がって使いたがらない、別の言葉に置き換えようという人は、中国包囲網ということをあまり世界に向かって言いたくない、世界に広めたくない人たちだということになる。

――じゃあ完全にそっち側の人ですね。

その通りだよ。実は現在のアメリカインド太平洋軍も、かつてはアジア太平洋軍という名前だったのを、安倍さんの話を受けて改称した。そのくらい欧米人に受け入れられた言葉なんだよ。日本発の概念なんだけれど、「おお、いい言葉じゃないか」というのでアメリカ国務省なんかがパクってどんどん使い始めた。

一方、中国としては面白くない。実はASEANというのはけっこう微妙な組織でね、はっきり言うと中国の息のかかった国もずいぶん多いんだよ。だからその会合でどういう言葉を使うかというのは大きなポイントになる。

ところが、最初の晩餐会で「自由で開かれた国際秩序」という言葉を使ってしまった。各国の首脳は、「ああ、これは主催国なのに肚がすわっていない、腰が引けている」と見抜いたはずだよ。これがその後の議論にずいぶん影響をおよぼしたと私は踏んでいます。

ここから先は水面下の話もあっただろうからはっきりしたことは言えないんだけれど、それでもこの手の国際会議では、あくまで最終的に出てきた共同声明というのが全てなんですよ。そこで、「日本ASEAN友好協力に関する共同ビジョン・ステートメント 信頼のパートナー」と題された共同声明を読むと、これがまたガックリするようなしろものなんだ。

「2020年のインド太平洋に関するASEANアウトルック（AOIP）協力についての第23回日ASEAN首脳会議共同声明及び2023年の日ASEAN包括的戦略的パートナーシップ立ち上げに係る共同声明を想起し、AOIP及び日本の自由で開かれたインド太平洋（FOIP）ビジョンの双方が、地域の平和、安定 及び繁栄を促進する上で、関連する本質的な原則を共有していることを認識し」

これが冒頭から数行後の文章なんだけれど、太字にしたところを見てもらうと、「インド太平に関するアウトルック（AOIP）」という言葉になっていますね。「アウトルック」というのは「展望」とか「見解」とかいう意味です。それが最初に出てきて、その後に「日本の自由で開かれたインド太平洋（FOIP）」という言葉が出てくる。AOIPのほうは「自由で開かれた」とは書いてないんです。だから同じ「インド太平洋」と言っても、「AOIP」と「FOIP」とは全く似て非なるものなんだよね。

だから最初の「AOIP」というのは、はっきり言えば「自由で開かれた」という言葉がお気に召さない中華さんに配慮した概念というわけだ。そして肝心の「自由で開かれたインド太平洋（FOIP）」にはわざわざ「日本の」なんて言葉が付け加えられている。つまり、これは「自由で開かれた」なんて日本が言っているだけで、ＡＳＥＡＮの総意ではありませんよ、という意味なんだね。

さらに、もう少し後のほうには、こんなふうに書かれています。

「我々のビジョンは、国連憲章等にうたわれ、かつ、ＡＯＩＰ等により支持される共通の原則及び価値が保障され」

ここまで来ると、もう「ＡＯＩＰ等」になっていて、「ＦＯＩＰ」なんか「等」に含まれて消えてしまっている。メインはあくまでＡＯＩＰで、ＦＯＩＰは〝その他〟扱いです。だから外交的には、日本はすでに負けているんだよ。外務省でもそれがわかるから言葉が変わってきているんだ。

こういう国際会議の共同声明からはいろいろなことが読み取れるんです。書こうと思えば、「自由で開かれたインド太平洋（ＦＯＩＰ）」という言葉だけで美しい文章は書けるはずだよ。それを、「自由で開かれた」の部分を外して、ＡＳＥＡＮアウトルック（ＡＯ）なんてわけのわからない言葉に置き換えたということは、あの中華さんがＡＳＥＡＮ各国首脳に「自由で開かれた」なんて言葉を使うなと指示を出したとしか考えられない。日本はそれに屈しているというように私には見えます。

――晩餐会の冒頭で岸田さんが「自由で開かれた国際秩序」なんて口にしたことからして、すでに負けているとも言えるのではありませんか。

初めから戦意を喪失しているよね。岸田さんは主催国のリーダーなんだから、あそこで「自由で開かれたインド太平洋」戦略で行くんだと断固たる意志を示していれば少しは違ったかもしれないけれどね。初めっから中華さんに気を遣っていると、各国首脳も、あ、これはもう日本は弱気だなってみんな足元を見るからね。谷口さんはおそらくそういうことが言いたかったんだと私は思うよ。

元同僚だから肩を持つわけではないけれど、ただ単に言葉がまだあるかどうかなんてレベルの話とは違うんだよね。ASEANの舞台裏というのが、そういう言葉の使い方や共同声明の文章から見えてくるんです。だから「この言葉は消えてないぞ、これはデマだ」なんてコミュニティノートは本当にレベルが低い。コミュニティノートを書くにしても、もう少し勉強していただかないとね。表面だけ見てこれは違うとか短絡的にものを言ってはいけないよ。

だから、日本テレビが岸田首相の「日本は自由で開かれたインド太平洋の要であるASEANと共に立ち向かう」と記者会見での発言を切り取ってみせたのは、首脳会談全体から見れば、誤解を招くものでしかない。おそらく外務省のブリーフィングをそのまま報道したんだと私は思うけどね。本来ならテレビのコメンテーターが共同声明の内容を真剣に読んで解説すべきなんだよ。

谷口さんの指摘は鋭いところを突いているから、反響も大きい。ここから先は邪推だけれど、有能な元外務省参事官であり内閣官房参与だった谷口さんの発言に、外務省は焦っているんじゃないかな。それをデマだなんていうコミュニティノートや、それを信じてネットで拡散するようなレベルの低い人たちに対しては、コメントをする気にもならないね。

（２０２３年12月21日）

財務省と親中派はドリル優子の「推し活」に夢中

――毎日新聞に「『小渕優子氏を日本の先頭に』首相側近木原官房副長官が期待」という見出しの記事で出ていたんですけど。

へえ、どんなことが書いてあったの。

――木原誠二さんが、前橋市の小渕優子さんのパーティーで、40代50代の各国首脳を列挙

した上で、「そろそろ若い力が日本を守る時期に来ており、その先頭に立つのが小渕さんだ。後ろからしっかり支えたい」と述べたそうです。

前橋は群馬県だから、小渕さんの地元だね。小渕さんといえば、「ドリル優子」って言われているのを知ってる？　昔、政治資金関係の違反をしてね、データがハードディスクに入っていたから証拠隠滅のためにドリルでパソコンを破壊した、それ以来、ドリル優子って言われている、と(笑)。でもそれは事実ではないらしいけどね。

それはともかく、首相側近の木原さんが小渕さんをそんなふうに持ち上げているのは面白いね。その意味を読み解く鍵はいくつかある。まず、木原さんと小渕さんが中心になって始めた超党派議連があって、それが「日本社会と民主主義の持続可能性を考える超党派会議」というんだ。

これが実は令和国民会議、通称令和臨調という民間団体と連動している。この団体は日本生産性本部会長の茂木友三郎会長らが中心になって２０２２年６月に発足したもので、事務局も日本生産性本部にある。その設立の主旨が、議連の名称にもなっている「日本社会と民主主義の持続可能性」を実現することなんだそうだ。この団体が２０２３年４月に開いた「令和臨調のつどい」という会で、小渕さんたちの超党派議連もお披露目されている。

なぜ超党派の議連と民間の有識者会議がリンクしているのか。こういう場合は誰かが仕掛けているものなんだよ。

——誰かが仕掛けている、というと……。

財務省だよ。「日本社会と民主主義の持続可能性」と聞いただけでピンとくる。「持続可能性」というのは財務省が大好きな言葉です。しょっちゅう「財政の持続可能性」って言っている。メンツを見てもわかるけれど、令和臨調の主張は反アベノミクス、財政再建。つまり財務省の応援団なんだよ。

私も役人の時にやったことがある。財務省が根回しして民間の組織と超党派の議連を立ち上げて応援を頼む。財政再建キャンペーンでよくやる手だよ。日本生産性本部はよく利用させてもらった。

小渕優子さんを超党派議連のトップに立てて、木原さんが事務方の幹事をやっている。超党派というのがミソだよ。小渕優子さんは茂木派だから、茂木さんから遠ざけたいということじゃないかな。おそらく岸田さんの意図でしょうね。そうやって小渕さんを「日本の先頭に立てて支えていこう」というのが財務省のシナリオだよ。

それともう一つ、小渕優子さんはドリルだけじゃなくて実は「親中」としても有名なんだ。

もう20年以上前のことだけれど、小渕さんのお父さんの当時の小渕恵三首相が「日中緑化交流基金」の設立を提唱して、100億円を注ぎ込んで中国の緑化・植林事業を始めた。それに対して中国は、急死した小渕前首相の娘である小渕優子さんをはじめ、自民党の野中広務さん、古賀誠さん、当時保守党の幹事長だった二階俊博さん、公明党の太田昭宏さんを表彰している。親中の権化みたいな人たちばかりだよ。当然、小渕優子さんの後ろには親中派がゾロゾロいる。

親中派と財務省、民間の令和臨調と超党派議連が一体となって動いている。その動きの一つが前橋市のパーティーでの木原さんの発言ですよ。

――どうして財務省が親中派と手を組むんですか。

財務省の主張する財政再建は親中派と親和性があるんだ。経済優先主義は中国優先ということでもある。それが令和臨調と小渕さんの超党派議連になって表に出たんだよ。岸田さんの派閥である宏池会も、もともと財務省とは深い関係にあるから親中になりがちなんだ。これらのことはそれぞれまったく別の現象に見えるかもしれないけれど、私にはすべて根は一つのように思えるよ。

――中国経済に翳《かげ》りが見えてきても、宏池会は親中から抜け出せない？

これまでずっとお付き合いしてきて、どっぷり浸かっているからね、いまさら無理だろうね。しょせんヤクザの世界ですから。

小渕さんも次世代の政治家のような顔をしているけれど、親中経済主義と財政再建主義にからめとられているのが、今回のようにパーティーの席上なんかで露《あら》わになる。だからこういう記事が出た時に深掘りしてみると、いろいろなことがわかってくるんだよ。

――毎日の記事によると、亡くなった青木幹雄元官房長官の長男、一彦さんや山本一太県知事も激励しているそうです。

山本さんは地元群馬県の知事だから、前橋市で開かれたパーティーに出席するのは不思議じゃない。青木さんは超党派議連のメンバーではあるけれど、よくわからないのになんとなく会員になっている人もいるからね。議連というのはそういうものだよ。

――お父さんの小渕元首相と親密だった青木元官房長官は、小渕さんの後ろ盾だったんですか。

どこまで面倒を見ていたかはわからない。ただ、ドリル優子さんは見た目もいいんだよ。もしかしたら大化けするかもしれないから、いろいろな人が担《かつ》ごうとしている。それで財務省も、木原さんを利用してこういう仕掛けをしたんだよ。

──木原さんは財務省の意向で動いている？

そのほうが有利だと彼は思っているんでしょう。彼も宏池会で、もともとは財務官僚だからね。岸田政権だと財務省も動きやすいし、岸田さんにしても総裁選のライバルになりそうな茂木さんを潰してくれるのなら別に文句はない。

小渕優子さんの地元でのパーティーというと一見、単純で小さなニュースのように思えるけれど、裏ではいろんなものがうごめいているんだよ。

（2023年6月28日）

高市早苗が動き、保守党の街宣に大群衆。なるか岩盤保守層の反撃

──高市早苗氏が勉強会発足へ。総裁選へ支持固めというニュースが。

私も思わずXにポストしてしまったけれど、何というタイミングですか。関係者によると、勉強会はずっと前から企画していて、たまたま今になったというけれど、政治家はそうは見ないよな。これは定めだよ。この番組でも言ったけれど、財務省が岸田内閣のハシゴを外した今のタイミングは、もう党内政局なんだよ。2024年9月の総裁選までにい

ろんな話が出てくる、その一環だよね。青山繁晴さんも総裁選に立つと言ったわけだから。

自民党内で言うと、総裁選に出るにはまず推薦人を20人集める必要がある。自分を含めて21人だけど、これがまず大変。そこが大きなハードルなんだけど、安倍さんが後ろにいたとはいえ、彼女は1回総裁選に出た実績があるから、20人はクリアできる。そうすると、高市さんはこの勉強会、「総裁選とはまったく関係ありません」なんてみんな否定しているけれど、関係ありませんと言えば言うほど、誰もが疑心暗鬼になる。

内情を言うと、自民党内はいま大変で、この高市さんの勉強会潰しの動きも起っている。それは怒りますよ。「いま岸田さんがこんなに苦しい時に何なんだ」って言い方をしているんだけどね。

でも、保守系ということでは、作家の百田尚樹さんと有本香さんが立ち上げた日本保守党が、いまものすごい勢いなんだよね。2023年の11月11日、土曜日の夕方に大阪・梅田の「うめきた」というところで街頭演説をやったら、人が集まり過ぎてしまって、警察の要請で演説会が中止になる騒ぎがあった。演説が始まって10分後には複数のパトカーと消防車が出動したというから、けっこう危険な状態だったのかもしれない。

当然、これについての見方もいろいろあって、アンチの人からしたら、大勢の人が周辺を占拠したのは迷惑だからボロクソに言うに決まっている。一方、そうでない人から見たら、これだけ予想以上の人が集まったのはすごいじゃないかということになる。

ファクトだけを言うと、主催者と警察の予想をはるかに上回る人が集まったということに尽きる。主催者のほうは謝るしかないけれど、余裕しゃくしゃくでしょう。一方、そんなに大勢の人を集めたことのないアンチの側は悔しくてしょうがない。これに関する記事や論評を読むと、よくわかる。

——警察に届けて道路使用許可はもらっているから、これはしかたがない。

どれだけ来るかなんて予想がつかないからね。でも主催者にしてみれば、予想以上に集まったことに手応えを感じていると思うよ。けが人もでなかったそうだから、それはそれでよかったということでしょう。事故が起きたら主催者側の負けだけれど、けが人さえ出なければ、人を集めたという事実しか残らない。だからこそ、アンチは悔しい。政治家なら、人を集めるのがどんなに大変なことかよくわかっているからね。

自民党の中にも、自分たちが情けないから保守党のほうに人が行ってしまうんだろうと考える人はいるはずだよ。岸田政権から離れてしまった、いわゆる岩盤保守層を、日本保守党はうまくつかまえているということでしょう。いま年間6000円の党費で6万人も党員が集まっているそうです。これはすごいことだよ。それだけで4億近くいっていることになる。こんなこと、並の政治家にはできないよ。ちょっとやそっとでできることじゃない。

――百田さんや有本さんの個人的人気だけでなく、こういう党を待ち望んでいた有権者が多かったということですね。

政治って、最後は数だからね。数を持っている人が勝ちですよ。あれこれ負け惜しみを言う人もいるかもしれないけれど、だったら「やってみ？」だよ。どれだけ人を集められますかという話だよ。

だからこそ、自民党にとってもこれはすごいプレッシャーになる。高市さんのことも、日本保守党とはまったく関係なくセッティングされたものだけれど、見ている人は、こういうのをぜんぶ関連付けてことを起こすんだ。

実際、歴史とかはものごとは連動して起こっているかのように見えるものなんだよ。タイミングが重なるときは重なる。逆に言えば、何も起こらない時はタイミングが重なっても何ごともなく終わるんだけれどね。

（2023年11月15日）

第2章

国内経済編

日本経済の復調を阻害する輩

日本のGDPがドイツに追い抜かれたおバカな理由

――日本のGDPが世界4位に転落、55年ぶりにドイツを下回るというニュースは、ちょっとショックでした。ドイツに追い抜かれた原因は何でしょう。

この30年間、デフレが続いて給料が上がらなかった結果ですね。20年以上も給料が上がらないと、さすがに苦しい。とくに、1990年から2010年末まではほぼ横ばいだったからね。それ以降はアベノミクスで少し上がったけれど、なかなか追いつかなかった。でも、円安が続けばGDPは上がる。これを耐え忍んでいれば給料が上がっていくから、為替もだんだん持ち直していく。日本の人口はドイツより多いから、一人当たりの給料が伸びていけば、いずれまた3位に戻る可能性は十分あると思うよ。ドイツはこれから経済が厳しいからね。

ドイツに抜かれたのは為替レートのせいと言う人もいるけれど、でも、それは関係ない。理由は単純と言えば単純で、世界各国の名目GDPの推移を見れば明らかです。

G7の名目GDPの推移をグラフで見ると、1990年を1としたら、日本はほぼ1の

各国名目GDPの推移（1990=1）

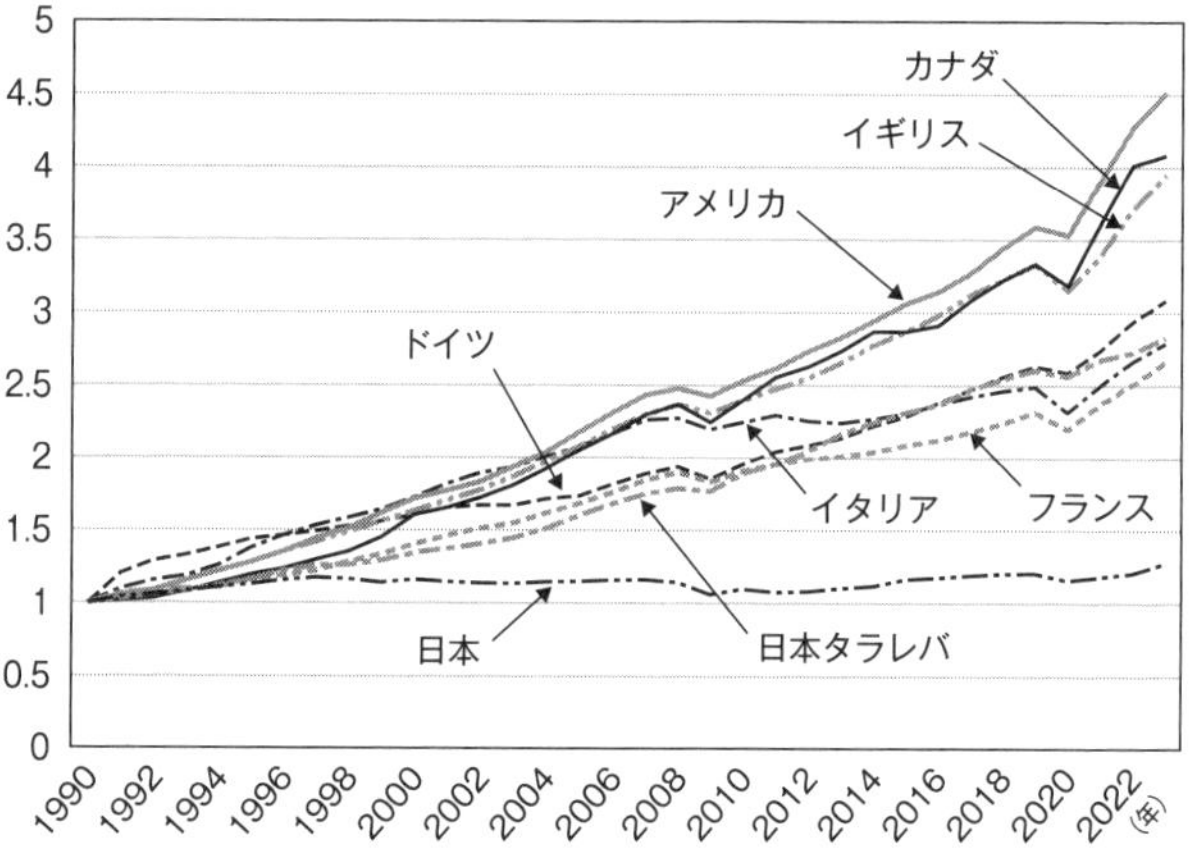

（資料）IMF。ただし、日本タラレバはデフレがなくて、まともな社会的割引率であった場合の筆者試算

まま。アメリカとカナダとUK（イギリス）は3～4倍のレベルになっている。ドイツとイタリアとフランスはほぼ2・5倍。これだけ見れば、ドイツに抜かれるのは当然だよね、という話になる。

ただし、こういう時はいろいろな原因を考えて、それを考慮して数字を補正して再計算してみるといい。日本の場合、もしもデフレがなかったらどうだったか、ものすごく少ない政府投資が普通に行われていたらどうだったか。この2点から再計算してみたのがグラフの「日本タラレバ」です。本当に「タラレバ」なんだけれど、そうすると、日本の名目GDPは3倍になっていたはずなんだよ。

政府投資は「社会的割引率」と密接な関係にある。社会的割引率というのは政府内の金利と考えてもらっていい。金利が下がっている時は投資が伸びるでしょう。だけど、社会的割引率（金利）を高めに設定すると投資が落ち込む。その単純明快なメカニズムが、失われた30年のうちの20年を支配していたんです。

社会的割引率が4％というとんでもなく高い数字に設定されていて、普通の金利が1％になってもそれは変わらなかった。だから、政府投資は伸びず、それにデフレが加わった。日本のＧＤＰがずっと横ばいを続けたのは、この二つが大きな要因だったと私は思います。それさえなければ、タラレバで日本も3倍くらいにはなっていた。

デフレの話で言うと、アベノミクス以前の物価指数はマイナス1％だった。それがアベノミクスでプラス0・6％くらいになったから、1・6％の上昇です。消費増税とコロナがなければ2くらいにはできたと正直、思っている。それがちょっと残念ですね。

ところが、社会的割引率はまだ4％のまま。だからインフラ整備とかの公共投資が行われず、それに付随する民間投資も全然増えない。これが日本経済の足を引っ張っている。

――4％という数字はどこから？　そのまま変わらないのはなぜですか。

4％と決めたのは20年前。その時の金利が4％だったから同じにしたんです。ただ、「これは金利に応じて適宜見直すものとする」という注釈を付けたのに、その後、見直されることはなかった。それは、4％のままなら公共投資は増えないから、財務省と国交省にとって好都合だったからだとしか私には思えない。

民主党政権が誕生した時、「コンクリートから人へ」なんてきれいごとを言って大騒ぎしたでしょ。そういう軽薄な政治勢力に財務省も乗っかった。その後、安倍政権になって、これは酷いなと思ったから、安倍さんに見直しを提言したんだけれど、国交大臣が公明党だから政治的な苦労があった。事務方として何度も交渉したんだけれど、そのたびに国交大臣は「高橋さんのおっしゃる通りです。すぐ見直します」と口では言いながら、ずっと無視され続けた。

岸田政権になってから、ついに「4％を変える気はありません」という本音をむき出しにした報告書が出ました。それが「公共事業評価手法研究委員会（令和5年6月22日）における議論」です。

「過去との比較・継続性の観点から社会的割引率を4％として維持することは妥当」「制度策定から20年経ち、4％が固定観念化してしまったことが問題」……と言いつつ直さない。20年間やりあった最終的な答えがこれ。

――どういうことですか？

直したくないってことだよ。社会的割引率を下げると公共投資が2倍3倍に膨れ上がる。それでいいじゃないかという私のような人と、国債が2倍3倍に膨らむのは嫌だという勢力との争いなんだよ。

――国債が増えるのが嫌なんですか。

公共投資は国債でやるから。国債を増やして公共投資をするのがいいか、国債を抑えていまのまま公共投資を少なくしたいかという争いなんだ。私に言わせれば、公共投資が抑えられたために災害復旧がものすごく遅れて、それが経済にも悪影響を及ぼしています。

――この「公共事業評価手法研究委員会」の報告書は、ずっと4％でいくという宣言？

そうでしょう。反対勢力が声を上げないとね。安倍政権の時にはこんな答えは出させないように頑張っていた。国債発行に反対する人は、何かといえば国の借金が1286兆円もあるって言うけれど、私が何度も言っているように、国債が問題じゃなくて、要は資産と負債とのバランスなんです。これについてはIMF（国際通貨基金）が毎年数字を出してくれている。それがパブリック・セクター・バランスシート（各国統合政府のバランスシート）という左のグラフです。

各国統合政府のバランスシート、純資産の推移（対GDP比、%）

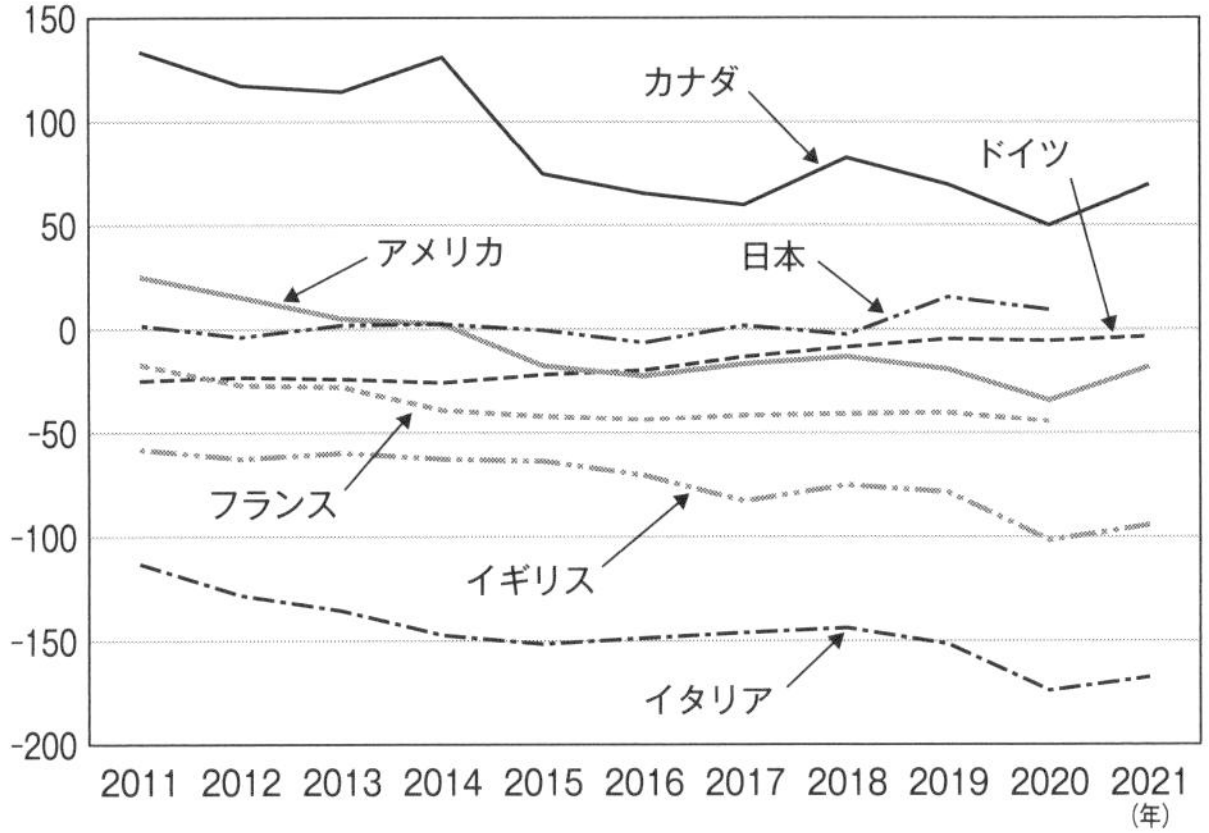

（資料）IMF Public Sector Balance Sheet Database

Ｎｅｔ Ｗｏｒｔｈというのは純資産。つまり資産と負債の差額をＧＤＰ比で出してみると、純資産がいちばん多いのがカナダ。そしてその次はなんと日本なんです。実は日本はＧ７で２番目に資産を持っている。

だから「日本は多額の借金を抱えている」と騒いでいる人は、この数字を隠したくてしょうがない。財務省も、儲かっているのがバレるから、統計を出すなとＩＭＦに何度も掛け合っている。ＩＭＦがこの統計を出すようになってから５年経つけれど、さすがに財務省を相手にしていない。そりゃそうでしょ、ファクトは変えられないよ。

――でもＩＭＦは、日銀に対して段階的に政策金利を上げろと言っていましたが？

あれはＩＭＦ協定第4条に基づいて加盟国の経済情勢を審査するという政治的な協議の結果で、パブリック・セクター・バランスシートのような技術的なものとは別なんだよ。私も4条審査に出たことがあって、財務省、日銀、内閣府の役人がＩＭＦの人といろいろ話をするんだけれど、ＩＭＦのカウンターパートとして日本人もいるんだよ。

――それは日本からの出向ですか。

出向ですね。外国人に向けて一応、英語でやるけれど、お互いに財務省とかの人だから、それは財務省の言いなりだよ。ところが、パブリック・セクター・バランスシートは技術的な分野で外国人ばかりだから、ここは財務省がいくら言い分を通そうとしても無理なんだ。

そういうアホなことばかりやって、まともな経済運営をしてこなかったからＧＤＰも横ばいのままだった。平成の時代だけに「平らに成る」という皮肉だね。

とはいえ、ドイツが日本を追い抜いたのには、特殊な事情もある。実は、ＥＵの中で、ドイツだけ圧倒的なアドバンテージがあるんだ。そのことは、ノーベル経済学賞を受賞したロバート・マンデルが提唱した「最適通貨圏理論」で説明できる。

ＥＵ加盟国のほとんどはユーロという同じ通貨を使っているよね。すると経済力によって、すごく有利になる国と不利になる国とが出てくる。ドイツのような経済力のある中心国が有利になって、経済力の弱い周辺国は不利なんだ。だからイギリスとかスウェーデンのように賢い国はEUには加盟してもユーロには参加しなかった。

なぜかと言うと、違う通貨を使っていれば、ドイツのほうが為替は強くなるから、もう少し輸出が落ちるはずなんです。逆に周辺国のほうは通貨が弱いぶん輸出が伸びて、もう少し経済が発展していたはずなのに、同じユーロだからそうはならなかった。つまり、ギリシャとかスペインのような周辺国の犠牲の上にドイツは儲けているんだ。

言い換えれば、同じ通貨圏の他の国から富を奪うことによって90年代以降のドイツは順風満帆で経済成長を続けている。すべてがドイツの実力によるものではないとも言えるんだ。こうしたGDPに関する記事を読む時には、そういう事情を理解しておいたほうがいい。日本経済が不調なだけじゃなくて、ドイツは下駄をはかせてもらっていることをね。

――日本はこれから給料が上がっていく方向にあるのですか。

デフレを脱却しているから、もう少し経済対策をうまくやれば間違いなく失業が減って、有効求人倍率が改善される。そうすれば給料は間違いなく上がるのだけどね。その最後の一押しが岸田さんはちょっと足りないかもしれないな。

――あと一押しというより、円安とインフレを是正しろという論調が多いようです。

それは逆だよ。インフレは、それが給料に反映すればいいわけだし、円安のおかげで海外で儲けさせてもらえるんだから。

外為で30兆円以上も儲かって日本政府は大喜びしている。その一方で、民間では損している人もいる。だから、日本国全体を考えれば、政府の儲けをすべて吐き出すべきなんだ。

（2024年2月22日）

なりすましにご注意！　本当のタカハシ流株式講座

――髙橋さんの名前を騙《かた》って投資勧誘をしていたなりすましの件について、髙橋さんがまたXにポストしていましたが。

それは、株式の話でLINEとかにフェイク動画を出して、リンクを貼ってそこに誘導していくパターンなんだけどね。そういうことがあったので私もネットで株式の話がしづらくなったのは事実です。

でも、逆に言うと私が株式の話をしないから誘導サイトができちゃうのかなって、そう思い始めてきたので、この際、ちょっと話してみることにします。だけど私はリンクを貼って誘導して、そこから小金を稼ぐようなことはしません。変なサイトに行かないように、正々堂々と無料でしゃべりますよ。

ただし私のポリシーとして個別株の話はしません。日経平均とか全体の話だけにします。そのうえでお話しします。

よく聞かれるのが、最近の株の上がり方はどうですかということです。株高と言われていますが、何のことはない、株価がやっと30年前と同じになったというだけで、これはひどい話ですよ。なんでいままで下がりっぱなしだったのかということです。私になりすましてリンクを飛ばしている人と私の分析方法とはまったく違うから、敢えて言っておくと、私は理論株価を計算して、それと現在の株価を比較するというやり方をするんですよ。理論株価なんて、私のなりすましには絶対計算できないからね。

細かい話をすると、配当とか利益から株価はだいたい推計できる。何で株式を持つのかというと、配当がほしいからでしょう。配当の伸び率がどのくらいかという話だと、利益の伸び率をずっと将来まで足し算して割り戻すと理論株価は出るんですよ。これはちゃんとしたファイナンスの本に書いてあるけれど、企業の成長率、最初の利益、それに金利で

理論株価の計算式

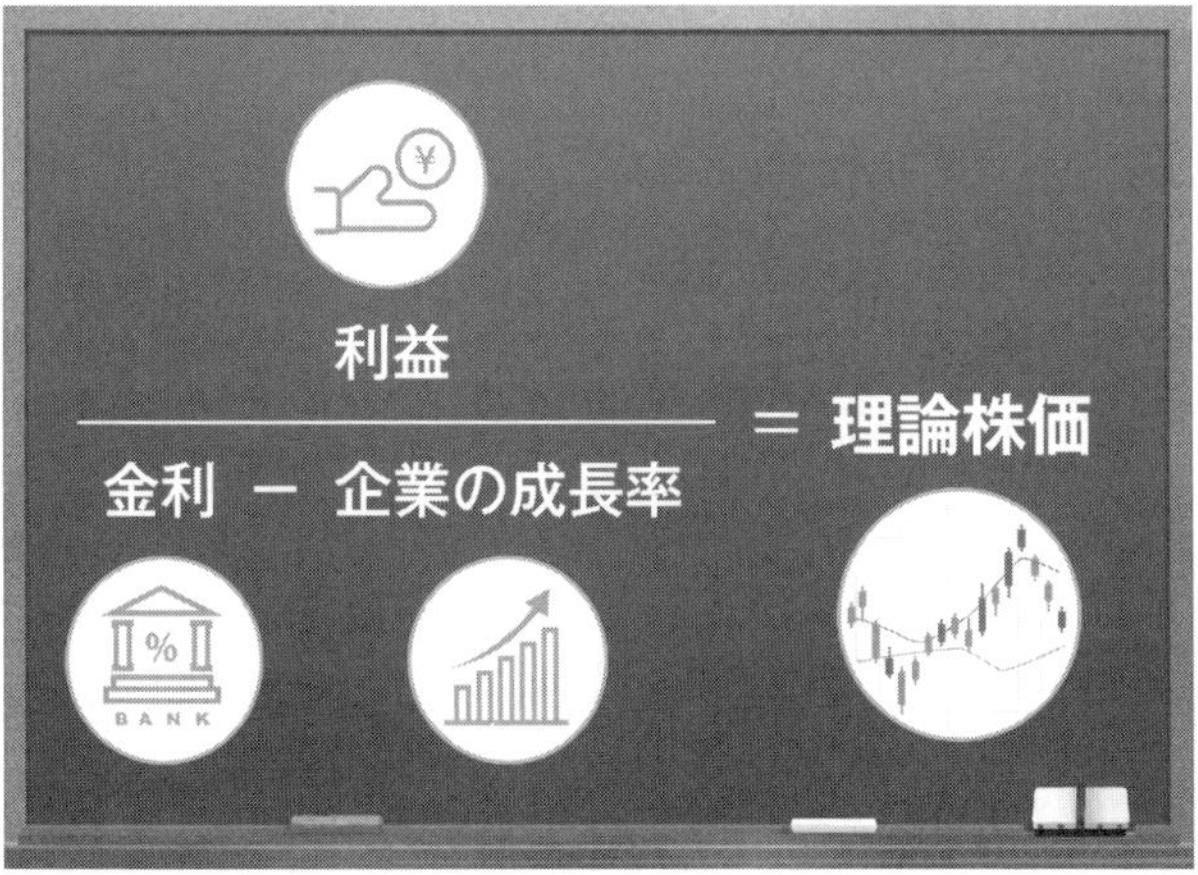

決まる。

金利から企業の成長率を引いた数字で、最初の利益を割ると理論株価は出てくるんです。

——へーえ。

これを「へーえ」と思う人は、高校の時に等比級数をちゃんと勉強していない人です。分子に初項が出て、分母には等比級数の比が出てくる。

——全然覚えてないです。

高校で等比級数をちゃんとやっているとササッと出てくるんだけどね、この式で理論的な日経平均をザクッと計算できる。グラフを作ったからちょっと見てください。

1980年くらいまでは理論株価通り

日経平均と理論株価の推移

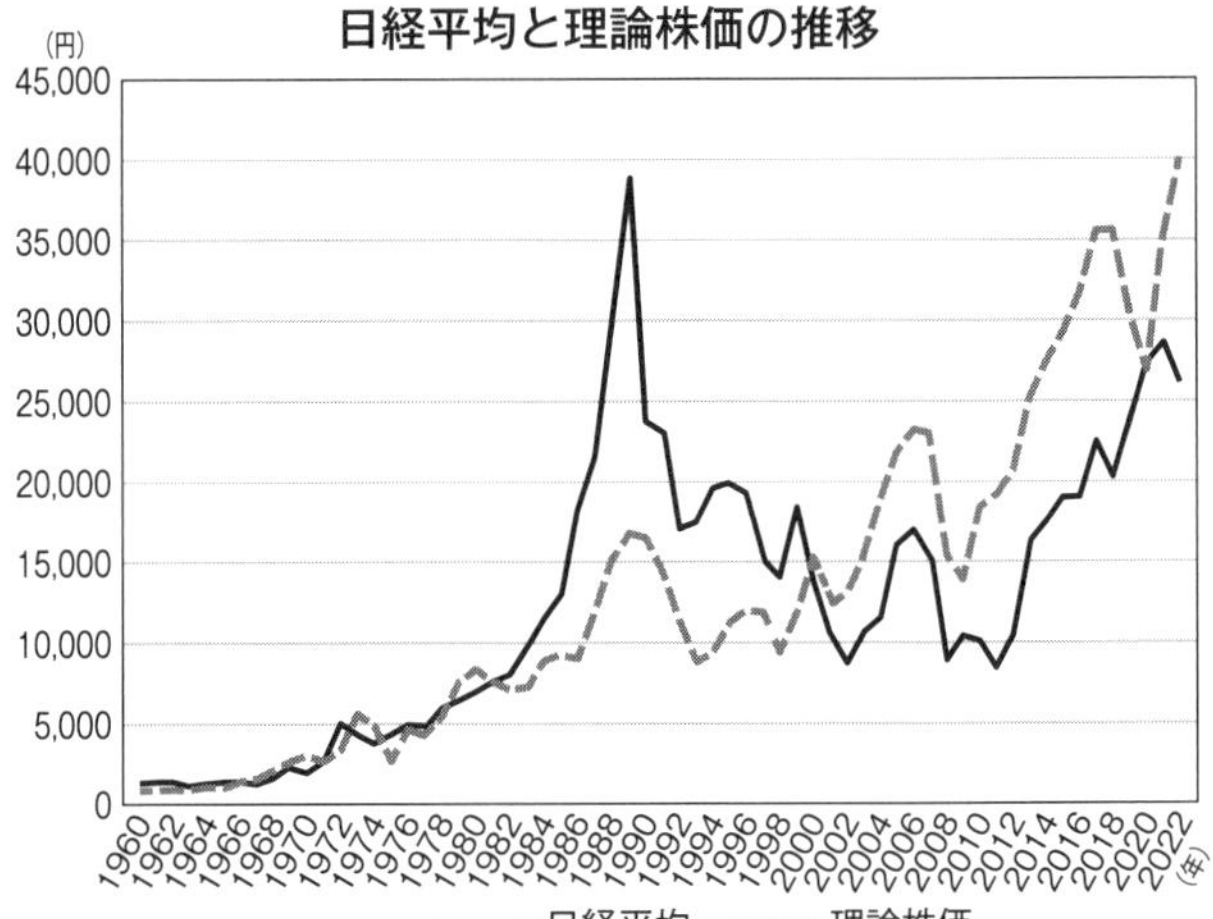

(注)理論株価は筆者の試算

だったけれど、1980年から90年は理論株価より実際の株価がずっと上になっていて、これがバブルですよ。理論株価をかなり上回っていて2倍くらいになっている。その後にバブルの崩壊があって、実際の株価が理論株価よりはるかに下がって、だいたい2000年くらいで調整は終わったんだけど、勢いがついてしまって、民主党政権時代の2010年から12、13年くらいまで、実際の株価のほうは理論株価よりはるかに下回った状況でした。それから以降、アベノミクスでギューーッと上がって2020年で調整は終わったのだけど、岸田政権でアベノミクスが続いているから、本来あるべき株価よりもっと高くなっていた。いま理論株価は4万円近いはずなんだけれど、岸田さんは経済政策の最後の一押しが足りないから実際の株価は低迷していた。いま実際の株価が理論株価に向かっていると考えると、この上がり方はけっこう合理的になるんですよ。

もちろんこれを見ても理論株価とピッタリいくかどうかはわからなくて、行き過ぎている場合もあるしいろいろだけど、ただ一つの見方として私はアベノミクスの時に、いまは理論株価がこのくらいですからこのへんまで上がりますよと言ったことがあります。その分析はそれほど間違ってはいないわけ。それから見るといまはもう少し上がっても不思議ではないという状況であります。理論株価が計算できない人は絶対こういう説明はできない。

――理論株価が今後下がったり上がったりする要因は?

利益状況が下がると理論株価も下がる。それから、金利が上がると分母が大きくなるからちょっと下がるよね。あとは成長率が下がるようなことになると分母が小さくなるから株価に影響があるよね。成長率が高いほうが理論株価は高くなるんだよ。

――そうすると金融政策が大事になる?

金融政策と企業の成長率が関係する。企業の成長率が上がると「金利マイナス成長率」の分母が小さくなって株価は大きくなる。金融政策で金利が上がると、金利のほうが大ききくなって分母が大きくなるので株価は下がる。

——そうすると、必要な政策としては？

株価を上げることだけ考えたら、企業の成長率を高めて金利を下げるということに尽きます。

——企業の成長率を高めるには？

規制緩和をして、これまでできなかったことをできるようにすると企業の成長率がグッと高まる。規制緩和で企業の成長率を高めて金融政策で金利を下げると株価は上がりやすい。

——髙橋さんの言う規制緩和は、何でもいいからまずやるということですか。

何をやっていいかわからない時には関係業界に要望を聞けばわかる。それで規制が合理的かどうかを判断して規制緩和をしてあげるとその産業の成長率は高まるからね。

——各省庁でいくつずつ出しなさいみたいに指示すれば出てくる？

山ほど出てくるよ。こっちが選んでやるよりは業界の人に聞いたほうが話は簡単だからね、聞けばたくさん出てくる。

——そういうことをやりそうな空気は？

岸田さんはないな。むしろ逆の話をしちゃっているから、本来はもう少し高くなってしかるべきなんだけど、株価はちょっと出遅れた感じかな。だからそれを取り戻そうとしていま株価が上がっている感じに見える。

——先々この理論株価が下がる可能性もあるということですか。

あるかもしれないね。金融政策で金利を上げて、規制で企業をがんじがらめにして成長率が下がると理論株価は下がるわけだから。

私は株についてはこういうふうにタダで理論的に語りますから、お金を払って非論理的な講釈を聞くよりはずっといいと思いますよ。

——なりすましのXはすごいですね。髙橋さんと同じアイコンを使って、「私は全力でサポートし、週間利益率が10%から30%になる銘柄を無料でおすすめします。以下のリンクから申請してください」って、これは完全な詐欺ですね。

本当だよ。私はお金なんて取らずに理論的な話をして、投資判断は投資家それぞれの自己責任に委ねますから。

——皆さん、なりすましにはくれぐれもお気をつけください。

（2024年1月25日）

30年もかかった株価最高値で大騒ぎする方がおかしい

――日経平均株価がバブル期以来の3万5000円回復。株価が絶好調なんですが。

バブル期以来って、これ30年ぶりぐらいの話でしょ。それをすごいって言うより、30年間ずっとそれ以下だったほうがおかしいんだよ。

――30年前にやっと戻ったということですか。

ひどい話だよ。30年間何も進歩がなかったということだから。喜ぶような話じゃない。この間の世界では、普通の政策をとっていれば株価は上がったんだから、日本が普通じゃなかったということですよ。

どうしてこんなひどいことになったかという話で言わせてもらうと、アメリカでいろんな国から集まってきた人たちとバブルの研究をしたことがあるんだけれど、日本の場合、明らかなのは、バブルは間違っていたからその後は引き締めをするのが正しいと思い込んだ。それが最大の失敗だった。

バブルなんて別に大した話じゃない。いろいろな国でいくらでもあったことだよ。日本のバブル期の経済パフォーマンスを見ると、失業率が低くて、インフレ率も2・9か3％くらいだったから全然悪くない。**なぜこれくらいで引き締めるんですかといろんな国の人に聞かれてね、「いや、ちょっととち狂って、バブルは悪いとみんな思い込んじゃったんじゃないですか」としか答えようがなかったよ。**

だから日本のバブルなんて世界的に見れば大したことはなかった。それなのに財政政策、金融政策ともに引き締めを猛烈にやりすぎてしまったのが失敗だった。

それで「財政状況もそんなに悪くないし、金融だって別に引き締めることはないのだから」というのでやったのがアベノミクスなんだよ。アベノミクスをやっている限り株価は上がると私は思っていた。現に上がったんだけれど、その後に民主党が決めていた消費増税がガツンときて、強烈パンチを食らった。

いくらかでもダメージを減らそうとして、安倍さんが実施時期を少しずらしたけれど、二度目の増税がある。たまらないよね。戦艦大和が魚雷を2発食らったようなものだからね、本当にヘトヘトになったけれど、なんとか持ちこたえて、これで大丈夫かなと思っていたら、今度はコロナ禍。魚雷を3発も食らってよく沈まなかったと思うよ。

でも、いまは何もないから普通にやっていれば株価は上がるんです。適切な政策を続ければもっと上がると私は見ています。

――株価は上がっても生活が楽にならないという不満をよく耳にしますが。

株式市場だけが儲かって、株を持っている人はいいけど、持っていない人の懐は温かくならないという話ね。これはものごとには順番があるということですよ。株価が上がると次に少し遅れて雇用者所得が上がることがわかっている。株価というのはどちらかというと資本家サイドの話だから、そちらが先に上がるだけ。就業者数とか雇用所得というのは後から上がる。それで待っていると、株価が上がって半年くらい良い状態が続くと、まず名目賃金が上がる。いまはインフレ率が高いけれど、そのうち名目賃金がインフレ率を追い越すから実質賃金が上がるようになって、失業率が2・5よりちょっと下くらいでずっと張り付く。こういう状況になるともう賃金はグーンと上がっていくよ。

だから、ものは順番で、株価上昇はその最初に出てくる現象なんだ。だからこれは悪いことでは全然ない。それを見て「俺の給料は上がっていない」なんて文句は言わないで、もう少し待って失業率が低位になって張り付く状況になれば、名目賃金は上がり始めるよ。株価はちょっと先に動くだけで、マクロ全体としては悪い話ではない。

――じゃあ落ちる時もそういう順番で落ちていくということですか。

資本家のほうが先に下がるのが一般的なんだよ。雇用労働者の賃金は下方硬直性があるのでけっこう保護される。資本家の配当所得とかはすぐ下がるけどね。

――給料というのはそう簡単に下げられませんからね。

そう。だから労働者は賃金が上がるのも遅いけれど、下がるのも遅い。一般的にはそういうことだよ。下がらなかったことを忘れて、俺の順番はまだか、上げる時は先にしろと言う人がけっこう多いんだよ。資本家と労働者で言うと、資本家はリスクをとるから上がるのも早くて下がるのも早い。労働者のほうはリスクをとらないから上がるのが遅れるけど下がるのも遅い。

――なるほど。非常にわかりやすいです。だけど、上がるのを待っていたらお預けを食うこともあるのでは?

株価だけ上がって後の人はお預けというのがいちばんまずいパターンだね。そういうこともあるにはある。でも考えてみれば、自分はお預けでも日本経済全体としては儲かった人がいるのは悪いことじゃない。だから他人のことをあまりやっかまないほうがいいよ。なにか「俺が俺が」とか「俺はまだか」という人が多いけれど、経済全体として潤ったのであれば、別に他の人が潤ったって、自分が損しなければいいじゃないかと私なんかは思うけどね。

――今後の見通しとしてはとりあえずこのまま行けそうですか。

タイミングを逃さないことだね。たとえばさっさと所得税減税をしておけば、2023年の年末調整でみんな心も懐も豊かになれたのに、6月までお預けを食らったからね。あいうのはよくないんだよ。やることが決まっているのならタイミングを逃さずにズバッとやるのがいいに決まっているんだから。

あとから一言

2月22日、東京株式市場でバブル時代に記録した史上最高値（3万8957円44銭）を更新して3万9156円97銭に達した。史上最高値の更新は34年ぶり。

（2024年1月19日）

日銀と組んで大儲け！　大手銀行最高収益のカラクリ

――大手銀行が最高益を出しているという記事を読みました。あんまり大きく報じられて

いないので気がつきにくいのですが。

儲かっている話はあんまり言いたくないからでしょうね。この間ある人に急にお礼を言われたから、「何のことですか?」って聞いたら、植田和男さんが日銀総裁になった時に私が「植田さんは国民経済よりどちらかと言うと金融機関に軸足を置いた政策をとりますよ」と講演で話したのを聞いてピンときて、銀行株をたくさん買ったんだそうです。おかげで儲かりましたって感謝された。なんと答えたらいいのやら。

この5大銀行の2023年4~9月期の実質業務純益というのを見ると、三菱UFJが7625億円で46%の増益。すごいよね。三井住友は4138億円、みずほ3524億円、りそな943億円、三井住友トラスト1521億円。合計で1兆7754億円。16%の増益です。

これはもうすべて金融政策の結果ですよ。植田さんはいまも金融緩和していますよとしきりに言いつつ、長期金利のタガを少し緩めたから、ちょっと金利は上がっている。設備投資をしようとすればすぐわかるけれど、銀行からの借り入れの長期固定の金利は少しずつ上がっている。そのぶんが収益増になっているんですよ。

金利が100倍になったとか言ったって、0・002%が0・2%になっただけだから、預金金利は全然上がっていないのと一緒でしょ。預金金利というのは短期の金利なんだけど、これはほとんど動かない。だけど長期固定の設備投資資金が上がっているから、そういうところが反映しているのですね。植田日銀が庶民より銀行のほうに軸足を置いた金融政策を行った結果で、私の予想は正しかったことになります。

本来なら預金金利も一緒にちょっと上げておくか、むしろ全然動かさなければどうということはないのだけれど、こういう銀行が儲かるようなオペレーションをしたということですね。岸田政権がボロボロだから、植田日銀がその仮面を脱いで銀行擁護者の正体をどんどん露わにしてきた気がしますね。

――でも、景気全体から見ればいいことではありませんか。

よくはないよ。金融機関のほうが儲かるというのはあまりいい話じゃない。逆に言うと国民はそのしわ寄せを受けていることになる。

銀行が儲かる仕組みをもうちょっとバラしちゃうとね、白川方明さんが日銀総裁だった時からやっている話で、一般企業や個人事業主は銀行に当座預金を持っているけれど、これは財布代わりだから、金利がつかない。でもその当座預金を銀行がそのまま日銀に預けると、これには金利がつくんです。0・1%くらいだけど、銀行ぜんぶ合わせると200

兆円ぐらいあるから、それで2000億円まるまる頂きということになる。

さすがにこれはちょっと批判があるから、200兆円をちょっと超えると金利が少なくなってきて、さらにそれ以上になるとマイナス0・1%になる。そのいちばん高額のところのマイナス金利という話を強調するんだよ。だけどプラス金利のほうがでかいから、ほとんど関係ない。

——じゃあマイナスと騒いでいるわりには儲かっている?

マイナスになっているのは銀行が日銀に預けている巨額の当座預金のほんの一部だけで、ほとんどがプラス金利で丸儲けしているから銀行収益は底堅いんだよ。企業のほうは金利をもらっていないのに、それを預かってそのまま日本銀行に持って行くと銀行は金利をもらえるんだから。これは白川日銀時代に導入された。それ以前は銀行から日銀への当座預金も金利ゼロでした。それが当たり前だよ。日銀はお札を刷って儲かっているから、その利益の一部を銀行に分け与えている。私はこれにずっと反対しているんだけどね。

——もうやめたということにはならないんですか。

日銀の中のルールで始めたことだから、それもできるはずなんだけどね。

——法律じゃありませんからね。

でも金融界の猛反対があってできない。一度もらったものはすべて頂きということでね。安倍政権の時でもできなかった。

――テレビとかではよく金融正常化とか言っているじゃないですか。

銀行は当座預金のプラス金利でもらいすぎているんだよ。それなのに自分のいただいたものは正常化したくない。

――本当の意味で正常化と言ったら金利ゼロにすることじゃありませんか。

白川日銀の前に戻すのが正常化だよね。

――これはマスコミも書けない？

マスコミがこれを書いたら金融機関の広告収入がなくなるからね。日経新聞では絶対に書けない。とにかく報道しない自由を駆使するわけです。

――なかなか腹立たしい話です。

普通の企業からすれば、当座預金で金利なんかもらったことはないのに、よく金融機関は平気でもらっているなと思うでしょう。本来であれば日銀納付金という形で国庫に入ってきたお金なのに、その一部を金融機関に還元しているということであります。

（2023年12月28日）

経団連が大喜びで自民党に献金する理由

――自民党に毎年24億円献金、経団連会長「何が問題なのか」と発言、というのがニュースになっていましたけれど。

現在の経団連会長は住友化学会長の十倉《とくら》雅和さんだけどね、経団連の会長としては「何が問題なのか」と言いたくなる気持ちはわかる。経団連の会長って、企業の取りまとめをして、企業から金を預かってそれを自民党に献金するのが主な仕事ですよ。

献金するかわりに、租税特別措置法にしたがって税金をできるだけ免除してもらうよう経団連として働きかける。その額は1兆円近いからね。それだけ払わないですむんだから、24億円献金したって租税特別措置が維持できるなら安いものだとしか言いようがない。何が問題なのかっていうのはそういうことだよ。租税特別措置法というのは税金を免除・軽減するためのものだけれど、まあ大企業のためだけにあるんだ。

――費用対効果がメチャメチャいいですね。

いいどころか400倍だよ。これはやめられないよ。国民としては租税特別措置で1兆円のしわ寄せがどこかにきていると考えたら腹が立つ。そもそも、そのためにおよそ1兆円が国の減収になっていることはあまりに知られていないから、まずその事実を知ったほうがいい。

これを租税歳出というんだけれど、ふつう歳出というとただ補助金をもらうだけだと思うかもしれない。でも実は減税を受けるのも歳出なんだよ。租税特別措置だと恩恵を受けるのは経団連に属している大企業ばかりですよ。

これは企業によって全然違うから、誰がいちばん恩恵をこうむっているか調べようと思えば調べられる。私も調べたことがあるよ。そうしたら大手企業の名前がどんどん出てきて、減税措置は献金額とみごとに比例している。それでも費用対効果は抜群にいいんだよね。そういう研究をしてものすごく睨まれたことがあります（笑）。

だから、経団連を一度通してロンダリングしているということだよ。企業が直接、自民党にお金を出したら丸わかりになっちゃうじゃない。ロンダリングが経団連の役割だとすれば、経団連の会長は「自分はちゃんと仕事をしているんだ」と言っているだけなんですよ。それが国民から見ていいことかどうか、租税特別措置による減収1兆円が適切かどうかというのが、まさしく政治なんだよ。

減収はけしからんというのなら租税特別措置を廃止すればいい。そうすれば主だった企業が税金を払うようになる。日本を代表する名だたる一流企業で税金を払っていないところはそれなりにあるからね。

——大企業であればあるほど、その傾向がある？

うん。租税特別措置をうまく使ってね。たとえばトヨタとかソフトバンクは法人税を払っていないこともあった。

そういう税法がフェアかどうか、一度議論する必要があるだろうね。学者もこういうところにメスを入れるべきなんだけれど、財政学者には財務省のポチがたくさんいて、絶対にそんなことはしないからね。

——財務省としてもそこに手を突っ込まれるのは嫌なんですか。

経団連を味方につけているほうが有利だと思っているからね。消費増税に賛成してくれるなら1兆円くらいどうってことはない。

——1兆円与えれば3兆円くらい戻って来るから？

そんな感じ。消費税を上げればもっと入る。損得勘定から言うと、財務省的には租税特別措置は必要経費です。

だから、特定企業だけが恩恵を受ける租税特別措置が本当にフェアなのか、国際比較なんかしながら議論をしたほうがいいんだけれど、そういう企業は学者たちにも研究費をドーンと出すからなかなか難しい。

1兆円も儲かるなら研究費なんか小さな数字ですよ。飴玉しゃぶらせて黙らせるなんて簡単なこと。それくらい大きな利権ですよ、これは。

――ガソリン価格が高騰したら課税をストップするトリガー条項とは全然別の話ですか。

それはそうだよ。あちらの減税は一般消費者全体に薄く広がっていくけれど、租税特定措置は特定の企業だけだからね。みんなよく「バラ撒きはけしからん」て言うけれど、本当はバラ撒きのほうがフェアなんだよ。減税も同じことですよ。バラ撒きがけしからんと言いながら、裏側では租税特別措置のような片寄せがいいと思っている人もいるからね。

――みんなにバラ撒くんじゃなくて俺にだけ寄こせということですか。

そう。バラ撒きはけしからんと騒ぐマスコミは財務省の罠に完璧に引っかかっている。特定のところにだけ片寄せするほうがずっとひどい。租税特別措置なんて法律を作ったって、実際に適用される企業は数えるほどしかない。数社しかないんだ。

――そんなに少ないんですか。

そうだよ。租税特別措置なんて一般的にいうけれど、大企業のここと あそことすぐ名指しできるくらい限定されたものなんだ。

――それはどうやったら変えられるんですか。

自民党税調がやっているからなかなか難しい。利権の巣窟だからね。財務省がそこを仕切っていて、特定のところに恩恵を与える見返りとして、消費増税とかの時に賛成してくれれば元が取れる。そういう仕組みなんだよ。

これはずっと続いているから簡単には変わらないよ。企業にしてみたらこれだけコスパのいい話はないもの。

（2023年12月11日）

修理もできないEV車は使い勝手が悪い！

――トヨタが2026年にヨーロッパの新車販売の2割を電気自動車にするという記事を読みました。EVは今後、自動車産業の主流になるのでしょうか。

欧州はいまやEV中心だから、トヨタもビジネスということではやむを得ないんでしょう。率直に言うと私もＥＶに興味があることはあるんですよ。ただ、現状だとＥＶは故障した時に修理ができないなというのが気になるんです。

はっきり言うとＥＶは巨大なスマホみたいなものだから、直すといっても、地元のディーラーにはできませんよ。部品を修理・交換というわけにはいかないでしょう。どこか調子が悪いと、すべて新しくしなければならない。全取っ換えですよ。そこがいつもちょっと気になっている。

だから、いくら補助金が出たって中国のＥＶを買うつもりはいまのところ、まったくないよ。だって国内のディーラーがきちんとしているならまだしも、中国製はそもそもすぐ壊れそうじゃない。そうしたら全損というか、新しいクルマに替えてくださいと言われるのがオチでしょう。

私はスマホを分解して直す時もあるくらいなんだけど、それでもここはちょっと難しいなというところはけっこう多いし、基板をやられていたら、まず無理。全取っ換えになっちゃうんだよね。さっき言ったように、私にとってはＥＶってスマホのようなものという認識だから、アフターサービスがきちんとしている日本製ならいざしらず、海外のものは冒険というか、やはり買う気にはならないですね。

にもかかわらず、どうしてＥＶに興味があるかというと、私の家は実はＺＥＨという仕様でね、それはNet Zero Energy Houseの略で、つまり「エネルギー収支がゼロ以下の家」という意味です。屋上に太陽光パネルが並んでいて、太陽光発電で家の電力はほぼ賄える。これに断熱とか省エネとかをプラスしてね。

ところが、夜になるとこれがうまくいかなくて、蓄電池が必要になる。そこで実は、ＥＶは蓄電池の代わりができるんですよ。というか、もともとＥＶ車自体、蓄電池のようなものだからね。その意味でちょっと興味があるわけ。

でも、都心のＺＥＨマンションには資産性があるとか言って宣伝しているけれど、集合住宅だと権利関係がけっこう大変だと思いますよ。私のウチは戸建てだから問題ないけれど、太陽光発電の電力の発電を各戸にどう配分するかという問題があるでしょう。各戸に平等に配れればいいけれど、それなりに発電のコストがかかっているわけだからね。そもそもマンションってほとんどが高層建築でしょう。一戸建てなら屋根の上に太陽光パネルの広いスペースをとれるけれど、ビルのようになったら、体積に比べて屋根や屋上の面積は相対的に小さくなっちゃう。たぶん共用部分の電力しか賄えなくて、共益費が少し安くなるレベルじゃないかな。

戸建てならEVが蓄電池代わりに使えたとしても、ZEHマンションだとそうもいかない。それどころか、マンションの住人みんながEVのオーナーだったらどうするか。

――全員のクルマを充電するのは無理ですよね。

充電設備の争奪戦になってしまうよ。駐車スペースの確保より大変かもしれない。

――そもそもEVは脱炭素になっているのですか。

そんなことあるわけないよ。中国は化石燃料をガンガン燃やしてEVを作っているんだからワケがわからない。いったい何のためにEVを作るのか。なぜ世界がEVの流れになっちゃうのか意味不明だよ。

――水素はどうなのでしょうか。

水素のほうがいいと思う。EVよりは魅力があるよ。その場合、なるべく中央集権的にしないほうがいい。つまり、どこかに大きな発電所を作って、そこから一括供給するんじゃなくて、せめて地域に小型原発(Small Modular Reactor)を作って、なるべく送電のロスを少なくする。そういうやり方ならありかなと思うよ。

送電ロスというのは必ず発生するからね。物理の話として、熱エネルギーというのは必ず損失をともなう。だから、どこか大きな発電所で集権的にやってあちこちに配るんじゃなくて、地域に分けて分権的にやるべきなんだ。

その意味でもガソリンエンジン。それがいちばんだけれど、水素ガスもそれに近い。そのほうが最終的にはエネルギー効率がいいと思うんだけどね

（2023年12月8日）

なぜ世界的ＩＴ企業は日本で育たない？　金融業界のＩＴ化は？

——ネットでもよく話題になるのですが、日本から世界的なＩＴ企業が生まれないのはなぜなんでしょう。

なんでなんだろうね。でも、その目のようなものはなくはないんだよ。例えばホリエモン（堀江貴文）とか、Ｗｉｎｎｙ（ウィニー）の開発者の故・金子勇さんとか、けっこういるんだけれど、どうもみんな潰されるような印象がある。ああいう芽を育てていれば日本もずいぶん変わっていた気がするけどね。

日本人はそういう先進的な分野に弱いとは思えない。そこそこ面白いアイディアもあるからね。たぶん、社会の仕組みや教育のせいもあるんじゃないかな。「みんな同じがいい」

とか「出る杭は打たれる」とかいった日本的な社会の傾向があるように思うね。

もっと自由にやらせていればずいぶん変わっていた可能性がある。ホリエモンがフジテレビを買収していたら、いまごろAmazonプライムみたいなことになっていたかもしれない。少なくともプロ野球はまったく違っていた。東大の故・金子勇氏が開発したファイル交換ソフトWinnyも、利用者に悪用されて残念なことになってしまったけれど、あれほど画期的なソフトなんだから、商標化すべきだった。若い人にチャレンジさせれば社会的に面白いんだけどね。

――既得権益者が強いから新しい芽が摘まれるんでしょうか。

それはあるね。ホリエモンが現れた時もマスコミが寄ってたかって叩いたでしょう。

――日本社会はそういう傾向が強いですか。

社会が安定しているから既得権がたくさんあるのは間違いないよ。高度経済成長で成功した人たちが既得権者になっている。パワーがあるからね、新参者を許さない。

――アメリカでそうならないのはなぜでしょう。

自由闊達で、下剋上の世界だとみんな割り切っているから、既得権がない。アマゾンもグーグルも新興企業でしょう。経団連のようなものもないから、昔の企業なんかあっという間に潰れる。規制というのもあまりないから、規制緩和をめぐる議論をすることもなく、自由にやっていいという発想がある。そうすると新しい人は伸びやすい。

日本の場合は既得権にどっぷり漬かっている人たちが規制緩和に大反対している。規制緩和が嫌いな人って、みんな既得権に結びついているんだよ。

――そういう人のほうが力があるから意見が通りやすい？

そうなんじゃないかな。

――もう一つお聞きしたいんですけど、今後クレジットカード会社はどうなりますか？

金融業界も規制の塊の世界でね。たとえば銀行は昔、クレジットはあんまり綺麗な仕事じゃないからというので、ぜんぶ子会社か関連会社にやらせていたんだよ。だからクレジット会社は利ザヤで儲けていたんだけれど、銀行の本業のほうがなかなか大変になってきて、背に腹は変えられないから、どんどんクレジット業務を浸食し始めた。そうすると従来のクレジット会社は苦しくなると思うよ。

だって、銀行のほうは預金があるから圧倒的に調達コストが安い。クレジット会社は自分で資金調達できないから、銀行からお金を借りてそれを貸しているところもある。既存のクレジット会社は徐々に銀行に飲み込まれていくんじゃないかな。

――ＱＲコード決済のＰａｙＰａｙのようなサービスはどうでしょう。

銀行の決済がちょっと高かったり不便だったりすると伸びる可能性はある。でもあれは融資じゃなくて決済だから、デジタル通貨が普及したらなくなるよ。そもそも間に立つ意味がなくなる。みんなアプリで終わっちゃうもの。究極的には、中央銀行がデジタル通貨を発行すると金融業界はすべて要らなくなるよ。

――逆に言うと、デジタル通貨はなかなか普及しないということですか。

金融業界も生きていきたいから、既得権者たちが中央銀行のデジタル通貨発行に猛反対する。中央銀行が本格的に進出したら、デジタル通貨関連業者は全員討ち死にですよ。

――でも、どこかの国が本気でそれをやり始めたら流れはそうなる？

金融業界のない国では時々やっているけれどね。だけど一般的な国なら、さすがに銀行を潰すわけにはいかない。クレジット業界は潰れてもいいけど、銀行業界は守ろうとするよ。銀行は最後まで中央銀行とくっついているから、それに依存して生き残るだろうね。

だけど、銀行といっても地方銀行は大変だよ。銀行には都市銀行と地方銀行とがあるけれど、地銀はもうあまり存在意義がないものね。地銀よりどちらかというと、いまだにフェイストゥフェイスの昔ながらの商売をやっている信用金庫のほうが強いと思うよ。一方、都銀はデジタル化して対面業務を減らしているでしょう。間に入った地銀はどっちつかずだからつらいところだよ。

——地銀でまとまって都市銀行みたいになるようなことはないんですか。

いまさら割り込めないでしょう。信用金庫は地元の商店街と昔ながらのやり方を維持して生き残ると思うけれど、地方銀行にはこれからイバラの道が待っているよ。金融業界もいよいよIT化が進むからついていけないところも多いだろうしね。

——IT化でだいぶ様変わりしそうですね。

クレジットカードだって昔なら番号を入力すればそれで終わりだったけれど、いまは本人認証サービスの3Dセキュアとかワンタイムパスワードみたいに複雑になっているでしょう。そのうち目の認証だけですむようになるかもしれないけれど、手にチップを埋め込むみたいな形も考えられる。そういうのにも対応しなければならないしね。

SFの世界がやがて現実のものになる。資本力のないニッチなところは少しずつ脱落していくことになるよ。

（2023年11月6日）

第3章

中国問題編

「独裁」と「親中」という病

中国恒大に清算命令でスプラッター映画《ムービー》のような光景が現出する

——ついに香港高裁が中国の大手不動産会社、恒大集団に清算命令を出したというニュースが流れましたね。

これは破産認定に近いね。前々から何度も言っていたことだけれど、財務諸表を見れば破産していることはすぐわかるのに、3年以上前から裁判所はずっと先送りしていた。それをようやく認めたということだね。

いまさらという感じではあるけれど、ではまったく意味がないかというと、破産認定すれば少なくとも恒大グループとの取引は誰もしなくなるから、それはそれで意味がある。ただ問題はこれが氷山の一角だということ。恒大だけじゃなくて、危ない不動産関連企業は山ほどあるからね、それを全部こういう形で破綻認定をしていくかどうかがポイントだよ。

破産認定というのは、この会社とはもう取引できないけれど、ほかは安全だと峻別《しゅんべつ》できるようにすることに意味があるわけ。だから、破産認定なんかしたら大変だからって、それをしないで、健全な会社かどうかわからないでいるほうがずっと大変だよ。恐ろしくってどことも取引できなくなってしまう。

だから先進国ならどこの国でも、裁判所に財務諸表を持っていって債務超過ですと言えば破産認定してくれる。それなのに中国の裁判所はなかなかそれに応じなかった。それがここにきてようやく認めてくれたわけだけど、でも、いよいよ清算手続きに入ると、恒大を解体していく作業の中で、債権者の取り分をどうするかという話になってくる。ここから先は〝血みどろの争い〟になる可能性がありますよ。

日本の不良債権の時もそういう話があってね、こう言っちゃなんだけど、資産の奪い合いだから、普通は裁判所が間に入って公正に話を進めるわけ。だけど、いままでずっと破産認定しなかった裁判所だからね、債権者集会を開いて、資産を分けて債権額に応じて分配するという作業が中国でどこまでできるのかなって正直、思うけどね。

でも、裁判所が間に入らなかったら物品の奪い合いになる。その過程で殺し合いが起こっても中国なら不思議はない。日本だって似たようなことがあったもの。みんな知らないけれど、日本でも不良債権処理の過程で数多くの人が不審死で亡くなっているくらいだから、中国では何が起こるかわからない。中国の不良債権の数字は生半可じゃないからね。

今回の恒大だけで50兆円というレベルの話だから大きいよ。日本の場合は不良債権ぜんぶ合わせて100兆円、GDP比に換算すると20%だった。中国は民間の不動産関係だけじゃなくて、地方政府の子会社みたいな第3セクターもあるから、それをぜんぶ足し算すると3000兆円。GDP比200%だ。日本の数字の1割増しどころじゃない、一桁違う数字になる。そのすべてについて法的な整理をしていくのはものすごく大変な作業です。私は昔、財務省で「不良債権償却大魔王」と言われていて、「大魔王さん、これはどのようにできる?」ってよく聞かれたものだけれど、GDP比200%という負債は、はっきり言ってもう逃げ出したくなる数字ですよ。

ようやく一歩踏み込んだとも言えるけれど、これは氷山の一角だから、氷山の全体が明らかになったら、どれほど血の雨が降るか想像もつかない。全国で大暴動になるかも知れない。

いずれにしろ中国経済を揺さぶることは間違いないよ。習近平さんがどこまで許すだろうかと思います。

それでも中国が一歩踏み出したの言うのは、よほど二進《にっち》も三進《さっち》もいかなくなってやらざるを得なくなったということでしょう。

こういう話は、手を着けるのが遅くなれば遅くなるほど損失が大きくなるの。もっと前にやっておけばよかったのにと言うしかない。恒大のように潰れそうなところはほかにもたくさんあるはずだから、中国経済もいよいよお先真っ暗だね。

――中国の経済活動は先細りになっていく？

もうすでに下り坂になっている。中国のＧＤＰの30％は不動産関係なのに、不動産取引はすでにほとんど行われていません。すべての破産認定をしてその処理が全部終われば、不動産取引は少しずつ少しずつ回復するかもしれないけれど、氷山の全体像が見えないと、これで大丈夫なのかどうかがわからない。どこと取引するのが安全かわからないということは、どことも取引できないということです。だからＧＤＰの３割を占める不動産取引は当分は元に戻りませんよ。

――軍事費に回すお金がなくなるというところまでいきますか。

最終的にはそうなるはずなんだけどね。やはりＧＤＰの２００％の処理というのは前代未聞だよ。世界のバブルの標準というと、まあＧＤＰ比20％ぐらいのバブル崩壊はよくあるけれど、２００％の崩壊というのは私も見たことがない。これはまともに処理しようとしたら国家が破綻するというようなレベルですよ。３年以上も先送りしたから、こんなことなった。死んだ子の年を数えるという言葉があるけれど、もっと早く清算命令を出していれば、まだ傷は浅くてすんだのに……。

（2024年1月30日）

不動産会社に続いてシャドーバンクまでゾンビと化した

――「中国シャドーバンク大手『中植』が破産申請。不動産危機で急転落」という記事が出ていました。

いよいよ不動産会社から、そこに資金を出していたシャドーバンクに話が及んだね。シャドーバンクというのはね、「シャドー」というくらいだから、本来は「バンク」じゃない。バンクというのはお金を預かって、それを他の人に貸し出すものだけれど、シャドーバンクはそれと似ているので「バンク」と言っているだけ。バンクよりはるかに高金利だしね。

日本にもあることはある。お金を預かってどこかに貸し出すという意味では貸付投資信託はその一つ。それからノンバンクもそうだよね。中国の場合は、その数がやたらに多くて、それが不動産にドンドン資金を流した。今度破産した中植企業集団というのは、英語だとZhongzhi Enterprise Groupといって、「中植」は「ゾンジー」と発音するんだけれど、私、最初は「ゾンビ」と聞き間違えてしまった。凄い名前だなあと思ったら、ゾンジーでした（笑）。

ここは大手のシャドーバンクで、けっこう有名なんだけれど、正直に言うと、シャドーバンクの実態は、データが何もないから、よくわからないんだよ。中国政府が公表しないしね。一度、ＩＭＦ（国際通貨基金）のコンサルテーションでＩＭＦ職員がシャドーバンクの負債はこれくらいでしょう？　と聞いたら、中国政府は「違う違う」と言うだけで全然数字を出さないからＩＭＦ職員が怒ったことがあった。

さらにわかりにくいのは、中国の地方政府が傘下に置いている「地方融資平台」という投資会社。「平台」というのは「プラットフォーム」という意味です。

日本で言うと地方自治体が第3セクターを作って、そこで資金調達をして、どこかにお金を流す、そんな仕組みに近いね。

――そんなのアリなんですか。

中国ではアリなんだよ。普通の国ではちょっとありえない話だけれど、そこが何千億円という金を動かしている。

　だから、「中植」が破産申請したといっても、それが認定されるかどうかはわからない。中国政府はなかなか破産を認めないからね。だけど、不動産会社と同じで、実際には危ないシャドーバンクがたくさんある。

　シャドーバンクの破綻が地方政府の地方融資平台にまで波及したら目も当てられないよ。今後、中国経済はさらにガタガタになるのは間違いない。

　でも、もう破産させないと話にならない。

　まず、根っこにある不動産会社の破産をきちんとやる。そうすると、それに応じて融資していたところも破産する。そうするとシャドーバンクが破産して地方融資平台も破産する。そういうことにならざるを得ないよ。

　破産だらけになるけど、それは仕方がない。そうでないと実態が全然わからないままズーッと続いて、ゾンビみたいなのが跳梁跋扈《ちょうりょうばっこ》する。そんなところと誰も取引できるわけがない。みんな疑心暗鬼になるからね。

　だからもうお金は回っていかないよ。ゾンビだからさ、破産しているのに破産していないとか言って、ワケがわからないよ。誰かがゾンビに向かって「お前はもう死んでいる」

と教えてやらなきゃ。

――破産を認めたらとんでもない数になるから習近平は嫌がっているんですか。

そうなんだろうね。でも、もはやそうするしかないんだから。ゾンビを倒すか倒さないかだけなんだ。もうもとの人間には戻れないと諦めさせられるかどうかだよ。それを、ゾンビなのに、いやいやまだまだ生きていますと言い張っているのに近い。いくら現実から目を背けても、ゾンビはゾンビだよ。早く安らかに眠ってもらったほうがいい。中国政府はいつまで放っておくつもりなのかなあ。

――経済が破綻したら、その規模は日本のバブル崩壊の比ではない？

日本のバブル崩壊の時の損失は大体100兆円で、その時の日本のGDPはだいたい500兆円だから、GDP比20％。これは世界のさまざまなケースを見ても、バブルとしてはそれほど大きな数字ではない。まあ標準的なところだね。

でも中国の場合は、このシャドーバンキングと地方融資平台を合わせて3000兆円と言われている。そうすると中国のGDPは1500兆円。この数字はインチキかもしれなくて本当はもっと小さいかも知れないけど、これを正しいと仮定すると、それでも損失はなんとGDPの2倍にもなる。

ちょっと額が大きすぎて、どうなるか見当もつきません。世界中に与えるインパクトも、ものすごく大きい。

さすがに、世界でもこれだけ大きなバブル崩壊はないね、これは。どこの国だってだいたいGDPの2割程度だからケタが違う。中国はその10倍だから、凄すぎるよ。進むも地獄、退《ひ》くも地獄だね。

あるいは、このままゾンビに囲まれて死ぬか。習近平さんは経済音痴だから、国家が安全さえ保たれていればいいのかもしれないけれどね。

——進出している日本企業はどうすればいいのでしょう。

早く逃げなければゾンビに取り囲まれておしまい。ゾンビの群れからどこまで逃げられるか。それくらいしかないね。

（2024年1月12日）

民主化なしに経済発展はない……なんて言ったら即逮捕！

——2023年12月15日に「『中国衰退論』摘発を示唆。国家安全部門が経済でも強権」というニュースが報じられました。

とうとう来たね。こういう方針を打ち出したのは、中国には国家を貶《おとし》めるようなことを言うのはけしからんという「反スパイ法」なるものがあって、中国経済が衰退しているなんて主張するのも「国家を貶める」ことになるという解釈だからです。そうすると、私なんかもそんな本を何冊も出しているから、完全にアウトだよな。

この反スパイ法が恐ろしいのは、中国の国外にも「域外適用」されるということです。日本でそういう話をしても違反になる。もちろん、私のＹｏｕＴｕｂｅの番組も完全にアウト。髙橋洋一がＹｏｕＴｕｂｅを使って「中国衰退論」を世界中に広めたというので、中国に行ったら拘束される可能性が大いにあります。番組の関係者も危なくて中国にも香港にも行けないよ。心しおいた方がいいよ。

こういう話になると、「髙橋は20年も前から〝中国経済が危ない〟と言いふらして中国を貶めていたけれど、中国経済は発展し続けるばかりで、破綻なんかしなかったじゃないか」と言ってすぐ非難する人がいるけれど、私は20年前から「民主主義と経済成長の関係」ということを明確に論じていて、正確には「民主主義が発展しないと一人あたりのＧＤＰは1万ドルを超えない」と、そういう言い方をしている。

現実に中国はこれまで一人あたりのGDPが長期にわたって1万ドルを超えていないから、中国経済が発展を続けていても、私の理論とはまったく矛盾しないんだよ。

ところが、中国経済はそろそろ壁にぶち当たって、ようやく私の仮説の天井が見え始めてきた。これはもう民主化しないとこれからの中国の発展は難しい。逆に言えば、中国は民主化しないわけだから、もうここからの発展はしない、ということ。最近は、はっきりそう言っています。これまでも「中国経済はまだ発展する。ただし一人あたりのGDPが1万ドルを超えることはない」と主張していたのだから、高橋は嘘を言っていたというのは大きな間違いです。

逆に私はすごく早い段階から「中国崩壊論」に対して「中国経済はまだ伸びる。ただし一人あたりのGDP1万ドルという天井があるから、そこでストップする」と言ってきた。それがいま現実のものになってきているわけです。

そこで、私のその主張がどういう理論に基づいているかを説明しておきましょう。

政治的な自由のない非民主主義国家では経済が発展しない、つまり「政治的な自由がないと経済的自由も失われる」というミルトン・フリードマンの理論がある。「民主主義指数と一人あたりGDP」というグラフはそれを数値化したものです。

民主主義指数(横)と一人当たりGDP(縦、2000-2019平均、ドル)

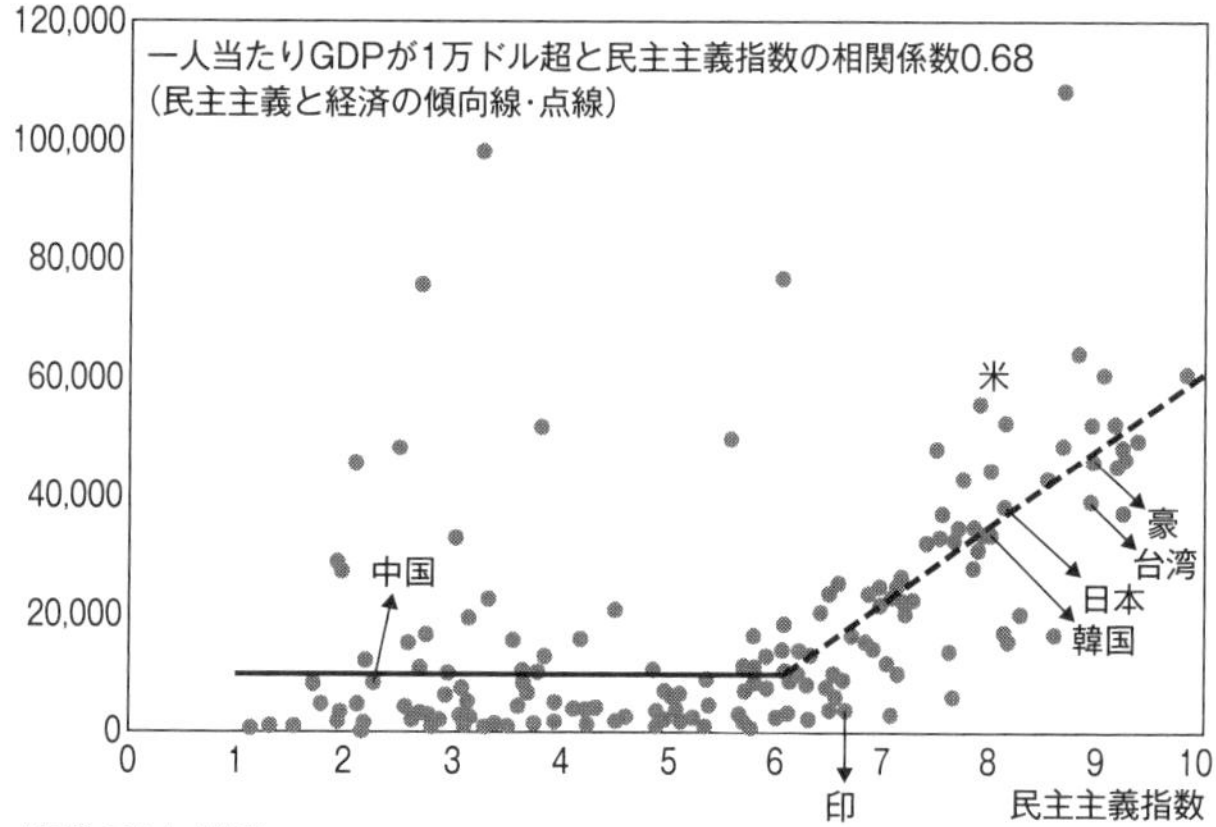

(資料)民主主義指数は、The Economist Intelligence Unit 2020
一人当たりGDPは、IMF 2017 constant dallar

自由がないと経済活動にさまざまな支障が出る。現在の中国に即して一例をあげると、たとえば司法が独立していないから、裁判所は政府の意向に沿った判決を申し渡すことになる。たとえば不良債権問題についていては、すでに債務超過になっている一部の企業には破綻宣言をさせて、そうでない企業と峻別しなければいけないのに、それができない。そこをはっきりさせないと、ある企業と売掛け取引しても安全かどうかわからない。もしかしたら潰れるんじゃないかと疑心暗鬼になって、健全な取引ができなくなる。それは司法が十全に機能していなくて、破産認定をしないからです。この状況が全体の経済成長を妨げ、成長率を押し下げている。

これが「民主主義でなければ経済は発展しない」という理論の典型的な例ですよ。そういう事態がいま中国で起こっているんです。自分の仮説がようやく証明されつつあるという意味ではちょっと嬉しいけれど、そんなことを言うと中国政府をよけい刺激するかもしれないから、口を慎まないと(笑)。

私のこの話に中国の周辺国の人たちがけっこう関心をもってくれていて、ちょっと教えてくださいという学者や研究者からの問い合わせも多いんだよ。中国の行く末を考えるのに理論的に参考になるんじゃないかと思って、私は喜んでそれに答えることにしています。もしかしたら中国の体制批判になっているのかもしれないけれど、私はただ単に民主化しなければ経済発展はないというミルトン・フリーマンの話をしているに過ぎない。

――今後も中国のGDPは1万ドルの手前でずっとそのままですか。もしかしたら下がるかもしれない?

自然科学じゃないから、それはわからないけれど、グラフ上の1万ドル上限ラインを超えることはあるでしょう。でも、一瞬超えるとしても長続きせずまたもとに戻る。その繰り返しだろうね。

グラフを見てもらうと、民主主義指数が低いのに一人あたりのGDPがすごく上にある国があるけれど、それはすべて産油国なんだよ。それ以外はまずあり得ない。このグラフは経済の発展には民主化が必要不可欠だということをデータで明確に表している。

経済発展を続けたければ中国も民主化すればいいんだ。簡単なことだけれどね。自由がなければ限界があるに決まっている。その点、インドはまだまだ発展の余地があります。自由がどんどん民主化して自由が広がっていけば経済も良くなる。だけどそれは政治的な自由を求めることだから、共産主義体制を維持したい中国政府としては、避けたいだろうね。

――あの国は自由を認めると大混乱に陥るのではないでしょうか。

そうかもしれない。でも一時的に混乱しても自由を与えたほうが長期的に見れば経済成長の面では絶対にプラスのはずですけれど、でも、その時にはもう共産主義体制ではなくなっている。一党独裁が崩壊して、中国はバラバラな国に分かれるでしょうね。だけど中国の歴史を見ると群雄割拠の時代は何度もあった。またそういう状況に戻って、それぞれの国が民主化していくというのがいちばん美しい発展の形だと私は思いますよ。

おっと、こんなことを口にするのも、反スパイ法違反だね。もう何を言っても反スパイ法に引っかかっちゃうなあ。最後に中国に行ったのは15年も前のことだけれど、もう無理だ、行けないね。

日本政府からも「行ったら危ない」と言われているし。香港だって国家安全法が適用されたからね。香港から日本に来ていた人が帰国したら拘束されるということは、理論的には私も香港に行ったら拘束されることになる。まあ、私のＹｏｕＴｕｂｅの視聴者や私の本の読者は、特定されなければ大丈夫だろうけれど、番組関係者や出版関係者はみんな拘束されるかもしれないよ。

――おいしい本場の中華料理はもう食べられないってことですね……。

もう諦めるしかないね。でも日本の中華もかなりおいしいから、日本でいいんじゃない。

（２０２３年12月29日）

岸田派のパーティー券を中国企業が買っている深刻な問題

――中国軍のシンクタンク、軍事科学院の何雷《からい》元副院長（中将）が、共同通信のインタビューに応えて、沖縄・尖閣諸島を巡って「戦争を望まないが恐れない」と発言しましたね。ちなみに、このインタビューは2023年12月9日までに行われたそうです。

ついに本性を現したね。といっても、これは日本の通信社に対しての発言だし、日本の反応を探る狙いがあるんだろうから、あまり過剰な反応をしてもいけないけれど、少なくとも「日本に誤ったメッセージを発するべきではない」と外務省は中国に釘を差しておくべきだろうね。

問題は、この発言が台湾問題を前提にしていることだよ。中国が台湾に侵攻する時には、制空権と制海権を確保するために中国は必ず海上封鎖する。そうすると、尖閣諸島だけでなく与那国島あたりまで封鎖されることになるから、「台湾有事」は自動的に「日本有事」になるんですよ。

だから、この何雷氏の発言は「台湾有事」を前提としていることになる。これは、力による現状変更にあたる。だから「中国は力による現状変更をするつもりなのか、それならこちらもそれ相当の対応をせざるを得ない、日本を見くびっちゃいけませんよ」ということを外交の場ではっきり言うのが筋なんじゃないかと私は思うね。「力による現状変更は許さない」というのがいちばんわかりやすい言い方だよ。

いきなり尖閣に侵攻してきた場合にも、「力による現状変更」だと主張できる。中国は

「いや、ここはもともと俺たちのものだ」って言うかもしれないけれど、領土問題はともかくとして、「力による現状変更」には間違いないんだからね。

日中首脳会談か何かの折に「お宅のシンクタンクの何雷とかいう人がこんなことを言っていますが、中国は『力による現状変更』を認めるんですか」って聞けばいいんだよ。日本国政府は、「力による現状変更はイエスかノーか」と外交の場で中国に迫ってみせなければいけない。国会でも、「日本は力による現状変更を許さず、日本有事になれば断固たる対抗措置をとる」とはっきり言うべきだよ。

――現在、日本政府はどんな対応をとっているんですか。

何の対応もしていないようだね。いま政治資金か何かで大騒ぎしているから、中国はそれを眺めながら「日本は反論してこないぞ」って言いたい放題かもしれないね。黙っていたら力による現状変更を認めることになるよ。

――そういうタイミングを狙って発言した可能性もあるのでは。

それもあるかもしれないね。中国は、「何も言わないということは、我々の力による現状変更はイエスなんだな」って勝手に解釈するから、面と向かって言うか国会で言うか、いずれにしろ何らかの形で態度をはっきりさせておかなければまずいよ。少なくとも中国に対して、何雷氏の発言は「力による現状変更を前提としたものではないか」と抗議すべきでしょう。

――それは防衛省がすべきことなんですか。

外務省だよ。まず中国大使が言うという手があるんだけど、ちょうど何雷氏のインタビューが行われたのと同じ2023年12月に垂《たるみ》秀夫中国大使が交代したんですよ。安倍元総理の信頼が厚くて、安倍さんが直々に任命した垂さんは、中国に対してもはっきりものを言う人でした。これまでも、広島G7サミットで中国問題が取り上げられたことに中国政府が抗議すると「中国が行動を改めない限り、G7の態度は変わらない」と言い返し、福島原発の処理水を「汚染水」と呼んで海洋放出を非難したことに対しては「中国は『処理水』という言葉を使うべきである。科学的根拠に基づかない批判は受け入れられない」と反論したほどです。

その骨のある大使が、ちょうどこのタイミングで離任というのは不思議でしょうがない。大使の交代の意思決定というのは当然、外務大臣以上、あるいは総理の了解がないとできないはずだよ。現在の情勢を考えれば、もう少し垂さんにやってもらうのが当然だと誰でも考える。「垂中国大使が交代」と聞いて、私なんか、「えっ、ホント!?」って驚いたくらい。

どこかから強力な圧力が強くあったのか、あるいは大臣以上の自主的判断としか思えない。

——じゃあ、前外務大臣のあの人が……？

あの人と、それから外務大臣の上にいるあの人の両方かもしれない。垂大使なら「中国政府は力による現状変更を望んでいるのか」とはっきり言えるのに、ちょっとおかしいよ。そもそも、なんで中国大使に抗議に行かせないのかわからない。具体的な非難をする時には普通、大使をつかうものだけれどね。

——黙っていること自体が中国に対する誤ったメッセージになりかねない。

リアクションをまったくしなければそうでしょうね。

人事を含めて、やはり安倍政権とは比べ物にならないと正直、思いますよ。あちらさんとしては非常にやりやすくなったと感じているんじゃないかな。

去年、尖閣周辺の日本のEEZ（排他的経済水域）内に中国が大型ブイを設置した時も、読売新聞が9月19日にスクープするまで、岸田内閣は2カ月以上も公表しないで、ずっと黙っていた。しかも、中国に抗議するだけで、いまだに撤去していない。

いま自民党はパーティー券のことで揺れているけれど、岸田派のパーティー券を買っているのは中国企業が多いんだよな。これじゃ政治資金法がザルになるのも当たり前だよ。

外国人献金はいけないんだけれど、パーティー券はOKなんだ。公表された岸田派のパーティーの写真を見ると、中国企業の人がたくさんいるよ。いや、笑っている場合じゃない。キックバックとか政治資金収支報告書不記載とか、派閥がどうのというより、こっちのほうがずっと深刻な問題なんですよ。

（2023年12月22日）

「化石賞」を授与するNGOとパナソニックの「親中」という共通項

――COP28（第28回国連気候変動枠組条約締約国会議）の会期中、「気候行動ネットワーク」という国際環境NGOが、温暖化対策に非協力的な国に贈る皮肉な賞「化石賞」を日本に授与しました。日本の化石賞受賞は毎回恒例のようになっています。

こんなもの海外ではあまり報道されていないと思うけれどね。日本のマスコミは騒ぎ過ぎだよ。だから海外のNGOが大喜びで日本を名指しするんだよね。日本やアメリカ、オーストラリアあたりが受賞の常連国らしいけれど、おかしいのはこれまでの受賞リストに世界歳代の化石賞国家・中国が入っていないんだよな。

世界でいちばんCO_2を出しているのは中国じゃないか。国際エネルギー機関（ＩＥＡ）の発表したデータだと、２０２０年の世界のCO_2排出量３１７億トンのうち、中国は31・８％にあたる１００・８億トンを排出している。２位がアメリカの42・６億トン。以下ＥＵ27カ国、インド、ロシアと続いて、日本は中国の１０分の１以下の９・９億トンで、わずか３・１％にすぎない。なんで毎年ダントツ１位の中国が常に受賞対象外なんだ。本当に茶番みたいなものだよ。

――日本はマスコミが大きく取り上げてくれて宣伝になるから？

中国を真正面から名指ししたら何をされるかわからないからじゃないの。だいたい、海外の環境ＮＧＯっておかしいよね。化石賞の団体とは違うけれど、このあいだも政府の農業政策に反対するフランスの環境団体が豚やニワトリの格好をして道路を封鎖したみたいに、本当にとんでもないことをする。イギリスやドイツでも高速道路に座り込んで交通をマヒさせた。救急車が通れなくても平気なんだからびっくりするしかないよ、環境派の人たちの行動には。

――そういう人たちが中国に配慮するのは、根本的に共産主義へのシンパシーがあるからでは？

それはあるよね。中国にとって都合の悪いことには絶対に触れないようにして、資本主義の方を叩く。日本の左派と同じだ。でも、民主主義の観点から社会主義と資本主義のどっちがまともかって言ったら、民主主義は実は資本主義とすごく親和性がある。自由を認めない社会主義の国では、とてもじゃないけど政治的な民主主義はほとんどあり得ない。だからわざわざ「社会民主主義」なんて適当な言葉を使うんですよ。

――自由がないと、高橋さんがいつもおっしゃっている「1万ドルの壁」が立ちはだかる。

そうだよ。いまの中国の状況は日本のバブル崩壊時に似ています。当時、私は財務省の「不良債権償却大魔王」だった。大変だったけれど、日本ではなんとか不良債権を処理できました。だけど、中国は不良債権の話がどんどん出てきているのに、不動産大手、恒大集団の法的整理もまだできない。香港高裁は中国恒大集団に対する清算申し立てについての審理を開いたけれど、判断を延期するなんて言っている。日本では絶対ありえないよ。とっくの昔に債務超過になっているんだから、早く法的整理しないと大変なことになる。

債務超過というのは資産より負債が大きいパターンです。日本なら、そうなったらもう裁判所は自動的に破産認定をする。それをやらなかったら、どこと取引していいかわからなくなるから、中国のGDPはどんどん下がるだろう。ちょっと前の香港の裁判所ならこんな判断延期なんかしなかった。だって、香港は金融取引の盛んな民主主義のエリアだったから。もはや香港の司法も完全に中国化しちゃったね。

香港・中国に進出している日本企業の経営者から相談をもちかけられると、「早く逃げるしかない、グズグズしているとスパイ防止法か何かで社員まで取り上げられますよ」と答えることにしているんだけれど、「いや、なかなかできなくて」って煮え切らない人が多いのです。

ここまで出資したのだから、それを捨てるのはしのびないらしい。それならロシアに売りつければいい(笑)。西側諸国じゃ無理だから、同じ共産圏に買わせるしかない。ロシアだったらひょっとしたら乗ってくるかもしれないよ。その場合、100投資したものが100そっくり返ってくることはないと思うけれど、全損にはならない。ロシアに売りつけたら、次は人をこっそり日本に戻すしかない。ばれると空港で捕まっちゃう恐れがあるからね。そうして日本に戻ってきた企業には、安倍政権の時のように補助金を出す。それがいちばんだよ。

——補助金制度はいまも続いているんですか。

だんだん金額は少なくなっているにしても、制度自体はなくなってはいないと思う。だからとにかく早く日本に帰ってきたほうがいいと言っているのだけれど、なかなか帰れないね。いろいろ大変みたいだね。

——パナソニックとかはまだまだ中国にご執心のようですが。

そういう人たちはもうしょうがないよ。お付き合い程度ならともかく、あまり追加投資なんかして逆張りが激しいと、経済安全保障の観点からしても、会社の存立にかかわると思うよ。だいたい中国への投資額はネットではもうマイナスになっている。世界中の企業がもうみんな逃げ出しているのは間違いないのだけどね。

——NGOにしろ日本企業にしろ、中国に対する夢を捨てきれない人たちがまだまだいるということでしょうか。

そういう人たちは一定数いるんだよ。問題はいつまで夢を見ていられるかだね。

（2023年12月7日）

中国への海外投資もマイナス、もう経済崩壊は隠しきれない！

——中国への外資の投資が、2023年7〜9月期はマイナスになったというのですが、

これはいよいよヤバくなったということですか。

中国の国内経済自体が怪しくて、投資の対象としてだんだんヤバくなってきたということでしょうね。国内経済が伸びているのなら中国への投資もそれなりにあったはずだけれど、成長が鈍化しているのが明らかになってきたからね。とくに不動産不況がはっきりしてきた。

中国経済に占める不動産取引の割合はすごく大きいにもかかわらず、あの恒大やカントリーガーデン（碧桂園）といった不動産大手の多くが、どう見てもすでに破綻をきたしている。それなのに、中国政府は破綻していないと言い張る。危なくて信用取引なんて絶対できるわけがない。債権回収できなくなる確率が高いもの。下手にお金を出したら飛んで火にいる夏の虫。そんなところばかりだから、もう中国とはまともに取引できない。すると経済はますます落ち込む。そういう状況がいよいよ白日の下に晒《さら》されたということでしょう。中国への投資がマイナスになるのは当たり前だよ。

習近平さんは経済が全然わからないことで有名だからね。2期目までは、経済のことを知っている李克強さんがいたからまだよかった。彼は北京大学で経済学の博士号を取得した人で、「中国のGDPは人為的で信頼できない」と言っていたくらいだから、そういう人が首相としてナンバー2に控えていたのは大きかった。

それがだんだん習近平に疎まれて、3期目にはついに追い出された。それどころか、2023年10月に上海のホテルのプールで突然、心臓麻痺を起こして、ちょっと怪しげな死に方をした。本来なら、中国ではある程度の地位に就くと医師が付いていて万全の健康管理してくれるものなんだ。中国の要人が長生きするのはそのおかげだよ。それがホテルで夜に急死するなんて、ちょっと考えられない。

中国の専門家に言わせると、政治的に失脚してから暗殺されるようなことはあり得ないそうだけれど、漢方の病院に運ばれたっていうのも解せない。上海には心臓関係で有名な病院があるのに、なぜそういうところに運ばなかったのか、不思議だよ。

もしかしたら中国は経済を重視していないから李克強さんにはちゃんと医師を付けていなかったのかもしれない。だとすると、中国はもう経済をどうしていいかわからなくなるだろうね。最期の骨まで拾ってくれるのならともかく、李克強さんのああいう死に方を見てしまうとね。もう習近平に経済問題で的確な助言をする人もいなくなる。そうなれば結果として、中国への投資意欲はますます衰えていくでしょうね。

――外貨投資がマイナスになったことは中国国家外貨管理局という役所が公表しているん

ですが、これはもう隠しきれなくなったということでしょうか。

そうでしょうね。実際はもっとひどいことになっているかもしれない。もともと中国の外資規制では、いったん投資した人間はそう簡単に逃げ出せないようになっているのです。それでも、みんな逃げ出し始めているということだからね。民主国家だったらありえないことだけれど、投資家が逃げ出さないように共産党政府が統計をごまかしたとしても、それでも100％嘘はつけない。

その国の政情や経済的不安から、資金を安全な他国の通貨に切り替えることを資本逃避、キャピタルフライトというんだけれど、もうそれが中国で始まっているとも考えられる。資本規制があって止められているにもかかわらず、これだけあるということはね。つまり、投資先としてまったく信用できないということだよ。

――発表では1兆7700億円のマイナスだということですが、もっとあるということ?

あるかもしれないよ。中国の場合、統計はすべてインチキだから、はっきりしたことはわからない。李克強さんは、正確なGDPがわからないから、電力消費と鉄道輸送、それに銀行融資の額を見てその時々の経済状況を判断していた。これを李克強指数というんだけれど、私が見る限り、李克強さんがその話をしたとたん、国家統計局がその数字をも操作するようになってしまった。

電力だけは隠しきれないにしても、銀行融資額なんかどうにでもできるし、鉄道輸送も鉄道をすべて追っていかないとわからない。唯一、電力だけは夜間の明かりでけっこうわかるんだよね。それを衛星写真でずっとウオッチしている人がいてね、中国はGDPを3割がたごまかしているという研究がありますよ。

とくに資本取引は国際収支における債権・債務の取引だから、正確な数字を把握するなんて、さすがにこれは無理な話だよ。

今の中国から逃げ出せた人はラッキーで、自慢しているかもしれない。ウチはうまくやったぞってね。

（2023年11月13日）

中国のブイも撤去できない岸田政権に提案します

――中国が一方的に尖閣沖に設置したブイについて、撤去する考えはないと上川陽子外務大臣がおっしゃっています。どうして撤去しないんでしょうか。

これは国際法の海洋条約にかかわる問題だから、まずその基本的な考え方をちょっとお話ししておきましょう。その方がわかりやすい。

日本の役所に関する法律には「出来ること」が列記されている。こういうのを「ポジティブリスト」というんだ。逆に言えば、ポジティブリストに書いてないことは「出来ない」と解釈される。これは日本の法律によくあるパターンでね、その典型が各省庁の設置法というもので、そこに書かれていないことは出来ないことになっています。

海洋条約とかの国際法は実は英米法の世界なんですよ。イギリスとかアメリカの法体系をもとにしていて、その基本はネガティブリスト。あれはしてはいけない、これもしてはいけないということが書いてある。だけど、ありとあらゆる禁止事項を書き尽くすことなど出来るはずがない。当然、書いてないことだってある。ということは、そこに書いてないことはやっていいという解釈になる。

そのことを知っていれば、国際法にないことはやっても構わないというのが普通の解釈です。ところが、上川外務大臣は、日本維新の会の東徹さんが「日本の撤去要求に中国が応じないなら、日本は実力で撤去すべきだ」と主張したのに対して、「国際法に関連規定がないから慎重に扱う」と答弁した。「慎重に扱う」というのは、日本は撤去しないという意味で、中国に撤去を要求するという言い方をしていた。

だけど、「関連規定がない」のなら別に慎重に扱わなくたって、撤去してしまえばいいのです。だから高市早苗さんがその後に「法律に書いていないから撤去してもいいんじゃないですか」と言ったのは、国際法の本質をとらえた発言だったわけですよ。

もう少し言うとね、先にやったもの勝ちなんですよ。やっちゃいけないとは書いてないのだから、これを奇貨としてやってしまえばいい。それで終わる話です。

南シナ海でも、2023年の9月に似たような話があって、中国海警局がフィリピンのEEZ内にブイを設置したんです。ブイと言っても、10メートルくらいの大きいものなんだよ。そうしたらフィリピンは危険だからとすべて撤去した。「何が悪い」と言って。それで話はおしまい。フィリピンは国際法の世界をわかっている。

すると、フィリピンができて何で日本はできないのか、それは中国に配慮しているからだ、情けないじゃないかという話になって、ずいぶん批判が出ている。

でもね、あえて言えば、撤去するより前にもっと賢い方法がある。

――なんですか、それは。

だって、中国製のブイがプカプカ浮いているんだよ。私だったら。引き揚げてぜんぶ分解して、どんなものを使っているのか中味を調べるよ。私は珍しいものがあるとすぐ分解したくなるたちなんだ。

ブイというのは海流調査に使うものなんだ。なぜ海流調査をするかと言うと、これは潜水艦の世界になるんだけど、潜水艦はソナーの音だけで物体の探知や水深を測定する。その音というのは海流とか海音とか水温とかによって微妙に変化するんだよ。だからソナーを正確に機能させるためにいろいろな海域のデータを収集している。この海域にはこういう海流があるから、こういう音が聞こえたらこうだというふうに補正するために膨大なデータを集めるわけ。

だから、ブイを調べればある意味で中国の調査能力を見定められる。これはいい機会だよ。せっかく中国が宝の山を置いてくれたのだから、シレッと持ち帰って、いいオモチャができたとばかり、マニアックにぜんぶ調べてしまえばいい。撤去するなんてもったいないことをするより、そのほうが賢いと思うよ。

そのうち中国も「あれっ定位置にないな」って気がつくはずだから、シレッと戻しておけば、「ヤバい、中身を抜かれた」と思って持って帰るよ。

——なんならウイルスを仕込んで戻すのはどうでしょう。

場合によってはマルウェアか何かで中国軍の中枢にウイルスを仕込んだりしても面白いだろうね。そのくらいやったっていいと思うんだけどな。

――先ほどのネガティブリストの話ですが、イギリスとかアメリカは他の法律もそういう方式ですか。

そうだよ。だから自衛隊が海外に行っていつも困るのはね、戦場では国際法のようなネガティブリストじゃないと対応できないってことだよ。要するに「何かをすることが出来る」と言ったって、戦場では常に予想外のことが起こるわけでしょう。そうなると、出来るかどうか、やっていいかどうかが書いてないから身動きがとれない。ところが欧米の兵隊は「民間人を殺さなければいい」『インフラを攻撃しなければいい」ということで簡単に対応できるけど、日本の自衛隊の場合は対応できないことが多くて、いつもすごく困っているんだよ。海外の普通の軍隊は国際法に属するからぜんぶネガティブリストでいろいろなケースに対応できるのに、自衛隊は実は軍隊じゃなくて行政機関扱いだから、ポジティブリストに従わなければならない。

――考え方が警察の延長線上にあるから？

そう、自衛隊を警察と行政機関の延長で軍隊という形にしない。軍隊であれば、どこの国でも国際法にしか従わないから、ポジティブリストによって戦うことなんか絶対にあり得ない。もしそういう状況になったら自衛隊は本当に可愛そうだよ。上川大臣も、そのあたりを十分に知っておいてほしいね。

（２０２３年11月10日）

シナ海で暴走する中国軍！　無能な組織が戦争を起こす

――中国軍が悪さをしまくっていて、南シナ海でフィリピンの補給船と故意に衝突したり、東シナ海で空軍機が米軍機に接近したり、いろいろやらかしてくれています。

やらかしてますねぇ。米軍機の飛行中に、中国の戦闘機が挑発行為、というより、フレア（火炎弾）を発射するような危険行為を繰り返したことに怒って、米国防総省がその映像を公開しましたね。

一言で言うと中国軍の統制がとれていないから、そういうあり得ないことが起きる。訓練が行き届いているのかどうかという問題以前に、あんな危険行為はすべきではないという国際常識がわかっていないということですよ。

だから米軍は映像を世界に公開することによって、「中国軍の下っ端がこういうことをやっている。わかっているのか」と中国政府に警告したわけです。だから、ここで対応を誤ったら、軍の上層部も現場を掌握していないということになって、大変な騒ぎになる。下っ端の跳ね返り兵士が暴走することはままあるにしても、中国軍幹部もそれを良しとしているケースも考えられる。そういう意味でアメリカは、本来なら軍事機密にあたる映像をあえて公開してまで中国軍幹部と習近平に働きかけているんだと思うよ。

それでも適切な対応をとらないでいると、中国軍の指揮命令系統は機能していないと見なさざるを得なくなる。ましてやあのパイロットを英雄視なんかしようものなら大変だよ。軍の規律を保つためには絶対に処罰しなければいけないケースです。だから、跳ねっ返りのパイロットが英雄になるのか処罰されるのかを、アメリカはいま見極めていると思う。

普通の国なら最低でもラインから外されるところだけれど、万一、処罰もされずにまた米軍機の前に現れたりしたらかなり危険だよ。ヘタをすれば直ちに戦闘行為が始まりかねない。

――習近平の独裁が強まっているから、軍の規律も厳しくなっているのかと思ったけれど、そういうわけでもないんですね。

習近平自身が賢くないから、周囲にバカばっかり集めちゃった可能性がある。バカが独裁を始めるとバカが集まるということだよ。

独裁がまずいというのは、自分よりバカを集める形になるからなんだ。賢い独裁者は、自分より出来る人間を集めてうまく使う。だけど、独裁者自身がバカだとどうしようもない。バカな社長に人事をやらせると、バカなやつばっかり昇進するのと同じ。

優秀な人を近くに置くと足もとを救われる心配がある。バカな人間って、そういうことだけはわかるから、バカで周囲を固めようとする。中国軍にしても、下っ端のパイロットが問題を起こしたところで、直属の上司が賢ければ何とか事態を収拾させることができるけれど、挑発行動を英雄視するようなバカが中間にいたら事態はさらにエスカレートする。

——それで戦闘行為が始まったら、もう止められなくなりますね。

だから指揮系統のどこかに賢い人がいて、これはミステイクだと、単純なミスだと報告するなり謝罪するなりしなければいけない。そうじゃなくて、いやこれは向こうも攻撃してきたんだというような間違った情報が司令部に上がってきたりしたら、とんでもないことになる。

中国軍の暴走をアメリカが非難してもしかたがないことだから、あえて映像を公開して、軍隊の幹部に実情を見せつけた。それでも何も変わらないようだったら、さすがにアメリカも考えるんじゃないかな。習近平もその取り巻きもバカばっかりそろっているとしたら、本当に戦争になるかもしれない。歴史的に見ても、ちょっとしたきっかけで戦争というのは起こっている。中国共産党の内部では正確な情報も上に伝わりにくくなっているかもしれないから、それでアメリカが外から伝えたとも考えられるね。

それにしても米軍機に対してフレアを発射するなんて、もし機体に当たったら即戦闘開始だからね、信じられないよ。聞くところによると、前々から中国軍による挑発行為はけっこうあるらしいしね。

――5年ほど前に自衛隊機に対して韓国がレーダー照射したのを思い出しますね。

文在寅政権時代のあの事件も似たようなものだったね。あれもきちんとした処分がなされないまま、うやむやになった。あの時も、文在寅が中間管理職にとんでもない人間をたくさん集めていたらしい。変なやつがトップになると、下に来るのはそれ以下の連中だからね。

自分より賢い人が下にいるということが我慢できないんだ。バカほどそうなんだからしかたがない。「組織は頭から腐っていく」というのはそういう意味でね、人事が機能しなくなるんだな。

――民主主義ならそこが選挙で変えられるわけですね。

民主主義ならある程度変えられるし、独裁とは違っていろいろな選考プロセスがあるから、多彩な人材が集まりやすくなる。独裁政権でトップが腐っていたら手の打ちようがないよ。

独裁って言うのは一方に大きく振れてしまうんだよね。要するに批判する人間がいないという意味でね。だから今回、フィリピンの補給船にぶつかっていったのは中国海軍、米軍機にフレアを発射したのは中国空軍だよね。海軍も空軍も暴走を始めたということは、上に立つ人間がどうしようもないということだよ。普通なら、海軍か空軍かどちらかがおかしくなっていても、もう片方はまともなはずなんだよ。両方ともおかしくなることは確率的にあまりないはずなんだけどね。

中国海軍も空軍もこんな調子だと、台湾総統が民進党の頼清徳さんに決まったら、中国軍はカッカ来て、台湾海峡で挑発や威嚇を続けているうちに、どんな間違いが起きないとも限らない。もちろんあってはいけないことだけれど、でも確率的にこういう事件が何件かあると1件ぐらいは間違いが起こるものなんだよ。こういう挑発がある一定数になると危ない。

（2023年10月27日）

あとから一言

民進党の頼清徳副総統が558万6019票（得票率40・05％）を獲得して総統選挙に勝利した。しかし、同時に行われた立法委員選挙では民進党51議席では過半数（57議席）に届かず、国民党（52議席）に第1党を譲った。

邦人の拘束を狙う中国に渡航をお勧めする外務省

――「中国、処理水で邦人の監視強化、スパイ摘発部門が拘束検討も」という記事を読んでビックリしました。

これは超驚きの記事だね。「処理水決定により、中国の政界や経済界に深く関与していると見なされる法人に対する監視を強化していたことがわかった」。配信したのは共同通信だから、どこまで本当かという疑問はあるけれど、記事が事実だとすると、身辺調査を水面下で進めていたそうだから驚くよね。「拘束も検討した可能性がある。複数の関係筋が明らかにした」。関係筋というのがどこかはわからないけれど、一応ソースがあると言っている。嘘じゃありませんよ、というわけだ。

確かに、いまの中国ならさもありなんという気もする。在留邦人は10万人いるから、それを人質にするというのは穏やかではない。その先を読んでみると、「日本政府が処理水放出処分を4月に決定して以降、日中当局の意見交換の場が数回設けられた。中国は『放射性物質トリチウムを含む処理水は溶融した炉心に触れた水であり、通常の原発運転の排水と同一視できない』と主張して、放出反対の方針を早い段階で確認した」と。

でも、この中国の言い分はＩＡＥＡ（国際原子力機関）がすべて否定していて、炉心に触れたといっても、ＡＬＰＳですべて取り除いている。中国共産党は「まだ残っている」と言うけれど、それは少しは残っているにしても、すべて基準の１００分の１以下だもの。そんなの気にしていたらレントゲン写真も撮れない。何を言っているんだろう。ごく日常的に空気中の放射線や宇宙線を浴びているんだから、言い出したら切りがない。

とはいえ、逆に考えれば、言いがかりだけによけい怖い。それでも外務省のほうは相変わらず脳天気なんだ。渡航情報というのがあるよね。一般の人が海外に渡航するにあたって、安全上の問題があるかどうか、国と地域別に危険の度合いを外務省が発表するものです。それによると、日本人の一般観光客があまり訪れそうもないウイグルとチベット自治区は「レベル1：十分注意してください」となっているけれど、中国の他の地域はまったく危険がないことになっている。つまり外務省としては「中国にはいっさい危険はありません。行っても大丈夫です」と言っているわけ。「えーっ、本当？」って驚くよね。でも共同通信の記事を読む限り、とてもそう安全とは思えない。

これはひょっとしたら前の外務大臣の意向によるものじゃないかと勘繰りたくなるね。「外務大臣が大丈夫って言っているんだから大丈夫」というわけでしょ。日中友好協会の人だからね、林さんは。

もしかしたら、交代の後押しをしたのはアメリカじゃないかな。アメリカは情報の流出をすごく恐れるからね、林さんに対して懸念を持っていたことは、日米会議でもなんとなく感じられた。アメリカから見ると、彼が外務大臣というのは不安材料だったかもしれない。だって、アメリカの渡航情報を見てみると、中国に対してはかなり厳しくて、不当に拘束される恐れがあるというので評価は「レベル3」。日本の外務省の表現で言えば「渡航は止めてください（渡航中止勧告）」ということになっている。日本とは文字どおりレベルが違う。

私はアメリカのほうが妥当だと思うけどね。だって、日本人は福島第一原発処理水に対する言いがかりで拘束される危険がずっと高まっているんだよ。この件でアメリカ人は別に監視や拘束の対象になってない。それなのに、アメリカでは〝渡航中止勧告〟、日本は〝渡航奨励〟でウイグルとチベット自治区だけが「レベル1」なのか。のんきすぎるんじゃない？ 外務省は早く渡航情報を変更すべきだよ。大臣が変わったんだから渡航情報を変えたっていいと思うんだけど、新大臣の上川陽子さんがどこまでできるかだね。

現に中国で邦人の監視・拘束を検討しているという記事が出ている以上、「レベル3」にしたっていいぐらいだよ。上川外務大臣がどう判断するかによって、外相としてふさわしいかどうかわかると私は思っています。

――上川さんはそれほど色の付いた人ではないのですか。

色の付いた人ではない。ハーバードを卒業して、議会の政策スタッフとしてもすごくうまくやっていたし、ものすごくしっかりしている。ついでに言うと旦那さんは日銀の人で、夫婦そろってスーパーな人。いまや旦那よりはるかに奥さんのほうがすごいけれどね。

――対中外交が変わる可能性もある？

変えなきゃダメだよ。邦人が拘束される恐れを外務省がどう判断するか。その対応によって上川大臣のスタンスがわかりますよ。拘束されてからレベルを上げても遅い。される前にやらなきゃ。

――ドラマの『VIVANT《ヴィヴァン》』みたいになってきましたね。

『VIVANT』ねえ。人気あるんでしょう、もう終わっちゃったけど、あれはすごかったねえ。あのドラマのおかげで、私の知り合いの自衛隊の人が、「VIVANT」(別名「別班」)という自衛隊の秘密組織は本当にあるのですかってしょっちゅう聞かれるそうだよ。

彼が言うには、日本政府と自衛隊に「別班」という組織はない。ただし「別室」とか「調査ナントカ別室」というのはけっこうある。でも当然ながら、ドラマのような非合法活動はしていない。そんなことをしたら大変な騒ぎになる。とはいえ、情報調査活動はどこの国でもやっている。それが非合法かどうかだけ。日本は、非合法活動はしていない、ということであります。それに尾ひれがついて、別班＝VIVANTというわけだよ。

もっとも、その自衛隊の知人もなんと、商社員としてモンゴルでいろいろなビジネスをしていたそうです。

防衛省から商社に研修に行くんだそうです。でも、「モンゴルの取引先に日本の防衛省の人間だってことは明かさないでしょ」って聞いたら、「そりゃ言いませんよ」(笑)。そういう現実をドラマとして面白おかしく、ちょっと誇張して書くというのはありだよね。

だから『VIVANT』というのは100%ウソではなくて、商社を使って商取引の中でいろいろな情報収集をすることはある。

私も役人だったから、自衛隊の人間が研修で行くのは知っていた。でも単独で行動することはあり得ないよ。損害を与えられたら商社だって困るでしょう(笑)。


(2023年9月20日)

第4章

国際情勢編

トランプショックを覚悟せよ

トランプ再選で米軍は世界から撤退。チーム安倍の復活なるか

——2024年11月に米大統領選挙が行われますが、自民党の甘利明前幹事長が、フジテレビの『日曜報道 THE PRIME』に出演して、トランプさんが再選した場合、官邸に安倍総理時代のチームを復活させるべきだと言ったそうです。これは、次期大統領は「ほぼトラ」、つまり、ほぼトランプで決まりということですか。

私は「ほぼトランプ」のような表現が気になる人なんだよ。「ほぼ」というのはちょっと言い過ぎ。ものを書いたりしゃべったりする時に、私は無意識のうちに英訳していることが多いんだけど、「ほぼ」を普通に英語にするとprobablyという言葉になる。この言い方だと、9割がたそうだろうという感じになる。

英語の表現って、主観的確率と対応していることが多い。人によってはそんなこと気にしないでしゃべるけれど、でも、知的な人だと、みんな主観的確率を意識しながらしゃべる。

ちょっと英語の勉強のようになって申し訳ないけれど、9割くらい確実な場合はpro

ｂａｂｌｙを使って、６割から７割くらいのときにはｌｉｋｅｌｙという言い方をする。それから、よく使うｍａｙｂｅは五分五分。ｐｅｒｈａｐｓはそれよりやや低いくらい。いちばん確率が低いのがｐｏｓｓｉｂｌｙで、これはだいたい３割くらいかな。人によってニュアンスの違いはあるけれどね。

現在のところトランプの当選確率は７割くらいと見ているから、私は「たぶん」という言い方をしている。「ほぼ」というのは言い過ぎなんだけど、語感がいいからっていうので、みんな「ほぼトラ」を使いたがる。そりゃあ語感はいいけれど、私としては確率重視だからそうはいかない。でも、７割というのはかなり高い確率だから、いまから準備しておいたほうがいいという甘利さんの気持ちはよくわかる。

ただ安倍さんがいないからなあ。親分がいないと安倍チームが復活してもどこまでできるのかなあと思うよ。

――チーム安倍のメンバーというと、具体的には？

官邸で安倍さんの下にいた人たち。でも安倍さんがいたからチームと言えたんだよ。

――甘利さんが、自分が親分を引き継ぐということですか。

かつては安倍・麻生・甘利の３Ａプラス菅さんがコアだった。だけど、麻生さんは大宏池会復活に伴って、ここから外れる。そうすると甘利さんと菅さんだけれど、菅さんは無派閥でやっているから、甘利さんは自分が仕切るというような言い方だよね。

甘利さんも、自民党内に派閥解消の混乱があるから、ここは一丁やってやろうという気持ちでそういうことを言うのでしょう。それは政治家としては当たり前だよ。だけど、マジメな話、安倍さんのいない安倍チームを率いるというのは大変なことだよ。

トランプになったらどうしようかって、実は世界中で焦っているんだ。このあいだは、ロシアを意識して、NATOの国が攻められてもアメリカは助けに行かないと発言した。これはアメリカがNATOから離脱すると言ったも同然です。トランプが大統領に再任されたら、他国の負担が少ないと見ればおそらく離脱する。そうなったら大変なことだよ。NATOに入っているメリットがなくなる。アメリカ抜きでNATOがどれだけ出来るかだよね。

――アメリカのいないNATO対ロシアか。

ロシアがウクライナに侵攻したけれど、ウクライナはNATOに加盟すれば大丈夫だと思っていた。ところがトランプになると「ロシアのやりたいようにやればいい」と言うだろうからね、これは国際社会では実に大きな問題であります。

日米同盟も同じで、ひょっとしたら「日本は自分でやれ」と言われるかもしれない。だってNATOを離脱するっていうのに、日本だけ一緒にやる筋合いはないと言われたら、これは悩むよね。日米関係にヒビが入るかもしれない状況を描いた映画『沈黙の艦隊』(193ページ参照)のビデオ配信がいまちょうど始まっているけれど、あのストーリーが現実のものになるかもしれないよ。

――自分のことは自分で守れということになる？

最終的にはそういうことだね。『沈黙の艦隊』を観ればわかるけれど、日米安保があったって、いざとなったらアメリカ人は日本のためには何もしてくれないというのが大前提にある。アメリカが命を懸けて、体まで張るかというと、私はたぶんやらないと思う。トランプなら、日本の問題だろうとまず言うよ。

それは当然のことだから、日本人は覚悟しなければいけない。尖閣を攻められた時には「尖閣？　無人島だろう。日本でまず守れ」って、必ずそういう話になるし、万一、尖閣を取られたとしても「自分で取り返せ」と言われるだろう。沖縄まで攻めてくれれば別だろうけれど、沖縄の在日米軍も最近は家族を現地に住まわせなくなりつつある。だから、日本が米兵の家族寮を作ってでも彼らを日本に住まわせておいたほうがいい。米軍は家族を守るために必ず戦うからね。日本もそれくらいは考えたほうがいい。

――でも自力で中国と対峙するとなったら、防衛費はどれくらいかかるんでしょうか。

これは大変だと思う。ウクライナが国家予算の50％近く防衛費に使っているから、それと同じくらいかかるんじゃないかな。

――そんなに!?　ちなみにアメリカの防衛費は何％？

ＧＤＰ比で３・２％、政府支出の割合で言えば15％。日本は今度ＧＤＰ比２％に上げるけれど、それでもせいぜい政府支出の10％だから、まだまだ足りないね。

――少なくともアメリカと同じ水準にしないと話にならない？

もっと必要になる。日本だけでやれと言われたらそういうことになるよ。だけど、それはそういうものだから覚悟せざるを得ない。アメリカに頼ったところで、「日本とアジアの問題だろう」とトランプには必ず言われます。いくら安倍チームを作っても、肝心の安倍さんがいなかったら間違いなくそれでおしまい。これはバイデン大統領の場合だって同じようなもの。日本人は覚悟を決めないとね。

（２０２４年2月15日）

国連職員のハマス関与疑惑は国連の機能不全の表れだ

――「国連機関職員がハマス奇襲関与か。ＵＮＲＷＡ《アンルワ》（国連パレスチナ難民救済事業機関）を調査、アメリカ資金停止」というニュースが飛び込んできました。

これは大きなニュースだね。ＵＮＲＷＡというのはUnited Nations Relief and Works Agencyの略で、難民救済を専門的にやっている組織ですね。そこに1万3千人くらいの職員がいるからけっこう大きな組織だけど、確か職員の99％はパレスチナ現地人なんだよね。

そのうちの12人が関与していたのではないかということで、そういう疑惑があるとして、G7国とかヨーロッパの国なんかはすぐに資金停止して、少し様子を見ようということになりました。日本もさすがに資金を出し続けるのは難しいから、一時停止して調査をしましょうという常識的な対応をとっています。

ここは、日本がお金を出している先としては大きいところなんですよ。３０００万ドルだから、日本円でだいたい45億円ぐらいかな。けっこう大金を渡しているから、日本だって資金停止しないとG7各国からいろいろ言われるからね。

関与した疑いが持たれているのは1万3千人の中のわずか12人だから、組織全体としてはハマスとは関係ないという見方もあるけれど、英字新聞なんかを読んでみると10％にあたる1300人はハマスに関係しているのではないかと言う人がいます。それに職員の半数の親戚にはハマスがいるということも言われている。

それはそうでしょう。パレスチナ現地人が主なんだから、どう考えたってそうなっちゃうよ。それを、12人は氷山の一角として、1万3千人もいる職員全員をチェックして、ハマス関係者をすべて排除するというのはけっこう大変だよ。もし関与している人間がすごく多かったりしたら、それを全員排除するまでなかなかお金は出せないでしょうね。

この話は、日本ではタブー視されているわけではないだろうけれど、あまり表に出てこない。日本人は「国連なら大丈夫だろう」とまず思ってしまうところがある。妙に国連を信用しているんだ。でも、全然そうじゃない。

言ってみれば、今度の事件も国連が機能不全に陥っていることの一つの現れじゃないかと思う。国連だからといってすべてが正しいわけじゃないし、はっきり言うと国連にはとんでもない組織がたくさんある。UNRWAがとんでもない組織かどうかはまだわかりませんよ、でも、もし1300人もハマスがいるとなったら、そこに金を出せと言われてもちょっとね。極端な話、いったん解散して新しい組織に作り直せという人もいるけれど、1万人以上いる組織を新しく作るのは難しい。UNRWAを改革していくしかないだろうけれど、大きな混乱が伴うことは間違いない。

日本の中東政策はほとんど情報もないところでやっているから、ハマスがイスラエルを攻撃した時に日本以外のG7諸国は直ちに「テロ行為だ」と声明を出したけれど、日本政府はなかなか出さなかった。今回もUNRWAへの資金を停止したのはG7の中では最後だった。資金停止の声明がいつ出るかなと思ってずっと外務省のホームページを見ていたら、夜中だったかな、報道官の談話として発表された。まあ、ギリギリのところでセーフだね。それほど遅くなったわけではありません。でも、ハマスについてはあまり触れていない。

日本は中東に対して情報収集も弱いし、国連がやっていることとなると無批判になってしまいがちなんだ。国連中心主義と言ってもいいくらいにね。そこが日本の弱点でもある。中東政策も含め、外務省に頑張ってもらいたいところだね。

――国連自体を再編成しようという動きはないんですか。

それができないから苦労しているんだ。だって、まだロシアがいるんだから。そうしたらなかなか難しいよ。

――中国もいますしね。

今回の事件を見ても、国連の組織をそんなに信用しちゃいけないということはわかると思うけどね。ただ、UNRWAの職員があのハマスの奇襲に関与したというのが本当かどうかもまだわかりませんよ。もしかしたら逆のプロパガンダに乗せられているのかもしれない。情報の真偽を見極めるのが非常に難しい時代だからね。

日本がG7の中で判断がいちばん遅れるのもある程度しかたなくて、各国の様子を見ながらあまり離れずについていくというのはやむを得ない面もある。

でも、はっきり言うとイスラエルとアメリカというのは、関係がとても近くて、双方の考えはほぼ同じだからね。日本の対イスラエル政策は実は日米関係とそっくりなんだよ。そうすると、日米関係を重視しようと思うなら、対イスラエル政策も目をつぶってアメリカと同じようにやっているほうが無難なんだ。

「独自の政策を」ってつい言いたくなるけれど、人的パワーとかいろいろ考えるとやはり難しいんだよ。だから、イスラエル政策なんて対米政策の一部でしょ、と私は割り切っている。原則対米政策の一部と考えてもそれほど間違いではない。

そう言うと「イスラエルとアメリカの間もギクシャクしている」と反論する人がいる。それはそうなんだけど、大雑把に言っちゃうと日本とイスラエルの関係は日米関係とかなり似ている。もちろん同じじゃないことはわかっているよ。それでも独自の中東外交をやろうと言ってもできないのが実態だからね。

（2024年2月1日）

イスラエルのガザ病院攻撃は国際法違反か

——ガザ地区の病院にハマスの軍事拠点があったのかどうかという問題が物議をかもしていますね。

そうですね。あれはシファ病院というガザではすごく大きい有名な病院なんですけど、問題になっているのは、ふつうの病院なら民間の施設だから攻撃してはいけないはずなのにイスラエル軍の猛攻を受けていること。

国際法では軍人とか軍の施設は攻撃してもかまわないけれど、民間人や民間の施設は攻撃してはいけないことになっている。これは当たり前ですよね。にもかかわらず、攻撃していいケースもあって、民間の病院のように装っているけれど、実はそこは軍事拠点だったという状況に限られる。問題は、それを挙証するのは誰かということです。

それを証明する責任は攻撃する側にある。だから今回はイスラエルがシファ病院にハマスの軍事拠点があったことを証明しなければならない。それができなければイスラエルは国際法違反ということになる。

国際法を守るということはいかなる立場であれ議論の余地のないことだから、いまイスラエルは軍事拠点であった証拠を出そうとしているところだけれど、その証拠が本物かどうかも議論になるところだから、実際のところ、すぐにはわからないかもしれない。

この問題について語るには、まずシファ病院の歴史を知っておいたほうがいいと思うので、ちょっと話をしておきましょう。

ここは700床あるガザ地区最大の総合病院で、建設されたのはイギリス統治時代の1946年。古い病院なんだよ。作ったのはイギリスだけど、1948年にエジプトに移管して手を引いている。その後、1980年にガザを実効支配したイスラエルが管理するようになった。ハマスが管理下に置いたのは2007年から。

　そういう歴史的な変遷があるわけだけど、イスラエルが管理している1980年代に地下室が作られたとよく言われている。だからイスラエルは地下室があることを知っているんだけれど、ハマスがそこを軍事拠点にしているというのはイスラエルが主張しているだけで、とくに証拠はない。ただし歴史のある病院で、管理者も二転三転しているから、いろいろなところから情報がたくさん出ている。こういうことを頭に入れてニュースを見るといいでしょうね。

――イスラエルが作った地下室だからよく知っているんですね。

　いまイスラエルの国防省が、竪穴があってどうのこうのと説明していて、当初は懐疑的だったイギリスのBBCも、ついこの間見たらイスラエル国防省の発表しているビデオを使って解説していた。BBCはこういうビデオがフェイクかどうかは当然わかるはずだから、それなりに信憑性があるのかもしれないね。こういう場合は一方の話を鵜呑みにするのではなくて、両者の主張を冷静に判断する必要がある。

　だから私はX（旧ツイッター）ではいつも両方について書いている。とくにイスラエル国防省、英BBC、それにいろいろな人のインタビューとか、そういうものをぜんぶ見て、聞いて、判断している。正直言うと、戦時中だから断定的なことはわからないかもしれない。でも、ポイントは国際法が戦時下においてどのように適用されるかということです。

イスラエルは軍隊にも国際法の専門家がいるから、それなりに慎重にやると思うけれど、ただ戦時中だから間違いもたくさん起こるでしょう。それでも休戦が実現したら、シファ病院についても本当はどうだったのか、第三者機関が検証することになると思う。そうすればある程度のことは分かると思いますよ。

――国連の動きをみると、イスラエルはやり過ぎだと、だんだん批判の矛先が向いてきたようですが。

いくら国際法に反していないとはいえ、人道的な問題があるからね。民間人や病人が亡くなることはあるからね。でも新生児は移したんでしょう。そこはイスラエルだって、国際法に則っていれば全員殺していいんだとは言わないよ。でも人道的な話を重視するなら、病人は全員、別の病院に移してから調べろという話になってしまうんじゃないの。

――それはさすがに時間がかかるでしょうね。

検証もすぐにはできないだろうしね。でも、一時的だとしても、そろそろ人道的和平というような話になるかもしれないよ。

――じゃあウクライナよりもこちらのほうが早く終結しそうですか。

ウクライナのほうは膠着状態だからね。こちらのほうはイスラエルのほうが軍事力で圧倒しているから、それこそ人道的に配慮してある程度のところで止める必要がある。ハマスだって人質を返せば終わる話なんだから、とりあえず水入りにして、お互いにちょっと頭を冷やしたほうがいい。

人道上の理由で休戦するのはよくあることだからね。まあ、それもしばらく時がたてば元の木阿弥になることも多いのだけれど。

（2023年11月24日）

北朝鮮の弾道ミサイル技術はまだまだ日本に遠く及ばない

——11月21日（2023年）の夜、北朝鮮が衛星打ち上げを目的として弾道ミサイル技術を使用した発射を強行しました。これをどう見ますか。

夜中の11時頃でしたね。スマホでニュースは見たけれど、警報はなかった。沖縄では警報が出たんですよね。

北朝鮮は11月22日から12月1日の間に人工衛星を打ち上げると通告していたけれど、ま

人工衛星と弾道技術

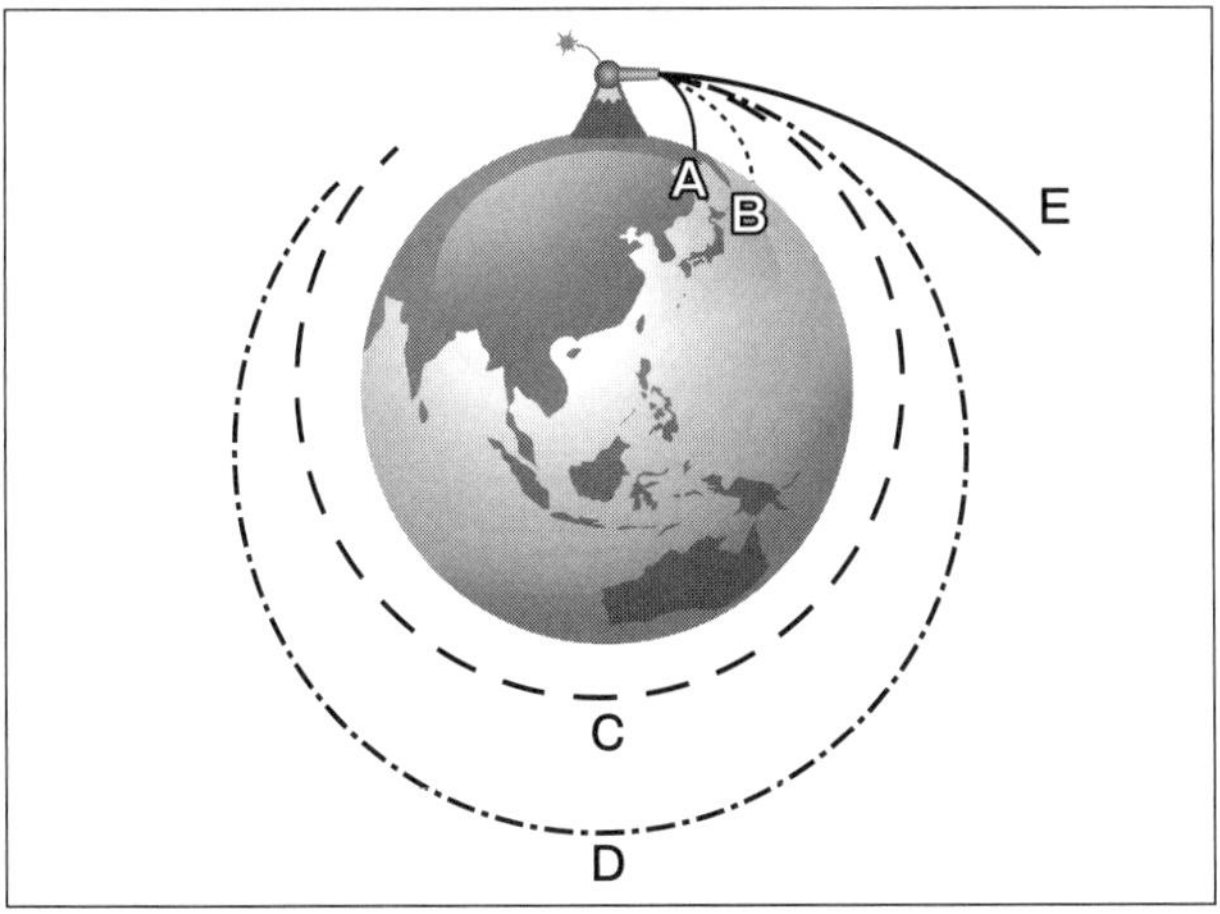

ああと数時間たてば予定どおりということなんだろうけどね。それでも予告より早かったから驚いたという人がマスコミにもいたけれど、でも自衛隊の人たちからすれば、その前後からずっと、というより日頃から準備しているから、どうってことはないんじゃないの。「予定外の発射で驚かせる意図がある」なんていう解説があったけれど、こんなことで驚いていたら国防はできないよ。

それはそうだよね、予定どおりなんてことはまずない世界だからね、戦争なんて。常日頃からいつも監視している人から見れば、ほんの少し前にずらしたからって何の意味もない。結果的に1段目と2段目がそれぞれ海に落ちて軌道には乗っていないって話だから、この軍事衛星なるものは失敗したんじゃないの。

せっかくだからこの際、いわゆる人工衛星の話をしながら、物理の勉強をしてみましょうか。実際の計算なんかは高校の物理で必ず習うことですよ。

わかりやすく言うと、高い山の頂上から思い切りボールを投げたらどうなるか。水平に投げても、スピードが遅いと当然落っこちてしまう。それでもスピードが速ければ速いほどボールはどんどんどんどん遠くまで飛ぶよね。それがものすごい速度なら地球を1周する。高い山からボールを投げるのは、実は衛星発射と同じことです。

それでいまの北朝鮮の技術だと、1周はできないけれど、図のAとかBまでは届く。速度が上がればBからどんどん離れていって、アメリカまで届くようになる。さらに速くなるとCになるわけ。だけど、北朝鮮にはまだそこまではできない。これは球を速く投げられるようになるのと同じで、なかなか難しいんですよ。

ロケットなら簡単だろうって言われるけれど、速くするためにはものすごい燃料を積まなければならない。そうすると大きくなってしまうから、多段階に分けてどんどん加速させていくんだけれど、多段階に分ければ分けるほど、それがうまく分離できるかどうかわからなくなるから難しい。

これがいわゆる弾道技術で、それはいかに速いロケットを作るかということですよ。北朝鮮はまだCまでいかなくて、この図のBよりもやや遠くまで届いたという段階です。いまのところ1万キロ先のアメリカまで届くと言われているけれど、地球の円周は4万キロもあるから、北朝鮮としてはCを目指しているところじゃないかな。

――今回、目指したのはCですか？

そうでしょうね。軍事衛星を打ち上げるためにCが必要だから。ちなみに日本はというと、人工衛星を打ち上げているからCもできています。あと、楕円形のD、それに地球外まで行っているEもできている。日本のほうがすごいね。

――CとDの違いは？

これは速度の違い。Cよりもうちょっと速くなると楕円になる。

――衛星の種類が違うんですか。

基本的に衛星の種類は同じです。でも、たとえば気象衛星になるとクルッと回らなければいけないから、Dのように楕円になって地球からの距離が離れると意味がないよね。なるべくCのように一定のところを回っていないと、地球から見ていて動きがわからなくなる。

ちなみに、通信とかテレビに使う静止衛星というのがあるでしょう。あれはCなんだけれど、回転の速度と地球の回っている速度が同じだから止まっているように見える。Cの普通のやつ、つまり静止衛星でないのは、それほど地表から離れていないからあっという間に回ってしまう。Cのような衛星は流れ星みたいで、スターリンク（衛星を介してインターネットを利用できるシステム）で空を見ているとバーッと動いていくのがわかる。それがずっと遠く離れて、回る速度と地球の自転が同じになると、静止して見えるわけ。技術的には難しいけれど、通信衛星が動いたら大変でしょう。しょっちゅうアンテナの位置を変えなければいけない。

――CがDに近づくということですか？

回る輪が大きくなる。地表に近づけば近づくほど同じ速度でも速く動くように見えるけれど、遠くにあるとあんまり動かないように見えるでしょう。衛星放送は難しくて、あるところまで上がって、そこで速度を落とさないように、そして外にも内にも落ちないように保つ。微妙なのだよね。

これは、静止衛星は地球から何万キロ離れた軌道で何万キロの速度でなければならないかという物理の試験問題になるよ。もちろん空気抵抗はないものと仮定して計算すれば数字が出る。地表からの高さもピンポイント、速度もピンポイントで出せます。

――じゃあ静止衛星を持っている国は技術力が高いんですね。北朝鮮は？

まだAかBまでしか届かない。思い切りボールを投げても一周しないで落ちてしまう。

――ロシアから技術を提供されているのでは？

それは技術を全部もらえばCもDもできるけれど、何段階もあるうちの一部だけもらったんじゃないの。だから部分的にはうまくいっても、その他のところはうまくいかない。

――さすがに全部はもらえなかった？

全部もらったら、ロシアに打ち上げてもらったのと同じことじゃない（笑）。それじゃ自主開発したとは言えないし、メンツもあるしね。自分たちで作ったと嘘をつく手もあるけれど、すぐわかっちゃうからね。やっぱりロシアの技術は一部だけということにしないとメンツが立たないよ。

――とはいえ日本にはAで届くわけですよね。

Aで日本に届くし、Bでアメリカに届く。Cになったら世界中どこにでも届くよ。怖いよね。こうなると日本も核兵器がないと抑止力にならない。いよいよ安倍さんが言っていた核共有・核シェアリングの話を具体化していかなければならないんじゃないですか。

（２０２３年11月22日）

焦る中国 アルゼンチンのトランプが次期大統領に！

――アルゼンチンでトランプみたいな人が大統領になって、中国が反発というか、反応しているらしいです。

ハビエル・ミレイさんという人で、経済学者ですよね。中央銀行を廃止するとか、この省庁を廃止するとか言って、アルゼンチンのトランプと言われている。話として面白いところだけ取り上げて、とんでもない人物だと報道されているようだけれど、さすがに経済学者だから、表現は過激だけど、やりたいことは実はこうじゃないかと推測することはできる。別に私はミレイさんの知り合いでも何でもないけれど、普通の経済学者だったらこうするんじゃないかという話をしましょう。

中央銀行を廃止するというと大変なことのように思いますよね。日銀を廃止しろと言っているようなものだから。でもアルゼンチンのいまの経済って、物価高が１４０％で、１年間に2倍以上になるというとんでもない状況なんですよ。

日本で2％か3％上がってインフレだなんて言っているのとは比べものにならない。桁が2ケタ違う。こういうのをハイパーインフレっていうんだよ。これは大変です。

正確に言うと、年率30％以上を国際会計基準ではハイパーインフレっていうんだけど、100％以上というのは、はっきり言ってお金の刷り過ぎが原因だよ。ではどうして刷り過ぎてしまうかというと、中央銀行がたくさん国債を買ってお金を刷るからで、これをバランスシートで見ると、中央銀行の資産のほうにアルゼンチン国債が載って、右側に銀行券つまりお札が載っかって、これ（この額？）が大きくなるのがポイントでね。世の中に国債が山ほどあって、それを中央銀行がたくさん買うからこういうことになる。これをやめさせるためには、中央銀行がお札を刷って買うものを米ドル債に限定して、米ドル債を買ったらお札が刷れるというルールにすればいい。

アルゼンチン国債が山ほどあっても米ドル債に限定すれば、中央銀行のバランスシートの左側の資産に載るのは米ドル債だけになる。資産的に米ドル債をそんなにたくさん買えないから、そこに見合うお札を出す形にすると、アルゼンチンの紙幣の実質的な価値がドルとまったく同じになる。

こういうのをドル化（dollarization）というんだけどね、これがインフレを抑えるための一つの手段なんだ。中央銀行が自国の国債を買わずにドル債を買ってお札を発行する。ドル債の量は限定されるから刷るお札の量も限定的になってインフレが収まる。おそらく140%のインフレは10%を切るんじゃないかな。

こういうやり方はよくあって、日本の近隣国でも、たとえば香港ドルは中国の国債を買っていて、いまは変わったかもしれないけれど、香港が自治区だった時は、外貨債を買ってそれに応じて香港ドルを出していた。だから香港ドルは安定していたんだ。

アメリカのドルを買って、それに応じて通貨を発行する形にすると、その通貨はほとんどドルと一緒になるから、実は為替リスクもほとんどなくなって物価も安定する。このやり方を「中央銀行を廃止する」と言っているけれど、別に中央銀行がそのままでも同じようなことはできる。だからミレイ大統領が「中央銀行を廃止する」と言うのは政治的な言い方であって、実際に廃止はせずにちょっとやり方を変えるんじゃないかな。こういうやり方をすると新しい通貨を出すのと同じだから、政治的なレトリックとしては間違いじゃない。やり方としてはただ単に中央銀行の持つ資産の中身を入れかえるというだけだと思う。そう考えるとけっこう合理的な政策なんですよ。

あと、お隣のブラジルは左派政権なわけ。そういう地理的な関係にある場合、右派政権を作るメリットがある。左派政権は多様性とかをすごく重視するから、移民に対して寛容になる。だから右派政権としてアルゼンチンは移民を受け入れないと言えば、移民はみんなブラジルに行く。ブラジルは大変だけど、国家運営としては合理的ですよ。

だから、アルゼンチンのトランプさんは案外考えているのかもしれない。中央銀行の廃止なんてムチャクチャだと言うかもしれないけれど、ドル化政策だったら全然ムチャではない。よくやる政策ですよ。それを政治的なレトリックとして中央銀行を廃止するという言い方をしているのかもしれない。

――国際的にはどうでしょう。BRICSに入るかどうかという話もありましたが。

いまのBRICSはブラジル、ロシア、インド、中国、南アフリカの5カ国。これを増やそうとしていて、新たに加入しそうだと言われていたのがアルゼンチンをはじめ、エジプト、サウジアラビア、UAE、イラン。それ以外にもいくつかあるんだけれど、アルゼンチンはもうここには入らないと言っている。

だってBRICSで偉そうな顔をしているのが中国とロシアでしょう。そこにイランが入ってきたら、もう悪の枢軸みたいな国ばかりだよ。おまけに左巻きだからね。だからここに参加しないというのはいい判断だと思う。これから中国、ロシア、イランという左の巣窟が共謀して世界制覇を狙おうという時に、アルゼンチンがまったく違う施策をとって、それでインフレの抑制に成功して、移民を入れず国情が安定したら、アルゼンチンの政策のほうがいいじゃないかという話になるよ。

――中国はそれで反発しているんですか？

それはそうでしょう。せっかくBRICSに誘ってあげたのに言うことを聞かないし、そのうえこれからは反中国で行くって言っているんだから。自分がリーダーになってBRICSとかグローバルサウスを率いて行こうとしていた中国としてはカチンときているよ。

――前政権は中国寄りだったんですか。

そうそう。それで誘ってやったのにということだよ。だけど、ミレイ政権のやり方が功を奏すれば、ブラジルだってわからないよ。だってお隣の国がうまくいって自分たちだけ移民を大量に受け入れなければいけなくなったりしたらね。それなら右のほうがいいやということになるかもしれない。

こういうのって常に左右に振れるからね。いままで左に触れる傾向があったけれど、中国を見ていたら意外に経済的に良くないということがわかってくると、アルゼンチンのミレイさんみたいな人が出てきても全然不思議ではない。

――アルゼンチンの先進国復活への道筋も見えてきますか。

そうなったらすごいよね。これはノーベル経済学祭文賞を受賞したアメリカの経済学者サイモン・クズネッツが言ったのだけど、世界には4種類の国しかない。先進国であって先進国である国。後進国であって後進国である国。先進国から後進国に落ちたアルゼンチン。後進国から先進国に上がった日本。この4種類だけだと言ったのは有名だよ。

だけどクネネッツもアルゼンチンが先進国に戻ったら意見を変えなければいけなくなる。もしアルゼンチンがこういうやり方で変わったら、社会主義の方の左巻きの人は真っ青になるよね。

（2023年11月29日）

第5章

メディア編

国民をミスリードする不勉強な左巻き

私のあとは〝AIタカハシ〟に任せようかな

――EUが生成AIの規制をするというニュースが入っています。今後AIはどうなっていくのでしょうか。

ＡＩ規制をするというのは、それによって労働者がどのくらい守られるかということだと思う。アメリカだと、たとえばハリウッドでＡＩが多用されるようになると、トム・クルーズのような主演クラスの大スターはいいとして、大多数の俳優が職を失いかねない。そこで、ジェシカ・チャスティンのようなスター女優も参加してタイムズスクエアでピケを張り、２０２３年の11月に全米映画俳優組合がストライキを起こしました。ＡＩを規制しないと、俳優の肖像をスキャンするだけでいくらでも映像ができてしまう。そうなると、これまでのような雇用が維持できなくなる恐れがあるというわけです。

ＡＩが人間の代わりになる未来に欧米人は強い危機感を持っている。日本人はあまり気にしていないみたいだけれど、その懸念は当然でしょうね。ＡＩの普及によって奪われるのはどんな職業かというようなことを私もよく聞かれるんだけれど、はっきりしているのは、ルーティン的なもので、単純かつ規制によって守られている職業が危ないということです。

その典型が〝サムライ業〟、つまり武士の「士」がつく職業。たとえば税理士とか弁護士です。こういう職業は資格試験のような参入障壁があって、規制によって守られている。だけど、ＡＩなら試験なんか簡単に出来てしまう。人間がやる意味がどこにあるのかという話になるんだ。

公認会計士がしている企業決算の分析なんて数字ばかりだから、データを入れて平均値から外れている項目をピックアップすればいい。税理士の仕事だって税法とデータを入力すればあとはＡＩがやってくれる。ちなみに私の会社ではＤＸ（デジタル・トランスフォーメンション）化がほとんど終わっているから、国税庁御用達ソフトにデータを突っ込んでしまえば、税理士よりはるかに間違いは少ない。しかも国税庁の御用達だから、たとえ間違っていてもこちらの責任じゃない（笑）。

――国税庁の責任だから追及されることはない。

そうそう、だから下手に税理士に頼むより税務申告が簡単なんだよね。もちろんＤＸ化が完璧にできていることが前提だけれど、そうすれば税理士に限らずサムライ業の人はほとんど要らなくなってしまう。

弁護士もそうです。極端なことを言えば、過去の判例を検索して似たような事例を探すだけの仕事だからね、過去の判例を見ればだいたいの相場感がわかるじゃないですか。昔は過去のありとあらゆる判例を調べるなんて無理だったから、そこに専門家である弁護士の存在意義があった。過去の判例をいろいろとあげながら弁護するのが腕の見せどころだったけれど、いまはもう最高裁で判例をすべて公開しているから、ネットで検索すれば誰だって調べられる。

――そういう中で生き残っていけるのはどういう人でしょう。

もちろんＡＩが１００％何でもできるわけじゃないから、たとえばすごくＤＸに詳しくて、ＡＩの限界がわかる人は生き残れると思う。ＡＩにはここまでしかできないということがわかっていれば、ＡＩの苦手な分野もわかるからね。

――そうなるとＡＩが使いこなせる人のところに仕事が集中するのではありませんか。

その可能性はあるね。ＤＸ化に乗り遅れた人はそういう人の脚にぶら下がってなんとか分け前にあずかろうとするかもしれない。いずれにしろサムライ業の人にとっては大変な時代になってきていることは確かだね。現に、家業として子供には継がせられないと考えている人が多いみたいで、どうしたらいいでしょうかってよく聞かれる。

DX化がどんどん進めば、それに応じてAIの活躍度も変わる。そのDX化自体を進めるのは人間だから、DXに詳しい人はAIに対抗できるけれど、DXがわからないと、アッという間に淘汰されてしまう感じがするね。

――それは一般のサラリーマンも変わりませんね。

同じだよ。たとえば汗水たらして営業するというようなことはAIにはなかなかできない分野であることは間違いないけれど、果たしてそういうやり方がこれからの世に通用するかどうかはわからないけど。

私自身、データ分析が考え方の基礎になっているから、発想や思考パターンがAIに近いんだよ。だから、まともにぶつかったら私がAIに負ける可能性もある。この年になると、もうどうでもいいんだけれど、どうせなら、電子化されている私の著作すべてとYouTubeのアーカイブをもとにして〝AI高橋〟を作ってもらいたいね。私の思考パターンってAI的にはすごく簡単だから、それに新しいデータを入れていけば、私の後継者である〝AI高橋〟ができるかもしれない。

だって、海外の事例と日本の事例を調べてデータ分析して答えを出す。私はつねにこのパターンだもの、すぐにＡＩ化できる。誰かが〝ＡＩ髙橋洋一〟を作ってくれれば、私が死んでもずっと同じことができますよ。

――髙橋洋一さんの後継者を育てないのかという質問がよく来るんですが……。

これがいちばん速くて簡単な気がするね。私の著作は確か３００冊近くあるんだよ。それと映像とをすべて読み込ませてデータ化すれば、思考パターンはすごく単純だからいろいろな問題に対応できるんじゃないかな。新たに起きた問題についても〝ＡＩ髙橋洋一〟がパパッとしゃべるんじゃないの。

――ＹｏｕＴｕｂｅの映像データはもう十分にありますからね。

その画像とか映像を使って動画もできるじゃない。ずっと年をとらないままでいつまでも続けられる。これだけいろんなこと言っているし、いろいろな分野をやっていて、でも方式としては単純だから、もうリアルな人間じゃなくても、ＡＩで出来るよ。

――タイアップしてくれる技術屋さん次第ですね。

私が昔、政府の財務諸表を作った時、こんなこと私以外の誰にもできないと思ったからプログラム化したんだ。そうしたら、財務省はいまでもそれを使っているんだよ。だから財務省にはまだ〝ＡＩ髙橋洋一〟がいることになる（笑）。

ある時ふざけて、あのプログラムの中にすごいものが埋め込んであるよって言ったら、財務省がプログラム監査をして徹底的に調べたらしい。結論は、「そんなものはない」。だけど実は本当に埋め込んである。もう25年ぐらい昔の話だけどね。これなんか、ある意味で〝ＡＩタカハシ〟だよね。

——コアな部分に入っているんですか。

あれはなかなか外せないんだ（笑）。ほかにもアセットマネジメントシステムという資産と負債の動きのバランスをとるシステムが入っている。それもＡＩタカハシですよ。これからの時代、職を失うんじゃないかなんて悲観するより、ポジティブにＡＩを利用していろいろな分野で自分のアバターを活躍させることを考えたほうがいいんじゃないかな。

（２０２４年１月８日）

テレビ番組制作会社はネットで生き残れるか

——テレビ番組制作会社が次々に倒産、２０２３年は過去10年間で最多を更新したというニュースがありました。

これからも増え続けるんじゃないかな。新聞も厳しいけれど、テレビの世界も徐々に縮小しつつあるからね。スポーツのようなコンテンツは残るかもしれないけれど、苦しいと思うよ。民放を支えている広告市場がネットに移っているのは、ネット番組のほうが受けているということだよ。テレビ制作会社はその煽りをくっている。テレビが下り坂になれば、真っ先に影響を受けるのは制作会社や子会社、孫会社だからね。

――下のほうから切られていくということですね。

やはり御身大切だからね、本体のテレビ局は自分が生き残りたいから、下請けをどんどん切っていく。そのうち切るものがなくなって、自分の手足まで切らざるを得なくなるんだよ。

――広告収入はすでにネットに抜かれていますしね。

ネットの番組のほうが面白いから当然でしょう。私の番組もそうだといいんだけどね。テレビと同じような当たり障りのないことをやっていたら、ネット上では生きていけない。ネットにはいろいろな観点からのものがアップされるから、ステレオタイプのテレビ番組とは違う、新たな発見があるということなんじゃないですか。

――このような状況だと、制作会社もどんどんネット番組に参戦してくるでしょうね。

制作会社にしてみれば、伸びている分野に活路を見出そうとするだろうし、魅力的な市場でしょうからね。だからと言って、ネットなら何でもいいわけじゃない。当然ながら、ヒットする番組もあれば、大外れすることだってある。厳しい世界であることはテレビと変わらないよ。

――コンテンツの数も比べ物にならない。

テレビと違って、ネットは誰でも起業できる世界だからね。低コストで誰でも簡単に番組が作れる、いわゆる参入障壁がすごく低い分野です。テレビだと、それなりの資本と施設がないと無理だし、そもそも放送免許が必要だけれど、ネットなら、極端なことを言えばｉＰｈｏｎｅが1つあれば個人で簡単にできてしまう。逆に言えば、それだけに大変な競争社会ですよ。

――制作会社としても作戦を考える必要がありますね。

どういうところに付加価値を見出していくかじゃないかな。ネットの世界で生き残るためには今までのテレビのやり方を変えないとね。はっきり言うとテレビの世界では、大勢の人間が寄ってたかってみんなで甘い蜜を吸っている。何もしない人たちがなんでこんなにいるのかと思ったら、みんなでチューチューするためなんだ。実はネットでも、テレビから来た有象無象がチューチューしている番組がすでにあるよ。

——テレビのやり方をそのままネットに持ち込んでいるのですか。そんなことがあるんですか。

ある。テレビの人たちはそれが当たり前だと思っているんだろうね。でも、それじゃ長続きしない。ネットの世界はちょっと違うよと言いたくなるよね。

——ＹｏｕＴｕｂｅの『髙橋洋一チャンネル』の視聴者が１００万人を超えてから、テレビ関係者からアドバイスを求められることが多くなったんじゃありませんか。

ものすごくよく聞かれる。いったいどうやったら１００万回再生されるようになるんですかって。それがわかれば苦労はない。こっちが知りたいよ。「髙橋洋一チャンネル」だって、それまでに3年かかっているからね。だけどテレビの人って、自分たちはプロだから、簡単にポンといけると思っているんだよ。

——確かに、テレビで顔と名前が売れているタレントが鳴り物入りでＹｏｕＴｕｂｅを始めたのに、視聴回数がまったく伸びないケースもありますね。

自分は人気があるからテレビと同じようにやればみんなが観てくれるだろうって本人は思い込んでいたのに、意外や見向きもされない。勘違いしている人が多いんだ。やっぱり企画自体、内容そのものが面白くなければ観てもらえないよ。

――テレビと同じやり方が通用すると思っていたら、当てが外れた。テレビとネットは似て非なるものだった。

全然違うものだよね。テレビは尺が短いから、適当にしゃべっていれば終わっちゃう。

――テレビに出演したけれど全然しゃべらなかったって、時々おっしゃっていますよね。

とくにしゃべりたいわけじゃないから、話したくてウズウズしている人に譲っているうちに終わり。それで結構だよ。言いたいことはＹｏｕＴｕｂｅで言うから、別にテレビで他人をさえぎってまで話す必要はない。もともとそんなにしゃべるほうじゃないし、基本的には黙っていたってかまわない人なんだから。

――聞かれたら答えますというスタンス？

いつもそうだね。聞かれたことにはきちんと答えるように心がけています。でも聞かれないのにしゃべるってことはあんまりしない。テレビでも同じ。自分の番が回ってきた時にしかしゃべらない。そうでない人もたくさんいるよ。ある時、いかに自分の話で尺を取るか、その取り合いが始まったんでびっくりした。それでいて、言っていることは実につまらないんだよ。ああいう人たちはたぶんネットではダメだろうな。

——もし『朝まで生テレビ』に出演オファーがあったらどうしますか。

出ないよ、あんなもの。まじめにしゃべろうとしたって「ちょっと待って」ってすぐさえぎられるからさ。誰も他人の話を聞かないしね。ああいうのがいいと思っている人がテレビ業界にはいるけれど、自己満足だよ。あれをネットでやってみればすぐわかる。つまらないからみんな寝てしまうよ。

（2023年11月14日）

関口宏サンが辞めてもサンモニは不勉強な左巻き集団のまま

——毎度おなじみ、TBS日曜のテレビ番組『サンデーモーニング』コメンテーターの寺島実郎さんが、相変わらずいろいろと妙な発言をされています。その中から二つほどピックアップしてみると、まず、イスラエルとウクライナの関連性を挙げ、「アメリカの中東戦略の失敗の構図が凝縮している」といった解説をしたり、「円安がけしからん。国家への信頼が失われている。選挙対策で減税しないで財政健全化に向けて一歩を踏み出せ」と言ったりしています。

いまだに円安を国家の信頼に結びつけているだけでお里が知れる（笑）。「減税しないで財政健全化を」と言ったって、そもそも岸田政権以降、円安で政府の外為特会（外国為替資金特別会計）はウハウハだし、企業収益が大幅アップしたから、法人税収・所得税収も財務省の当初の予想を大きく上回った。それをすべて足すと50兆円にもなる。それをぜんぶ政府が貯め込んでいるんだよ。

政府が貯めこんじゃいけないというのがまず大前提だ。見積りレベルの税収だったのならしょうがないけれど、予想以上に儲かったんだから、そのぶんは国民に返すべきだろう。赤字国債を出して減税しろなんて言っているんじゃない。50兆円もあるなら、物価高で苦しんでいる国民に還元しろと言っているだけだよ。そうすれば好循環が生まれる。政府が貯め込んでいいわけがない。単純な話ですよ。何が「財政健全化」だ。意味がわからないよ。

——寺島さんは国債を償還しろと言っていますが。

この人、知らないんだと思うけれど、日本銀行は国債を資産にしてお金を出しているんだから、国債償還すると金融引き締めが起きて、金利がすごく高くなってしまう。だから、いま国債償還したらまずいんだよ。そういうこともこの人知らないんだね。

要するにさ、世の中のいろいろなメカニズムを知らないで得々としゃべる人って、とくにテレビのコメンテーターに多いんだよ。そういう人たちは、番組が用意した原稿を読みながらしゃべっている。この寺島さんという人も、ＴＢＳのライターが書いたものをただ単に読み上げているだけだろうから、そもそも原稿書きがどうしようもないアホなんだろうけど、今のタイミングで強烈な金融引き締めなんかさせたらダメだよ。何もわかっていないんだよ。

——それに、ウクライナ戦争とイスラエル紛争は相互に関連していて、シリアが絡んでいるという話もしていました。

ウクライナとイスラエルの関連性を語るんだったら、たとえば、プーチンの誕生日である２０２３年の10月7日にハマスがイスラエルを攻撃したのは、プーチンが裏で糸を引いている証拠だ、というような話ならわかるよ。だって、今回のハマスによるイスラエル攻撃におけるいちばんの利益享受者はプーチンだからね。

イスラエルが攻撃されればアメリカの目はそちらに向いて、ウクライナへの軍事支援がおろそかになる。しかも、エネルギー価格が高騰して、基本的には産油国であるロシアの財政が潤う。ちょっと荒唐無稽でぶっ飛んだ説だけどね、それだったらイスラエルとウクライナが結びつく。でも、そういう話でもない。

だから原稿を書いている人が何もわかってないんだよ。そのことも理解できずに原稿を見ながらしゃべっている寺島さんはそれ以下だと思うよ。まるでアナウンサーみたいなものと言ったら、プロのアナウンサーに失礼になる。いったい何のために番組に出ているのかな。

ところで、『サンデーモーニング』といえば、何かと物議をかもしていた司会の関口宏さんが降板するそうだね。

――2024年の3月までだそうです。

後任は膳場貴子さんだそうだけれど、そうなるとますます左がかかったものすごい番組になりそうな気がするな。

――膳場さんは元NHKアナウンサーで、筑紫哲也さんとTBSの『NEWS23』のキャスターをずっと務めた後、『サンデーモーニング』と並んでTBSを代表する左傾化番組『報道特集』のメインキャスターだった方ですから。

いい機会だから全面的にリニューアルして出演者を総入れ替えすればいいんだけれど、TBSにはその気はないだろうな。何しろ重信メイさんを出演させるテレビ局だから。

――重信メイさんはテロ組織日本赤軍の元リーダー、重信房子さんの娘さんで、お父さん

はパレスチナ人活動家。ハマスがイスラエルを攻撃した際、ＢＳ‐ＴＢＳの『報道１９３０』にメイさんをジャーナリストとして出演させたことに対し、イスラエル大使がＴＢＳに抗議した。番組スタッフや、そもそもＴＢＳのお偉いさんがそっち系なのでしょうか。

そういう人たちが原稿を書いているから、もうどうしようもないんだな。寺島さんがくだらないことを言っても、原稿を読んでいるだけだからツッコミようもない。

ただ、「アメリカの中東戦略の失敗」というのはあまりロジカルな言い方じゃないね。アメリカの中東戦略を、ハマスが打ち砕いたというほうが正しいね。アメリカ自身はイスラエルとパレスチナの関係をなんとか改善しようとしてイスラエルとサウジアラビアの関係正常化を働きかけていたのに、ハマスがそこにちょっかいを出したという感じがするんだよね。

ハマスの後ろにはイランのような非民主主義国がいるからね、そういう国がアメリカの戦略を妨害したと見るのが正しいんだけれど、ロシア、イラン、中国、北朝鮮のような国が連動して動いているということを、そういう非民主主義国側は絶対に言わないんだよな。

――関口さんが退いても『サンデーモーニング』自体が終わることはなさそうですね。ネットではかなりたたかれているんですけど。

炎上商法なんじゃないの（笑）。まあ、関口さんが降板した後、どういうふうに変わるのか興味がなくはないけれど、膳場さんという人もかなり左巻きだからね。だいたい左巻きの中でいちばん勉強のできるヤツが大学に残り、次にできるヤツが公務員になる。成績が悪くて行くところのない左巻きがマスコミに就職するんだ。ずーっと同じことを言っているだけだから応用力もない。ビジネスでは絶対に使えない人間であることは間違いないよ。訓を垂れてばかりでね、そういう人がいちばん困るんだよな。

（２０２３年10月26日）

老舗地方紙の痛いところを突きまくる若き市長にスター誕生の予感

――いま広島県安芸高田市の石丸伸二市長と議会、それに中国新聞との対立がネットでバズッっています。

私は個人的に石丸市長を知らないけれど、ネットで議会やマスコミとやり合っているのを見ると、けっこう強力なキャラクターだね。

――石丸市長はメガバンク出身で、30代で市長に当選した若い市長です。最初に話題になっ

たのは、議会で居眠りしている議員に対して「恥を知れ！」と声を荒らげた映像でした。

率直に言うと地方の議会とマスコミのレベルはあまり高くないんだよね。そこをやり込めようと思えばけっこうできる。市長としてはそこを自分の売りにしているのかもしれない。

地方自治体は首長と議員を住民が直接選挙で選ぶ二元代表制だから、市長と議会が対立してもある程度、行政はできる。そこでやり合うのをネットで見せることによって、この市長は今後だんだんステップアップしていくかもしれないな。

——確かに、けっこうスターになっている感じはします。若い市長が、旧態依然とした年寄り議員と硬直した地方新聞と戦っているという構図ですね。

ただ、話を聞いていると、けっこう単純なロジックを言っている。議会に対してもマスコミに対しても、すべてオープンにしろというのが基本的な主張だね。

これは実はマスコミのいちばん弱いところなんだよ。オープンにすると特ダネなるものが成立しない。マスコミって攻撃するのは得意だけれど、反撃されるとまったくダメでしょう。ディフェンスがまったくできない。オープンな議論って、体質的にマスコミは苦手なんだ。

そういうマスコミの弱点をよくわかっていて、中国新聞が何か言うと、市長は「あなた、そのデータが出せますか」と切り返す。マスコミはそれが出せない。出してしまうと自分たちの存在意義がなくなるからなんだよ。オープンなデータを示してオープンな議論ができないのがマスコミなんだ。そこを石丸市長はよくわかって突いている。

たとえば、その批判の根拠は何ですかと市長が聞くと、取材源は秘匿しますと言って逃げる。それは言えないんだ。

――世論調査のデータぐらいは出せるのでは？

それも出せないんだよ。市民アンケートのデータは出せない。かなり恣意的にやっている可能性があるから。

――やはりそういう可能性があるわけですね。

そういうのをぜんぶオープンにしてしまったら、マスコミは単に自分たちに都合のいい主張をしているだけだということがバレてしまう。マスコミの手法はいつも同じで、自分の言いたいことが先にあって、それに都合のいいデータを後付けして記事を書くんだ。それを取材源の秘匿なんて言葉でごまかすけれど、最初から内容は決まっている。それがマスコミの基本にあるんだよ。

――最初から結果を決めておいて、それに合わせてアンケートを取るみたいな？

どこかから都合のいいデータを集めてきたりしてね。だから取材源を明らかにすると、なんだ、最初から偏《かたよ》っているじゃないかってすぐわかる。

だから、なぜオープンにできないのかと突っ込むのが強烈なマスコミ批判になる。そこをこの市長はわかっているね。

たとえばマスコミの人間で学位論文を書きたいという人が来る。じゃあ書いてごらんと言うと、取材源を隠すから、書いてあることにまったく根拠がないんだよ。新聞と同じなんだ。でも、それじゃ論文にならない。論文の場合は、いちいち根拠を示さなければいけない。参考文献から出典から引用元から取材先まですべて明らかにしなければならないんだよ。

だけど、マスコミの人間はそういう訓練をしていないから、それができない。「これはどうなの」って聞くと、「取材しました」と答える。「どこに取材して誰が言ったことなのか明らかにしないと論文にならないよ」と言うと、しぶしぶ書き加えるんだけれど、それが偏った立場の人間だったりすることがある。ちゃんとしたオープンデータで議論することがなかなかできない人たちなんだよ。

――でも、マスコミの人たちって議会や政治家に根拠や証拠をよく求めるじゃないですか。

他人には求めるけれど、自分には求めない。学術論文なら、これは誰の意見か、誰の言葉かをすべて書くけれど、マスコミの文章というのは誰から聞いたことかをできるだけ隠そうとする。

発言者のほうがオープンにしてもいいよと言ってもしない。それをすると、どこからパクってきたのか、いかに都合よく捻じ曲げて使っているかがわかってしまうからだ。

――そんなに都合よく使っているんですか。

取材源の秘匿なんて義務でも何でもない。取材源がダメだ、名前を出さないでくれと言ったら、そのことを明示して、これは取材源のほうが納得していませんからと書けばいい。だけど取材源のほうは別にかまわないと言っても出さない。

――やはり都合が悪いということなんですね。

公的な立場の人なら、自分の名前を出されても別にかまわないと思うはずだけど、マスコミのほうで都合のいいところだけ選んだり抜き出したりしていることがバレちゃうし、何も付加価値のない文章を右から左へ流していることがはっきりしてしまうから、だから言わないいんだよ。

それを石丸市長はよくわかっているから、なぜアンケートのデータがオープンにできないんですかって問い詰めると、中国新聞の記者は黙り込んでしまう。

――黙ってしまいましたね。「ングググ」っていう感じで（笑）。

訓垂れの意見が先にあるマスコミの手法を知っているんだよ。だから、記者会見で「ここはあなたの意見を発表する場ではありません」とキッパリ言われるとマスコミは「ググッ」なんだよ（笑）。そういうマスコミの体質が石丸市長の記者会見を見ているとよくわかるね。

――しゃべり方とかも面白くて、いいキャラですよね。

安芸高田市長だけじゃもったいないという話になって、そのうち中央政党のほうから「次の選挙でどうですか」という話が来るかもしれない。

――再生回数とかもすごいことになっているので政党は目をつけますよ。

新しいスターかもしれないね。ちょっとレベルが低い地方のマスコミとはいえ、こうやって堂々と渡り合えるんだからね。

――そういうアンテナを張っている政党というと、やはり自民党ですか。

自民党に限らず、どこもみんな張っていると思うよ。どこでも候補者が足りないからね。

――これからいろいろなところから声がかかりそうですね。

政治家は人気商売だからね。はっきり言って名前が知られてないとものすごく大変なんだよ。最悪なのはとにかく名前を知られてないこと。

――石丸市長は何の地盤もないところからいきなりポンと立って当選しました。

ということは、しがらみもないだろうし、そうするといろいろなところから「市長の任期を終えたらこっちで」と声がかかるかもしれない。

――先々ちょっと楽しみです。

どうなるかわかりませんけどね。ネットで話題になると政治家も関心を持ちますから、けっこう注目しているような気がしますよ。

（2023年10月30日）

映画『沈黙の艦隊』は現実の核の脅威を描いている

――金正恩がロシアを訪問しました。北朝鮮とロシアが手を結んだのは大問題ではありませんか。

プーチンがほしいのは言うまでもなく砲弾・弾薬。そして最終的には兵隊を貸せということです。それに対する金正恩の交換条件は明らかに軍事技術ですよ。

——核ですか。

そう。超音速ミサイル、潜水艦、軍事衛星だよ。金正恩の行った先は、すべてその関連施設です。ひょっとしたら北朝鮮のミサイル、潜水艦、軍事衛星がグレードアップする可能性がある。これはまずい。北朝鮮とロシア、中国が連携することになったら、日本は大変な状況に直面するよ。

これまで日本はずっとGDP比1％の防衛費ですんでいた。ところが、ロシアがウクライナに侵攻したのを見て、「三正面作戦」がにわかに現実味を帯びてきた。「敵の敵は味方」というわけのわからないロジックを持つ非民主国家が日本の周りに三つも存在して、しかもそれが束になってかかってくる恐れがあるわけだから、どうしてもGDP比3％の防衛費をつぎ込んで国を守らなければいけない。

これはもう現在の世界情勢では不可避で、この流れは変えようがない。日本だけいくら抗《あらが》ったってどうしようもありません。

それで思い出すのが2023年9月に封切られた映画『沈黙の艦隊』です。ちょうどビデオ配信が始まったところらしいけれど、私、この映画をたまたま試写会で観たので、その話をしたいと思います。こういう世界情勢の中で日本はどうあるべきかを考えるためのいいきっかけになるのではないでしょうか。

かわぐちかいじ氏による原作は1980年代後半から1990年代まで足かけ9年にわたって『モーニング』（講談社）に長期連載された全32巻の漫画です。連載期間はものすごく長いけれど、作品の中で描かれているのはわずか2カ月のことなんだ。艦隊の航海をすべてたどってみるとそうなります。だから、ものすごく細部まで描かれている。

これが実写映画化されたのは驚きだったけれど、もう30年以上も昔に描かれた話なのに、ほとんど色褪せていない。さすがに時代が変わっているから、原作とは設定を少し変えているけれどね。

ネタバレしない範囲でしゃべると、主役の海江田四郎艦長を演じるのがプロデューサーでもある大沢たかお。その自衛隊でのライバル深町洋が玉木宏。天才的な操縦技術を持った冷静沈着な海江田と、熱血漢の深町。この二人を中心にストーリーが展開する。ほかにもいろいろな人物が登場するんだけれど、原作の漫画ではみんな男性だった。連載当時はそれが当たり前のことだったけれどね。

この漫画はかつて国会でも取り上げられたことがあって、私はその時「えっ、そんな漫画があるのか」と初めて知って、読んでみたら面白くてね。国会でもけっこう真面目に議論されていたよ。その当時は1980年代後半だから、当然、原作の防衛庁長官は男性だけど、私が官邸にいた2007年に小池百合子さんが女性初の防衛大臣になっている。今回の映画でも防衛大臣は女性。夏川結衣さんが演じている。

潜水艦「たつなみ」の深町艦長を補佐する副長も映画では女性に変更されていて、これは水川あさみさん。今は潜水艦乗りでも女性はいるからね。それから原作ではどこで出てきたか覚えていないんだけど、新聞記者役で上戸彩さんが活躍する。ストーリーにはあまり関係ないけれどね。

漫画自体はすごくスケールの大きい国際政治の話だけれど、その当時と今では状況が違うというような批判をする人もいるかもしれないから、ちょっと話をしておきたいと思います。

もちろん原作を読んでいる人は知っていると思うけれど、アメリカ海軍第7艦隊に所属する日本初の原子力潜水艦「シーバット」を、日本の海江田が運航している。ところが途中で突然、海江田たちが艦隊から離脱して「やまと」を名乗り、独立国宣言をするという話なんだよ。

この話のポイントは、「やまと」が核を積んでいるかどうかということにある。これは、私がいつも言っているように、日本が原子力潜水艦を入手したとして、そこに核が積まれている可能性があるということになったら大変な抑止力になる。それとまったく同じなんだよ。これは、この漫画が始まった当時からものすごく大きなテーマだったわけ。

しかもアメリカ第7艦隊も「やまと」に核があるかないかを確認できないというのが重要なカギになっている。なぜなら、海江田たちがひょっとしたら核を持ち込んだかもしれないと思わせる十分な理由があるからだ。それが映画前半の最大のサスペンスになっている。もしも彼らが核を持っていたらと思うと怖くて攻撃できない。

でも、漫画連載開始当時の1980年代後半には、原潜が持つ核にはいくつか種類があってね、一つはSLBMつまり潜水艦発射弾道ミサイル、それから巡航ミサイル、それから核魚雷。いろいろなパターンがあった。ところが1991年に、お父さんのほうのブッシュ米大統領が、海軍の核兵器を空母・水上艦艇・攻撃原潜から撤去して、戦略原潜のSLBMにのみ搭載するという核軍縮宣言を行った。つまり、「攻撃型原潜には核を積まない。戦略型原潜のみ報復用の弾道弾を持つ」ということだ。だから攻撃型原潜には核はないというのがアメリカ政府の建前。

あるとき私が「日本に寄港している原潜は核を持っているもしれないよ」と言ったら、「髙橋さん、攻撃型原潜はすでに核を放棄していますよ。そんなことも知らないの？」とバカにされた。確かにアメリカ政府はそう言っているし、ホームページにもそう書いてある。だけど、私はそれに対して「あなたは確認したことがあるんですか？」と聞き返した。

日本政府だって確認したことはない。アメリカ政府がそう言っているのは知っているけれど、それを確認する術《すべ》はないんだよ。それが抑止力なんだ。

だから、現代では攻撃型原潜「やまと」に核があるはずはない。ストーリーとして成り立たないと、知ったかぶりしてコメントする人がおそらくいると思うよ。だけど、実はアメリカ政府がそう言っているだけで、確認した人はいないんだ。

軍事戦略というのはそういうものでしょう。真の同盟国になって実際に核の共同運用をしない限り、どこに核を配備しているかなんてわからない。日本政府も公式には「アメリカ政府がそう言っています」としか言いようがない。

――言えないし、言わないんですね。

日米安保条約には「事前通告する」とあるだけだから、昔からずっと答えは同じ。「通告がないんだからないんでしょう」と言うしかないんだよ。

だから映画でも、アメリカの艦長は「持っていないはずだけど、ひょっとしたら……」という不安があるから、なかなか攻撃できないんだよ。万一、核魚雷を一発撃ち込まれたら第7艦隊は全滅する。これは今でも十分成り立つ、面白いストーリーですよ。

現代の最新情報を前提にして観賞しても、核は実際に使用するより敵を威嚇するのが本来の目的だという主張はすごく正しい。原作の漫画連載時も現代も、それはまったく変わっていない。やはり核兵器を持っているかもしれないと思われる原子力潜水艦を保有するというのはすごく大きなことだよ。

（2023年9月27日）

髙橋洋一（たかはし　よういち）
株式会社政策工房会長、嘉悦大学教授。1955年、東京都生まれ。東京大学理学部数学科・経済学部経済学科卒業。博士（政策研究）。80年、大蔵省（現・財務省）入省。大蔵省理財局資金企画室長、プリンストン大学客員研究員、内閣府参事官（経済財政諮問会議特命室）、内閣参事官（首相官邸）などを歴任。小泉内閣・第１次安倍内閣ではブレーンとして活躍。2008年に『さらば財務省！』（講談社）で第17回山本七平賞を受賞。『安倍さんと語った世界と日本』『髙橋洋一のファクトチェック2023年版』（共にワック）、『髙橋洋一式デジタル仕事術』（かや書房）ほか著書多数。「髙橋洋一チャンネル」をYouTubeで好評配信中。

髙橋洋一《たかはしよういち》の
ファクトチェック 2024年版《ねんばん》

2024年３月31日　初版発行
2024年４月６日　　第２刷

著　者　髙橋 洋一

発行者　鈴木 隆一

発行所　ワック株式会社
東京都千代田区五番町 4-5　五番町コスモビル　〒102-0076
電話　03-5226-7622
http://web-wac.co.jp/

印刷製本　大日本印刷株式会社

ISBN978-4-89831-894-2